仕事に効く
教養としての「世界史」II

出口治明

祥伝社文庫

はじめに　人間にとって教材は過去にしかない

◆教養としての「世界史」Ⅱを刊行した理由

一昨年（2014年）に出版した『仕事に効く 教養としての「世界史」』は、幸いにも好評で増刷を重ね（14刷）、多くの皆さんから「続編を書いてください」というリクエストをいただきました。特に多かったのが、前著で扱わなかった国や地域へのリクエストでした。たとえばアフリカやアメリカ大陸のこと、エジプトやインドのこと、ドイツやイスラム諸国のことなどです。このことが、続編を書こうと考えた最初の理由でした。

それに加えて、アメリカと中国の覇権争い、EUの行く末、混迷を深める中東状勢など21世紀の世界がたいへん読みにくくなってきたことが、執筆を決心させたもうひとつの理由でした。

平たく言えば、20世紀は戦争の世紀であった気がします。第一次世界大戦、第二次世界大戦、それから冷戦と、ずっと戦争を行なってきて、ようやく冷戦が終結したという経緯がありました。冷戦は文字通り「冷たい戦争」で、軸となったのは米ソの外交戦でしたから、二次にわたった世界大戦に比べればそれほど血は流れませんでした。もちろん東西対立を原因とする代理戦争や局地戦争はいくつもありましたが。そして100年の間に、冷戦を含めて3回の世界規模での大戦を経験して、最後にようやく冷戦が終わった90年代の初頭には、これからは「平和の配当」が受けられる、世界はよくなると多くの人々は考えたのではないでしょうか。「平和の配当」のひとつの象徴が、インターネットに代表されるような、有力な戦略軍事技術が民間に解放されたことでした。

ところが、それも束の間、2001年に起こったアメリカに対する「9・11」同時多発テロ事件あたりから、21世紀の雲行きは怪しくなります。中東も再びきな臭くなりました。さらに中国はベトナムやフィリピンなどと南シナ海の領土問題で衝突を繰り返し始めました。一方では、ロシアがクリミア半島を軍事力で併合してしまうような事態も生じました。そして、「世界の警察官」としてのパワーが、相対的に弱くなっていると見られているアメリカ。ヨーロッパなど世界でも頻発するIS（自称イスラム国）のテロ。

「戦争はいっこうに終わらない。世界はどこへ行こうとしているのだろう」

人々がみんな、先行きに不安を感じているのが、今日の状況であると思います。

最近、僕は講演会などの折に、よく次のような質問をします。

「2008年に起きたリーマン危機や、2011年の東日本大震災のような危機は、また起こると思いますか？」

すると、ほとんどの人が起こると思うほうに手を挙げます。

実は、もうひとつの質問も用意しているのです。

「ここに2つの企業があります。ひとつの企業は、リーマン危機や東日本大震災の経験は、将来何かの役に立つかもしれないからと、徹底的にその経緯を勉強しておこうと考えた。もうひとつの企業は、情報化技術は日進月歩だし、パソコンはスマートフォンに替わって、ウェアラブルになるとか、次々と変化していくのだから、昔のことを勉強しても参考にはならない。かえって固定観念が入ってしまって対応を難しくすると思う。だから学習しないことに決めた。

この2つの企業が新たな危機的パニックに直面したとします。どちらの企業がうまく対応できると、あなたは考えますか？」

この質問に対しても、だいたい8割前後の人が勉強した企業のほうに手を挙げます。もちろん講演会場ですから、よく考えたり検討したりする時間のない状況での判断です。手を挙げたみなさんも、確たる自信があったわけではないのでしょう。しかし逆に、ほとんどの人は次のことを直感的にわかっているのだと思います。

「将来、何が起こるかは誰にもわからないけれど、悲しいかな、教材は過去にしかない」

これから展開されていく21世紀の世界で、何が起こるのかは、同様に、誰にもわからない。けれども人間がつくりあげてきた過去の歴史の中に、何かヒントはないだろうか。それを上手に探せばひょっとしたら、いろいろなことがわかるかもしれない。この問題意識が、『仕事に効く 教養としての「世界史」Ⅱ』の、大きな執筆動機となりました。

▶戦後70年の日本はどこへ？

昨年、2015年は第二次世界大戦、日本では日中戦争や太平洋戦争、十五年戦争などと呼ばれていますが、その敗戦からちょうど70年という節目に当たる年でした。

昨年の年初に天皇陛下が、

「本年は終戦から70年という節目の年に当たります。多くの人々が亡くなった戦争でした。各戦場で亡くなった人々、広島、長崎の原爆、東京を始めとする各都市の爆撃などにより亡くなった人々の数は誠に多いものでした。この機会に、満洲事変に始まるこの戦争の歴史を十分に学び、今後の日本のあり方を考えていくことが、今、極めて大切なことだと思っています」

と述べられたことは、まだ記憶に新しいところです。

僕たちは、満洲事変に始まる昭和の時代の戦争の歴史はもとより、広く世界史の大きな流れをひもとく必要があると思います。なぜなら、先の第二次世界大戦もその大きな流れの河口近くに位置しているからです。

このような理由により、本書では前著同様日本を直接に取り上げることはしないで、遠くから日本を見つめるために参考となる「戦争」や「宗教」のような大きなテーマを軸として世界史の断面をいくつか取り上げてみました。戦後70年を迎えた日本がこれから歩いていく道筋が、この本からほんの少しでも覗(のぞ)くことができれば、著者としてこれほど嬉しいことはありません。

立命館アジア太平洋大学（APU）学長　出口治明(でぐちはるあき)

目次

仕事に効く 教養としての「世界史」II

第3章

豊かな国インド
——なぜ始皇帝もカエサルも登場しなかったのか

第4章

エジプトはいつも誰かに狙われていた
──「世界の穀倉」をめぐる支配の歴史

第5章
日本文化に大きな影響を残した唐宋革命
――平和はどのように築かれたか

第6章
ルネサンスは神の手から人間を取り戻す運動だった
――里帰りの3つのルートとメディチ家

第7章

知られざるラテン・アメリカの歴史
——スペインの支配、独立運動、キューバ危機

第10章

21世紀の世界はどこへ向かうのか
――超大国アメリカと世界の国々

カバーデザイン：渡邊民人（タイプフェイス）　本文デザイン：タイプフェイス　写真：アマナイメージズ

第1章

激動の16世紀。世界史の流れはここから変わった

――カール五世、新大陸への到達、宗教改革

■歴史学に変革をもたらした2人の学者

西洋がGDP（国内総生産）を含めた総合力で東洋を制圧下に置いたのは19世紀のアヘン戦争からですが、そこに至る歴史の流れの端緒を切り開いたのは、1492年にコロン（コロンブス）が大西洋を横断して、新大陸に到達（再発見）したときでした。新大陸は10世紀末にヴァイキングが発見した後、しばらく忘れられていたのです。

このときから、ユーラシア大陸を中心に展開されてきた世界史のドラマは、アメリカ大陸という新しい舞台と交流して、それまでとは時代を画する段階に入っていきます。人や動植物、病原菌などが大西洋を往来して、かつてない規模で「コロン（コロンブス）交換」と呼ばれる広範囲の交易が行なわれて、世界は均質化しました。それが16世紀という時代でした。

加えて前世紀末にグーテンベルクや、商業印刷の父アルド・マヌーツィオ（本にページ番号を付し、イタリック体や八つ折判を普及させた）によって印刷術が広まったため、16世紀に入ると文献の量が飛躍的に増大しました。もっともこれはヨーロッパの話であって、すでに1000年ほど前の中国では、増大する一方の歴史文献を整理するために、唐

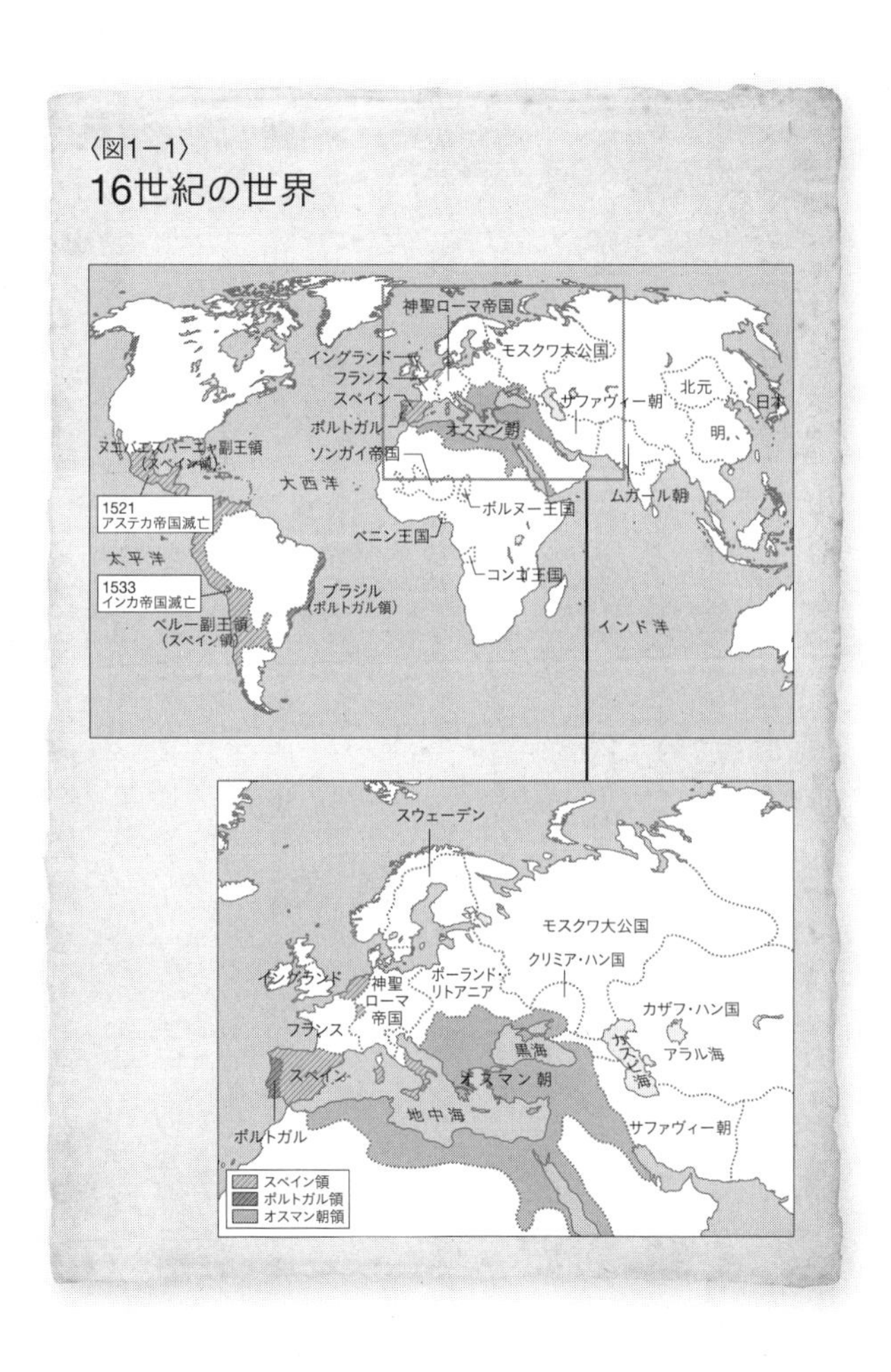
〈図1−1〉
16世紀の世界
神聖ローマ帝国
イングランド
フランス
スペイン
ポルトガル
モスクワ大公国
サファヴィー朝
北元
日本
明
オスマン朝
ヌエバエスパーニャ副王領
(スペイン領)
ソンガイ帝国
大西洋
ボルヌー王国
ムガール朝
1521
アステカ帝国滅亡
ベニン王国
太平洋
コンゴ王国
1533
インカ帝国滅亡
ブラジル
(ポルトガル領)
ペルー副王領
(スペイン領)
インド洋
スウェーデン
モスクワ大公国
クリミア・ハン国
イングランド
神聖ローマ帝国
ポーランド・リトアニア
カザフ・ハン国
フランス
黒海
カスピ海
アラル海
スペイン
オスマン朝
地中海
ポルトガル
サファヴィー朝
スペイン領
ポルトガル領
オスマン朝領

の太宗李世民が7世紀の初めに史館という役所を設けています。歴史文献という視点で見れば、当時のヨーロッパは中国に約1000年の遅れをとっていたのです。

この16世紀という画期的な世紀を研究対象として取り上げ、歴史学の分野に大きな変革をもたらした2人の学者がいます。フェルナン・ブローデル（1902〜85、フランス人）と、イマニュエル・ウォーラーステイン（1930〜2019、アメリカ人）です。

この2人の学説を簡単に紹介します。

最初にブローデル。彼は歴史という大河を「長波」、「中波」、「短波」の三層構造で捉えました。歴史の表層に登場する個人やさまざまな出来事がありますが、これを「短波」と考えました。次にもう少しゆっくり変化していくもの、たとえば王朝の興亡や長期にわたる戦争、宗教の発展やイデオロギーがらみの紛争などを「中波」と呼びました。それらの「短波」や「中波」の深層にある人為的に変えることが難しいもの、自然環境や地理的条件や気候、さらには人間の日常生活を精神的に支えている死生観や人情のような非常にゆっくりした変化しか起こさないものを「長波」と呼びました。

ブローデルは、歴史は「中波」と「短波」が重なり合って、さまざまな変化を生み出すように見えるけれども、時代が大きく変化していくときには、その深層にある「長波」の動きがあることを忘れてはならないと指摘しています。政治や個人の力量だけが、歴史の舵（かじ）を握っていると考えると大きな変化を見逃してしまう。世界を全体として見るときには、こうした時間軸が重要であって、特に個々の人間の動きや出来事だけに眼を奪われてはいけないと。

ブローデルはそのような歴史観に立って、カール五世の子どもであったスペイン王フェリペ二世（在位1556〜98）の時代を題材に、大著『フェリペ二世時代の地中海と地中海時代』を執筆しました（邦題『地中海』、藤原書店）。

次に社会学者であるウォーラーステインは「世界システム」という、世界を一体的に捉える概念を提唱しました。

彼はまず、「世界帝国」と「世界経済」を区別します。

世界帝国とは、たとえば地中海世界やイスラム世界のように、一定の領域内に言語の異なる複数民族が暮らしている地域的なまとまりのことです。このような地域的なまとまりを、ひとりの英雄やひとつの強国が政治的に統合しようとする試みは、ローマ帝国をはじめとして歴史的には何度も繰り返し行なわれてきました。

しかし、この野心を実現させることは難事です。膨大な官僚群と強大な軍事力が必要となるからです。ひとりの帝王のカリスマ性だけでは、早晩崩れます。たとえばバグダードのひとりのカリフがインダス川からスペインまでを、イスラム帝国として一括して支配し維持するためには、かなりのコストがかかりますから、どうしても長続きしない。したがって歴史的には、このような形の世界帝国は幾度か生まれ、そのつど滅び去りました。

さらにウォーラーステインは、世界経済という概念を提唱し、以下のように定義しました。それは「資本主義によって結ばれている世界である」と。

資本主義や世界経済と言いましたが、それは一般的に使用される意味合いとは少し異なります。交易や分業を中心とする、経済的な結びつきによって成立している世界の意味です。軍事力や統治機構で拘束（こうそく）されている世界ではありません。そこでは相互に利益が得られる関係が優先されます。このような経済的な関係によって構成される地域の結びつきを、ウォーラーステインは、世界システムと呼びました。

世界システムには、いくつかの国や民族が含まれています。その国や民族を含む領域には、ひとつの大都市を中心とする中央があります。そしてその中央に農業生産物や工業生産物を供給する、半周辺となるいくつかの国を含む地域があります。さらに半周辺を原料の供給によって支える周辺となる地域があります。

すなわち世界システムは、世界を中央・半周辺・周辺と区分し、それらの分業体制によって世界が成立しているという概念であり、時代によっていくつかの世界システムが存在していました。

世界システムは古い時代にもつくられましたが、多くの場合、世界経済は世界帝国の政治力や軍事力によって妨害され消滅を余儀なくさせられました。ところがコロンのアメリカ大陸到達を引き金として始まった16世紀を経て、世界経済が文字通り全世界規模に発展して、世界システムが広範な地域に拡大し、強力な存在となりました。そして、世界帝国によって崩壊させられたり、世界帝国が倒れたことで消滅することもなくなりました。このような世界的な分業システムが、より強固になった16世紀以降をウォーラーステインは、「近代世界システム」と呼んでいます。

そして近代世界システムは、20世紀の米ソ対立にも影響を受けることなく、その分業体制を機能させています。現代の近代世界システムの中央に存在するのは、アメリカであるとウォーラーステインは説明しています（『近代世界システム』名古屋大学出版会、全4

巻）。

世界史を短波・中波・長波という3つの異なる時間軸の合成として見つめ直すこと。また世界は中央・半周辺・周辺という分業システムで動いていると一体的に捉えること。ブローデルとウォーラーステインがともに16世紀を中心に自らの学説を展開したのは、16世紀が時代を画する世紀であったからに他なりません。予測しがたい変化を見せる21世紀を生きていく現在、激動した16世紀を見つめ直すことは、僕たちに何らかの示唆（しさ）を与えてくれるかもしれません。そのような視点を持ちながら、話を進めたいと思います。

なお、コロンは日本ではコロンブスと通称されていますが、スペインではコロン、イタリアではコロンボと発音されます。コロンブスは日本だけの呼称です。また、アメリカ大陸には固有の優れた文化を持つ先住民が生活していました。したがって誰もいない前人未到の地をコロンが発見したのではないため、「発見」ではなく「到達」という言葉を使用する考え方が、近年の傾向のようです。

また、本著では、世界という視点で歴史を追っていきますので、人名や地名や学術用語を使用するときも、日本独特の言い回しと世界で通用している用語法については、十分留意したいと考えています。たとえば、イギリスという日本独特の呼称は、その時々の正式国名（現在はUnited Kingdom of Great Britain and Northern Ireland）に準じて、連合王国（UK）、大英帝国、イングランドなどを、適宜使い分けていきます。同様な意味でオランダはネーデルランドと表記します。

ハプスブルク家の台頭

16世紀前半のヨーロッパ史の中で、良かれ悪しかれ、その存在が際立ってくる君主が、カール五世です。彼はスペイン王としてはカルロス一世（在位1516～56）であり、ドイツ王および神聖ローマ皇帝としてはカール五世（在位1519～56）です。彼は16世紀前半を語るにふさわしく、1500年にベルギーのガンGand（現ヘントGant）で誕生しました。1500年当時のガンは、ネーデルランドのフランドル地方に属し、毛織物工業や北海交易によって、ヨーロッパ有数の先進地域となっていました。

ところで、スペイン王となりドイツ王ともなるハプスブルク家の血を引くカール五世が、なぜネーデルランドの地で出生したのか、その経緯に触れておきたいと思います。

西ヨーロッパのライン川とアルプス山脈、そしてピレネー山脈に囲まれた地域は、古来ガリアと呼ばれていました。この地域に侵入した諸部族のうち5世紀後半頃からサリー・フランク族が王国を形成するようになりました。最初のフランク王朝、メロヴィング朝を簒奪（さんだつ）したカロリング朝二代のシャルルマーニュ（カール大帝）の時代には、イタリア北部、オーストリア、ルーマニア、ポーランド、ドイツ、ネーデルランド、フランスなど、現在の西ヨーロッパのほとんどを支配下に置く大帝国となりました。しかし彼の治世（７６８〜８１４）の後、30年弱で、領土をひとつにまとめて継承することが不可能となり、３人の子孫の間で３分割されました。

３分割されたフランク王国は、現在のフランスの前身となる西フランク王国、ドイツの前身となる東フランク王国、そしてイタリア北部を中心とする中部フランク王国に分かれましたが、30年近く経過した８７０年に、中部フランク王国は国王の死によって、東フランク王国と西フランク王国に領土が割譲（かつじょう）されて、国そのものが消滅しました。

そして西フランク王国ではカロリング朝の血が絶えると、カペー朝に引き継がれて、少しずつ国力を増していきます。

一方、東フランク王国は、カロリング朝が絶えた後、諸侯と呼ばれる各地方の土着の豪

〈図1−2〉
西フランク王国と東フランク王国
（9世紀のヨーロッパ）

族たちが、ドイツ王を選ぶ形で王国を形成していきました。しかし、どの王朝でも後継者となる嫡男（ちゃくなん）が持続的に誕生せず、ザクセン朝（９１９〜１０２４）、ザーリアー朝（１０２４〜１１３７）、ホーエンシュタウフェン朝（１１３８〜１２５４）と、３代の王朝が次々に登場します。

　この３つの王朝に特徴的なことは、国王がドイツ王であると同時にローマ皇帝でもあったことです。ローマ帝国は、３３０年に都を東方のコンスタンティノープルに遷都して存続しています。したがって真のローマ皇帝はコンスタンティノープルに君臨しているのです。

　ドイツ王が戴冠（たいかん）したローマ皇帝は、コンスタンティノープル側から言わせれば、勝手に称号を名乗っている僭称（せんしょう）にすぎません。
では誰がドイツ王をローマ皇帝として戴冠したのか。それはローマ教皇です。
ローマ教皇がローマでドイツ王（当時はシャルルマーニュ）をローマ皇帝に戴冠した最初は、800年のことでした。このときのローマ教皇レオ三世は、シャルルマーニュにローマ皇帝の名称を与えることと引き換えに、ローマ教皇領を、武力で守ってくれることを期待したのでした。

こうして、歴代のドイツ王は、明るく温暖で古代文明の香りも高く、ワインがおいしく女性も美しいローマに、部下を引き連れて出かけることが多くなりました。結局、ドイツ王は、ドイツの兵力や財力をイタリアに注ぎ込むことになっていきます（このあたりの事情については、前著『仕事に効く 教養としての「世界史」』でも触れました）。

そして、ローマ皇帝となったドイツ王は、ローマ教皇の権威を軽視するようになります。一方、ローマ教皇やイタリアの独立心の強い諸都市は、そのようなドイツ王に対し、その軍事力に頼りながらも、うっとうしい暴君だと感じるようになります。ドイツ王は、表向きは敬意を表しているように見せながら、陰（いん）に陽（よう）に反抗するローマ教皇や諸都市に手を焼き始めました。

皮肉なことに、力があり野望もあるスケールの大きいドイツ王が出現すると、イタリア支配に熱中して、ドイツ諸侯に多額の出費や出兵を要求します。そしてそのつど、諸侯の農民たちに対する収奪も厳しくなるのです。ドイツ王のイタリア経営に対する悲鳴が聞こえ始めました。

ついにホーエンシュタウフェン朝の実質的な最後の皇帝、名君フリードリヒ二世が死去したあとに、真のドイツ王がなかなか決まらない「大空位時代」を迎えてしまいます（1256〜73）。

ドイツの諸侯は、彼らを代表するドイツ王を選ぶことを、改めて考え直しました。強い君主を選ぶと、ドイツの権威は高まる代わりに、また、ドイツのお金がイタリアで蕩尽（とうじん）されてしまう。あまり強大ではなく、イタリアに野望などを抱かず、ドイツを守ることに専念する程度の小さな領主をドイツ王に選ぼうじゃないか。そういう考えで意見が一致しました。

そしてドイツ王に選ばれたのが、スイスの小領主であったハプスブルク家のルドルフ一世だったのです。こうして「大空位時代」は終わりました。ここからハプスブルク家が歴史の表舞台に顔を出し始めます。時に1273年のことでした。

しかしルドルフ一世は、ローマ皇帝にこそ選ばれませんでしたが、ドイツ諸侯が期待したほど平凡でも野心のない君主でもありませんでした。

「俺は領土が小さいから、ドイツ王に選ばれた。しかし国王になった以上は、諸侯の言いなりにはならないぞ」

彼は、領土がスイスの山深い地方だけでは、ドイツ王やローマ皇帝の地位を子々孫々まで受け継ぐのは無理だと考えたのです。彼は１２８２年に、当時ボヘミア王の領地であったオーストリアに目をつけ、ボヘミア王の隙をついて、これを奪取してしまいます。ルドルフは奪い取ったオーストリアを経営していくために、スイスのハプスブルク家の領地から盛んに年貢を取り立てました。不在地主となったハプスブルク家に、スイスの地元民は激しく抵抗しました。

スイス人は、山国でたくましく生きていますから伝統的に腕っぷしが強い。オーストリアは得たけれど、ハプスブルク家は結局スイスの領地を追い出されてしまいました。ここでスイスという国の原型が出来上がります。

この後、ハプスブルク家はオーストリアを治めて、ドイツ王になったりならなかったりしながら、存続していきました。多くの強力な諸侯がひしめくドイツの中で、傑出して目立つような家系ではありませんでした。

しかしルドルフ一世から数えて六代目のマクシミリアン一世（皇帝在位1493〜1519）の時代に顕著な変化が生まれます。それは、彼がブルゴーニュ公国のマリーという娘と結婚したことから始まりました。

◆スペイン王、ドイツ王・神聖ローマ皇帝となったカール五世

当時のブルゴーニュ公国はフランスのヴァロワ朝の分家が起源となっていました。ワインで有名なブルゴーニュのディジョンが首都でした。ブルゴーニュ公国は、このパリ南東部の地域と、フランドル（現在のネーデルランドとベルギー）を領有していました。フランドルはフランク王国の時代からヨーロッパで最も先進的な産業地域でした。このためブルゴーニュ公国は、国土はフランス王国よりも小さいのですが、大きなGDPを有する豊かな国でした。

このブルゴーニュ公国は百年戦争のとき、イングランドと連合して一時フランスと敵対したことがありました。そのため、この間歇（かんけつ）的に長く続いた戦争が1453年に終わった

後も、ブルゴーニュ公国はフランスのライバルでした。

　このブルゴーニュ公国の四代目に、シャルル（在位１４６７〜７７）が登場します。彼は「突進公」という異名のごとく、騎士道精神がすべてのような君主でした。

　騎士道とは中世の貴族社会を風靡していた思想であり、理想主義的な建前論でした。主人に対しては彼のために戦う人、異教徒に対してはこれを滅ぼす人、貴婦人に対しては奉仕する人、そういう理念を信奉していました。ホイジンガ（１８７２〜１９４５、ネーデルランド人）が著わした『中世の秋』は、ブルゴーニュ公国を描きながら、衰退していく中世文化を語っていますが、その中で騎士道について、ていねいに触れています（『中世の秋』上・下、中公クラシックス）。

　さて、騎士道一筋のシャルル突進公は、深謀遠慮には欠けていましたが、プライドが高く、豊かな国でかつフランス王家の血を引いているので、野望も大きく、自分に逆らう人間は戦争でつぶしてしまおうと考えるタイプでした。

　一方その当時のフランス王、ルイ十一世（在位１４６１〜８３）のニックネームは「世界の蜘蛛」です。ひたすら陰謀を好み、自国や隣国のあちらこちらに策略の罠を蜘蛛の巣のように仕掛けておき、獲物や耳寄りな情報が引っ掛かったら、巧妙にその相手の生き血

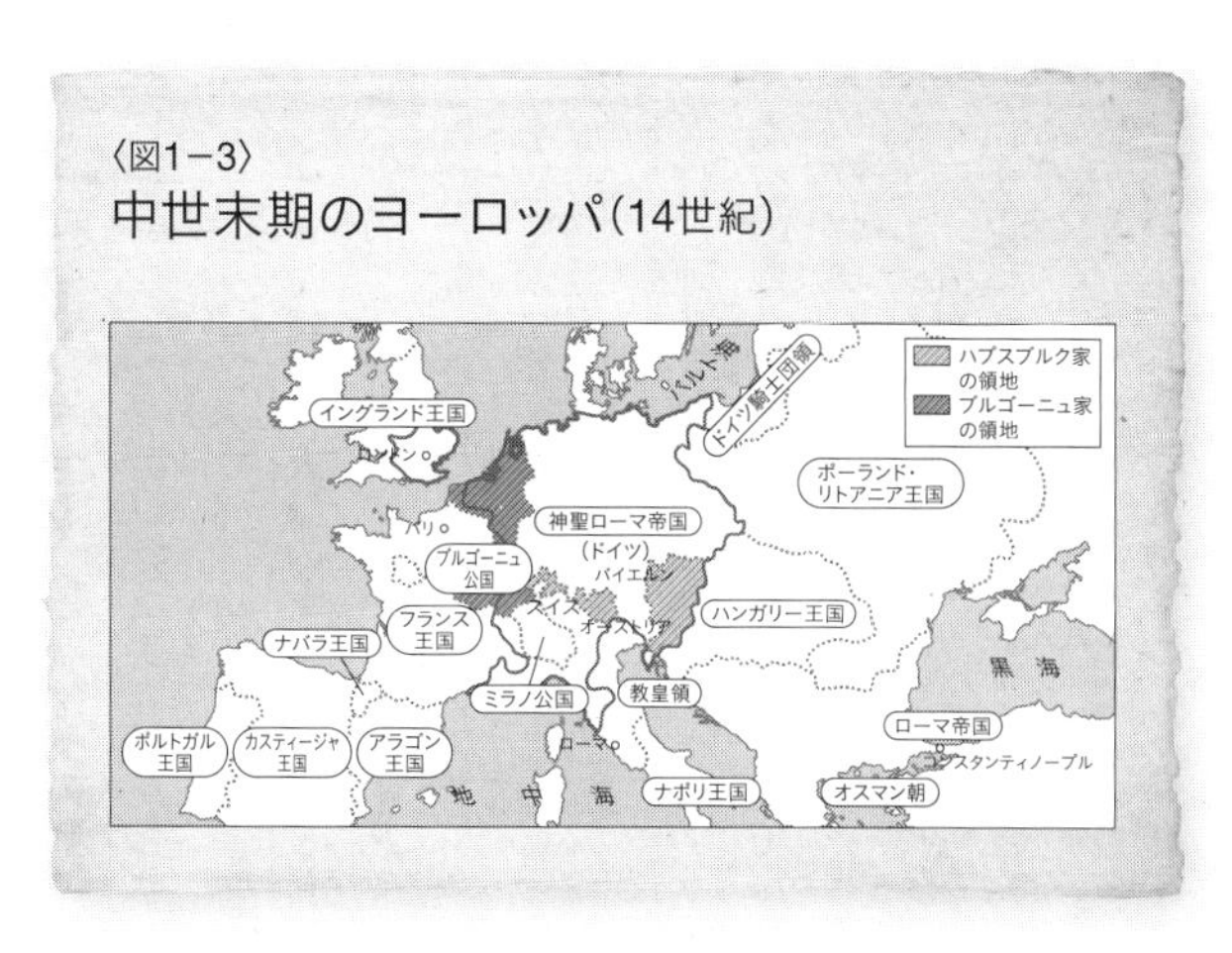

〈図1−3〉
中世末期のヨーロッパ(14世紀)

を吸ってしまおうとするタイプでした。

このルイ十一世が、巧みにシャルルをそそのかします。

1477年、シャルルは、ブルゴーニュの東北に位置するアルザス・ロレーヌ地方の中心都市ナンシーに向けて出兵しました。しかし、スイス傭兵と戦って敗れ、しかもシャルル本人が戦死しました（ナンシーの戦い）。この戦いで、勇猛果敢なシャルルの軍団に圧勝したことから、スイス傭兵の評価が高まり、名指しで雇用する国が増えていきます。

このシャルルの死を、「してやったり」と考えたのが、ルイ十一世です。ブルゴーニュ公国を併合できるチャンスが訪れたのです。ブルゴーニュは、もともとフランスの領土でしたから、ルイ十一世はすぐに占領してしまいました。次いでフランドルを奪取しようとしましたが、思わぬ障害にぶつかります。

シャルルには一人娘のマリーがいました。マリーは、ナンシーの戦いの年に、ハプスブルク家のマクシミリアン一世と婚約していたのです。そのため、ルイ十一世がフランドルを攻略しようとしたとき、ハプスブルク家がマリーに味方して、これを防ぎ切りました。

そして、マリーが1482年に死亡すると、フランドルはハプスブルク家の領土となったのです。

さほど地味（ちみ）も豊かではないオーストリアの支配者であったハプスブルク家は、ヨーロッパ有数の豊かな地域を、結婚によって得たのです。

「ハプスブルク、汝（なんじ）は結婚せよ」

この言葉は、さしたる実力者も輩出しないまま、15世紀から結婚によって、次々と広大な領土を獲得したハプスブルク家を皮肉（ひにく）ったものですが、その最初の幸運がマクシミリアン一世とマリーの結婚でした。

この2人の間にフィリップという王子が生まれます。そして、このフィリップの子ども

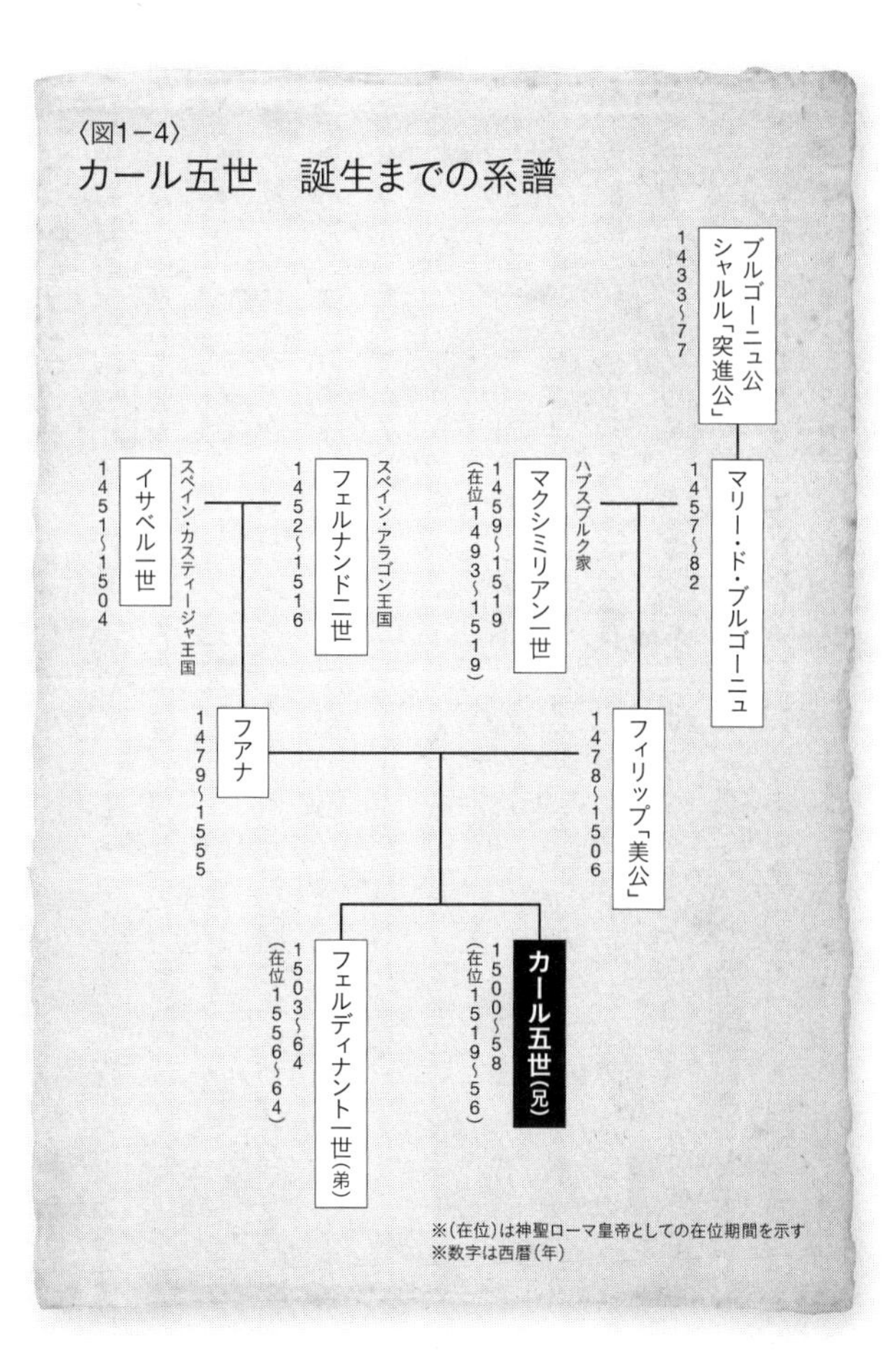
〈図1－4〉
カール五世　誕生までの系譜
ブルゴーニュ公シャルル「突進公」
1433～77
マリー・ド・ブルゴーニュ
1457～82
ハプスブルク家
マクシミリアン一世
1459～1519
(在位1493～1519)
スペイン・アラゴン王国
フェルナンド二世
1452～1516
スペイン・カスティージャ王国
イサベル一世
1451～1504
フィリップ「美公」
1478～1506
ファナ
1479～1555
カール五世(兄)
1500～58
(在位1519～56)
フェルディナント一世(弟)
1503～64
(在位1556～64)
※(在位)は神聖ローマ皇帝としての在位期間を示す
※数字は西暦(年)

が、この章の主人公であるカール五世です。

それではフィリップの妻となった女性、すなわちカール五世の母親である女性について、次に話を進めていきます。「カール五世　誕生までの系譜」を図（図１―４）に簡単にまとめてみましたので参照してください。

フィリップはガンで育ちました。このブルゴーニュ公国の都市ではフランス語が話されていたので、フィリップはフランス語で教育され、洗練された貴公子として成長します。ハンサムだったので「美公（びこう）」というニックネームがつけられました。

この貴公子は１４９６年にカスティーリャ王国の王女ファナと結婚します。

当時のスペインの状況について触れておきます。

イベリア半島では７１１年に西ゴート王国がイスラム軍に征服されて以来、イスラム教徒の支配が続いていました。そして長い間コルドバやトレドを中心に、キリスト教徒やユダヤ教徒と共存しながら、豊かな経済と文化を発展させてきました。しかし北部に追われたキリスト教徒はこれを不満として、「レコンキスタ（国土回復運動）」と呼ばれるイスラム諸国に対する攻撃を続けていました。いくつかの王国がイスラム教徒と戦ってきましたが、その代表的な王国がカスティーリャとアラゴンでした。

1469年にカスティージャの王女イサベルとアラゴンの王子フェルナンドが結婚します。その後両国が連合する形で、スペイン王国が誕生します。スペイン王国はイスラム勢力を攻めて、1492年にイスラム最後の拠点グラナダを陥落させました。こうしてレコンキスタは終了しました。さらにこの年、ジェノヴァ生まれのコロンがイサベル女王（一世）の援助を得て、アメリカ大陸への道を切り開き、スペインは西ヨーロッパの強国へと踏み出します。

フィリップ美公がファアナと結婚したのは、そのような時代だったのです。

ファアナはイサベル一世とフェルナンド二世の娘でした。彼女は、スペインから、フィリップの住むガンに嫁（とつ）いでいきました。まだまだ片田舎だったスペインから見れば、ガンは『中世の秋』の舞台になったほどの時代を代表する大都会でした。

フィリップは美男子で都会で遊び慣れたプレイボーイでした。純情そのものだった素朴なファアナは、一目でフィリップに魅せられてしまいました。一方のフィリップは、何も知らず、ただ自分だけに夢中になってくれるファアナを最初のうちは、かわいいと思ったのですが、彼の遊び心を満足させてはくれません。フィリップは家を空（あ）けるようになります。ファアナはスペインから付き添ってきた侍女たち以外に知る人も少なく、ただただ大好きなフィリップを待つ日が続きました。２人の結婚は、あまり幸福なものではなかったのです。それでも二男四女に恵まれました。その長男が１５００年に生まれたカールでした。カールはフランス語の読みではシャルルです。この名前は、フィリップの母であるマリーの父、シャルル突進公の名前を受け継いだものです。このような経緯もあって成人したカールは、シャルルの故地（こち）、ブルゴーニュに執心するようになりました。

１５０４年、カスティーリャ女王イサベル一世が亡くなります。後継者のファナは、カスティーリャにフィリップとともに帰郷しました。幼い子どもたちはガンに残って、フィリップの妹マルグリットに託されました。

ファナは大好きなフィリップと２人で生まれ故郷で暮らすことになり、嬉しかったことでしょう。けれども都会暮らしと夜遊びに慣れたフィリップには、スペインの田舎（いなか）町の暮らしが退屈でたまりませんでした。そのせいだったのか、寒暖の厳しいスペインの気候が合わなかったのか、フィリップは病気に倒れ、１５０６年に死んでしまいます。

大事にしていた最愛の人に先立たれて、あまりの悲しみに心を痛めてしまい、ファナは精神に異常をきたしました。夫と離れたくない彼女は、フィリップの遺体を埋葬することを拒否します。そして遺体を入れた棺桶（かんおけ）を馬車に乗せ、自分が一緒に付き添ってスペインの高原地帯に散在する修道院を泊まり歩く、放浪の旅に出てしまいます。

カスティージャの政治は、ファナの摂政として、父であるアラゴン王フェルナンド二世が行ないました（「狂女ファナ説」は、カスティージャをわがものにしたいフェルナンド二世の策略だったという有力説があります）。けれども、そのフェルナンド二世が1516年に死亡します。そこで、病身の母と共治する形で、長男のカールがスペイン王（カルロス一世）になります。スペイン王になった以上は、ガンで生活するわけにもいかず、17歳になった1517年にカールはスペインに入ります。スペイン語を学ぶことからカールの生活が始まりました。

この1517年という年は、後述しますが、ドイツのヴィッテンベルクで、ルターが「九五カ条の論題」を公表した年でもあります。この「論題」は教皇レオ十世がドイツで贖宥状を販売したことを批判したものです。宗教改革が始まったのです。

さらに1519年には、祖父であるハプスブルク家のマクシミリアン一世が死去し、カールはオーストリアをも継承します。こうしてカールはオーストリアとフランドル、そしてスペイン、それらすべてを領有する大君主になりました。ところで、マクシミリアン一世はローマ皇帝でもありました（1512年以降の正式名称はドイツ国民の神聖ローマ帝国）。カールも当然神聖ローマ皇帝の栄誉を求めます。神聖ローマ皇帝になるためには、まずドイツ王に選ばれることが慣例になっています。ドイツ王は諸侯による選挙で選ばれます。選挙には、昔も今もお金がかかります。

そこでカールは選挙資金集めのために、アウグスブルクのフッガー家から多額の借金をしました。

フッガー家は南ドイツの銀山の独占的経営で財を成した、商業金融資本家です。フッガー家が、このハプスブルク家の若者に多額の融資をした理由は、「カールはオーストリアもフランドルもスペインも持っている。お金を貸しても、税金を上げれば返済は楽にできるだろう」と考えたからだと思います。

こうしてカールは1519年、弱冠19歳で神聖ローマ皇帝となります。ドイツ王・神聖ローマ皇帝カール五世が、ここに誕生したのです。

フランス王フランソワ一世との対立

その頃、フランスではヴァロワ家のフランソワ一世が、王位に就いていました（在位1515〜47）。

彼はなによりもフランスの栄光を求める人で、ヨーロッパの中心はフランスであり、ヨーロッパ第一の君主は自分であると考えていました。

ところが、その前に立ちはだかったのがハプスブルク家のカール五世です。

フランスはフランドルに執心していましたが、結婚によってカールの祖父（マクシミリアン一世）に持っていかれました。さらにはスペインもカールの父（フィリップ美公）の結婚で持っていかれ、成人したカール五世がドイツ王に選ばれ、神聖ローマ皇帝となります。そうすると、フランスの立場はどうなるか。フランドルもドイツもスペインもハプスブルク家の領地ですから、三方を囲まれていることになります。

つまり、フランスのヴァロワ家にとって、ハプスブルク家は不倶戴天（ふぐたいてん）の敵となっていたのです。

一方でフランスは、イタリアに触手を伸ばしていました。当時のイタリアは、ヴェネツィア、フィレンツェ、ミラノ、

フランス王、
ヴァロワ家のフランソワ一世
ハプスブルク家に対抗するため、さまざまな相手と手を結ぶ

ローマ教皇領、ナポリの五大国が分立していました。フランスは、かつてフランス王ルイ九世の弟、シャルル・ダンジューが征服したナポリの地を、スペインのアラゴン王国に奪（うば）われていました。そこで、これを奪回（だっかい）すべく1494年からイタリア進出を開始していました。フランソワ一世は、まず曾祖母の故地ミラノ公国を占領します（1515）。かくてフランスはミラノから、スペインはナポリからイタリアの覇権（はけん）を争う形勢が生まれました。

そういった事情で、イタリアではハプスブルク家とヴァロワ家の勢力争いが、一触即発の状態となっていました。この状態に火をつけたのが、カール五世の神聖ローマ皇帝戴冠でした。秘かに皇帝位を狙っていたフランソワ一世は、イタリアに大軍を進めました。1521年のことです。このイタリアを舞台とする両雄の戦争状態は、前後4回にわたる直接対決を含めて、両王の死後の1559年に終結するまで続きました。この戦争でカール五世は多くの兵士と財力を失うことになります。

カール五世は皇帝として、ローマ教会を守り教皇を保護する責任があると考えていました。そのためにはフランス軍を撃退せねばならず、強力な軍隊が必要です。勇猛で知られたスイス傭兵は、伝統的にフランス側で戦っています。

〈図1−5〉
カール五世時代の4人の帝王の勢力図
（1500年代のヨーロッパ）

カール五世は、スイス傭兵に対抗するために祖父マクシミリアン一世が編成したランツクネヒト（ドイツ傭兵）を活用します。当時のローマ教皇はメディチ家出身のクレメンス七世でした。メディチ家は代々フランス贔屓です（2人のフランス王妃を輩出しています）。カール五世に対して反抗的でした。そこでカール五世は、ランツクネヒトをローマに派兵しました。彼らはローマで破壊的な略奪行為に走ります。この1527年に起きた1週間にわたる略奪と破壊行為で、ローマは見る影もなく荒廃してしまいました（ローマ劫掠。サッコ・ディ・ローマ）。

このドイツ兵たちは、お金のために参戦

した山国育ちの人たちです。ローマに来て驚いた。市民は贅沢をしています。食物はおいしい、美しい遊女もたくさんいる。彼らは規律のない軍隊が勝利したときの常として、暴力的にローマを荒し回りました。また、ドイツ兵の中には、その頃のドイツを宗教改革の嵐に巻き込んでいた、ルターの教えを信じる者がいたかもしれない。華美に流れた贅沢なローマの市民たちや教会の僧たちを、キリストの教えを破っている堕落した人々と思って、破壊活動に走った兵士もいたことでしょう。

カール五世の母フアナの両親カスティージャ女王イサベル一世とアラゴン王フェルナンド二世は、スペイン全土をイスラム教徒から奪い返して（レコンキスタの完成）、ローマ教皇から「カトリック両王」と賞賛されたほど熱心なローマ教会の信者でした。その孫のカール五世も、祖父母に劣らない敬虔な信者です。その彼が集めたランツクネヒトが、ローマ教会のお膝元のローマで略奪行為に及んだということは、カール五世の統制力のなさを示しています。

一方のフランソワ一世は、カール五世を牽制するためにオスマン朝と手を結びます。当時のオスマン朝は、大帝スレイマン一世（在位１５２０～６６）の時代でした。彼はハンガリーの支配をめぐって、カール五世と対立していました。ですからフランソワ一世にとってスレイマン一世は、敵の敵は味方という関係になるわけです。

この同盟関係に力を得たスレイマン一世は1529年、12万の大軍を率いてハプスブルク家の本拠地、ウィーンを包囲しました。ウィーンは陥落寸前の危機を迎えるのですが、冬将軍の到来に助けられました。

オスマン朝は一度はあきらめましたが、再度ウィーンに来襲してくる可能性は充分にあります。しかも今度は東のオスマン朝と西のフランスに、ドイツが挟（はさ）まれる形になりました。さらにドイツではルターの宗教改革が荒れ狂い、これと結ぶ形でハプスブルク家の力を弱体化させようとする諸侯の動きも激しくなっていました。また、イタリア半島でのフランス軍との戦争は、イタリアの都市国家がらみで継続しています。

苦労の多いカール五世の戦う日々を、もう少し見ていきたいと思います。

純粋なキリスト教国を目指したスペインと、実利重視のオスマン朝

オスマン朝については、前著『仕事に効く 教養としての「世界史」』でも触れましたが、本来は陸軍国です。イェニチェリと呼ばれたキリスト教徒の歩兵に鉄砲を持たせて、

騎馬軍団を一蹴しましたが、スレイマン一世の時代には強力な海軍も育っていました。その理由のひとつには、交易による財力があったからですが、もうひとつは積極的な人材登用でした。

この当時、アルジェリア、チュニジアなどの北アフリカはすべてイスラム圏で、オスマン朝の領土でした。彼らの中で地中海沿岸に住む人々は海賊となり、キリスト教徒の船を襲って生計を立てていました。

その海賊の頭領にバルバロス・ハイレッディンという男がいました。スレイマン一世は彼に手紙を出します。

「おまえは海賊としてキリスト教徒を襲っているが、同じことをやるにしても大義名分が立つほうがいいだろう。オスマン朝の海軍提督となり、神に仕える者として聖戦の旗の下でキリスト教徒をやっつけてみないか。分捕った戦利品は、おまえにまかせよう。年を取ったら年金も支給しよう。どうだ、おまえの部下にも意見を聞いてみてくれ」

バルバロスは、主だった部下たちに手紙を見せたのでしょう。結論はＯＫでした。こうして地中海の主だった海賊はバルバロスを総大将として、全員がオスマン海軍に鞍替えしました。

そして1538年、バルバロスはイオニア海、プレヴェザの海戦で、カール五世とキリスト教徒の連合艦隊をみごとに打ち破りました。

このように柔軟というか巧妙な人材登用をスレイマン一世は行なっていますが、この柔軟性や現実的な対応は、オスマン朝のすぐれた資質でもありました。もうひとつ具体例があります。それはプレヴェザの海戦よりも、50年ほど前のことでした。

1492年にイサベルとフェルナンドは、スペインを統一しましたが、この「カトリック両王」は、ただちにユダヤ人の追放を実行しました。スペインを純粋なキリスト教徒の国にするというわけです。

オスマン朝のスレイマン一世
最盛期を導いた大帝。ヨーロッパという概念は、オスマン朝の興隆をきっかけに生まれた
©www.bridgemanart.com/amanaimages

スペイン統一に多大の功績があったのは、カスティージャ王国の財力と軍事力でしたが、この国の大蔵大臣はユダヤ人でした。ユダヤ人が金策を行ない財力を貯（たくわ）えて軍事費を捻出したおかげで統一が成し遂げられたのです。それなのに統一が成就（じょうじゅ）した途端、ロー

マ教皇に「カトリック両王」などと褒められると、もっと褒められようと思ったのか、イサベル夫婦はユダヤ人を追放します。どうもあまり賢い夫婦ではなかったようです。

こうして金融に通じた大勢のユダヤ人がスペインを追われました。彼らを受け入れたのは、どこでしょうか。それはオスマン朝の都コンスタンティノープルです。

オスマン朝（1299～1922）は、その当時はまだまだ伸び盛りの国でした。スルタンは次のように考えていました。

「わが国はこれからもっと大きくなる。有能な人材は歓迎するので世界中から来てほしい」

こうしてオスマン朝の国力は豊かになっていきます。そしてスレイマン一世の頃には、新たに大艦隊を建造することも、大量の海賊を雇うことも充分可能になっていたのです。蓄財の才があるユダヤ人を追放して純粋なキリスト教国を目指したスペイン、観念よりも実利を重視して富国強兵を目指したオスマン朝。明日のスペインの没落を暗示させる出来事でした（オスマン朝とユダヤ人の関係を描いた『アルタイ』〔ウー・ミン著、東京創元社〕というおもしろい小説があります）。

ルターをめぐる宗教闘争

1517年、カール五世がスペインに入国した年に、ローマ教会の贖宥状（俗にいう免罪符）販売に反撥したマルティン・ルターが『九五カ条の論題』を公表しました。彼の「人は信仰によってのみ救われる」という主張は、アルド・マヌーツィオが発展させた印刷術のおかげで（いわゆるアジビラ）、ドイツの民衆の間に枯草に火がついたように広がっていきました。

その論調は激しいローマ教会批判であり、敬虔なローマ教会信者であるカール五世としては、これを放置するわけにはいきません。彼は1521年、イタリアでフランスと戦争の口火を切った年に、ヴォルムスで帝国議会を開いてルターを召喚し、自説の撤回を求めました。しかしルターはこれを拒否し、さらにローマ教会を批判しました。そこでカール五世は、ルターの市民権を剝奪しました。これは重刑です。市民権を剝奪されたら、誰も保護してくれませんから、道端で殺されても文句は言えないのです。

ところで、この帝国議会には、多くのドイツの諸侯たちが参加していました。彼らは、ドイツでカール五世が強大になると困ると考えています。そして強国のひとつザクセン選帝侯フリードリヒ三世が行動に出ました。

彼はヴォルムス帝国議会が終わるやいなや、ルターを自分の領国であるチューリンゲンのヴァルトブルク城へ連れて帰ったのです。もちろん彼がルターの主張を百パーセント信じていたわけではなく、ルターの身を確保しておくことが、カール五世と対決する際の切り札になると計算したからです。

ルターがカール五世の手を逃れて匿（かくま）われたことは、ルターにとって大きな意義のあることでした。彼は身の安全を確保されている歳月を利用して、聖書のドイツ語訳を始めたのです。

こうしてドイツ語の聖書が生まれたことは画期的なことでした。なぜならドイツ語圏で、ドイツ語の聖書がないと、司祭が「聖書にはこう書いてある」と言ったら、それを信じるしか他に方法はなかったからです。

さらに、ルターはザクセン侯の保護の下で翻訳作業を進めるとともに、ヴィッテンベルク大学で神学を教え始めました。そして聖書の真実について語った。大学生はラテン語が読めますから、聖書の原典を読む。すると少しずつルターの言っていることが、本当なんだなと思い始めるわけです。

　やがて、ドイツ語聖書の翻訳が完成すると「贖宥状を買ったら天国に行ける」などとは、聖書のどこにも書かれていないことが普通のドイツ農民にもわかり始める。ちょうど印刷術が発達していましたから、ドイツ語版の聖書がまたたくまに全土に拡がっていきました。このルターの翻訳聖書に使用されたチューリンゲン地方のドイツ語が、近世のドイツ語の誕生に大きな影響を与えました。

　いったんパンドラの箱が開かれてしまうと、聖書の福音に戻れと言うルターの運動は、どんどん熱く過激になります。「教会に服従せよ」なんてどこにも書かれてないぞ、と言っているうちはまだよかったのですが、そのうちにルターの主張をはるかに超えて、「司祭は偉くない」とか「領主はだいたいけしからん」とか、現代風に言えば社会主義、共産主義運動の様相を帯びてきます。ついには、次のように主張し始めます。

「人間はみんな平等だ。司祭や領主が偉いわけでもない。ルターさんだって俺たちのアドバイザーみたいなもんだ」

　この主張の中心にいたのがトマス・ミュンツァーです。彼はルターの教えを利用しながら、過重な税金廃止と農奴的負担の拒否を訴え、「貧しき者の王国」を求めて1524年に農民たちを決起させました。後にドイツ農民戦争（1524～25）と呼ばれる大規模な争乱が、南部から中部のドイツにかけて拡大します。

ところがルターは、ここまで革命的にはなれなかった。彼は農民たちが領主を否定して社会秩序を破壊することを嫌悪しました。農民戦争は身分を逸脱した行為であると思い、むしろドイツの領主の肩を持つようになっていきます。

結局、農民戦争は1年で鎮圧されました。この顚末を描いた『Q』（ルーサー・ブリセット著、東京創元社）という優れた小説があります。しかしこの事件を通して、ドイツには多くのルター派を信ずる諸侯が増えました。後に（1529）、カール五世は帝国議会にルター派を禁止する法案を提出しますが、ルター派の諸侯とドイツの都市がこれに激しく抗議しました。そしてルター派のキリスト教徒たちは、「抗議する者」としてプロテスタント（Protestant）と呼ばれるようになります（なお、ローマ教会を「旧教」と呼び、プロテスタントを「新教」と呼ぶ人もいます）。

さて、カール五世は、対フランス・対オスマン朝・対プロテスタントと、たくさんの悩みを抱えているのですが、ローマ教会の保護者という立場から、プロテスタントとの対立問題をなんとか解決したいと考えました。そこで教皇に働きかけて、両者を一堂に集めて協議させようと考え、トリエント公会議の開催にこぎつけます。公会議はキリスト教の最高意思決定機関で、東西教会の分裂（大シスマ。1054〜1965）以前はコンスタンティノープルのローマ皇帝が召集していましたが、分裂後のローマ教会では、教皇が召集するようになります。

しかし北イタリアで開催されたこの公会議に、プロテスタントは出席を拒否したため、結局ローマ教会の反省会と善後策の会議になってしまいました。公会議は1545年から1563年まで20年近く続きました。昔は悠長なものでした。ここで決議されたことを平たく言えば、次のようになります。

これまでキンキラキンと贅沢に教会を飾り立て、司祭も派手な生活をしていたのでルター派の反感を買った、ローマも略奪された。だからある程度は質素にしなければいけない。教会をあまり華美にすることは止めよう。金持ちは貧しげにすることがむしろ賢いのだ。そういうことを、いろいろと決議しました。しかし、教皇の権利とローマ教会の儀礼の権威は、何者にも侵させぬこと、そしてプロテスタントとの戦いについては一歩も譲りませんでした。むしろ、そういう戦略を通していくために、贅沢しているように思わせるな、無用な敵愾心を起こさせるな、ということだったのでしょう。

トリエント公会議の結果、次のような皮肉を言う人も出てきました。「トリエント公会議以降につくられた教会は、どこか寂しくなった。昔みたいにきれいじゃないな」。ともかく、ここで少しは反省したことで、ローマ教会は立ち直るきっかけを得ました。

スペインの失政を挽回できなかったカール五世

カール五世は対プロテスタント対策では、曲がりなりにもトリエント公会議の開催にこぎつけましたが、今度はドイツに問題が生じます。

ドイツでは、プロテスタント派の諸侯や都市がカール五世の弾圧に抵抗するために、1530年にシュマルカルデン同盟を結んでいました。そして1546年に、抵抗の旗を揚げてカール五世に対して戦争を仕掛けました。カール五世は、オーストリアを守ってきた弟のフェルディナント（一世）の軍勢によってこれを討ち、翌年、シュマルカルデン同盟を解体させました。一息ついたのです。

カール五世が、もうひとつ抱えていた難題はフランドルの反抗でした。この地は、カール五世の祖父マクシミリアン一世が、ブルゴーニュ公の一人娘マリーと結婚して得た土地です。このことは前にもお話ししましたが、カール五世がスペイン王になった後も、フランドルから得られる収入はスペインにとって、貴重なものとなっていました。

フランドルは当時、ヨーロッパ屈指の経済先進地域でしたが、同時に文化面でも最先端をいっていました。それはカール五世の母フアナが、スペインの田舎から嫁いできた当時に感じた文化の落差がよく示しています。そういう土地柄ですから、プロテスタントも多く、フランドルの人々は、ローマ教会にがんじがらめになっているスペインの支配下に入ることが、嫌でたまりませんでした。スペインに対する抵抗が間断なく起きていたのです。

しかし、カール五世は、これに対して、上手な対策が立てられませんでした。そのうちにフランドルには、フランス生まれの宗教改革者カルヴァン（1509〜64）の思想が流入するようになりました。

カール五世は、現在はベルギーの都市となっているガンで、青春を過ごしています。フランドルの進取の気性を知っている彼は、スペインとフランドルの違いをよく理解していたかもしれない。独立を求める心情は無理もないと、内心では思っていたかもしれません。ついに晩年には、その独立を認める心境になっていきます。

彼のこのようなフランドルに対する態度は、寛容であったと見るべきか、スペインにとってドル箱の支配地を維持できなかった根性のなさと見るべきか、評価の分かれるところです。

スペインという国は、カール五世がスペイン王として統治を始めた16世紀の初頭には、ドミニコ会の黒服を着たお坊さんが異端を取り締まるために街や村を歩き回るようになっていました。また、この国で出世しようとすれば、「私の家系は代々純粋なローマ教会の信者です」と証明することが必要でした。

カール五世は、ローマ教会に対してはあくまでも忠実なる僕(しもべ)でした。彼は、その立場から逸脱することができなかったのです。ティツィアーノが描いたカール五世の肖像画をみると、激動する時代の中で広大な所領確保に走り回る凡庸(ぼんよう)で不器用な君主の哀愁が漂(ただよ)っているように思えます。

スペインの反動的な宗教政策について、もう少しくわしく見ていきます。

異端審問制は12世紀以来、過激な異端と見られたカタリ派を潰滅(かいめつ)させるために、ローマ教会が始めた制度で、極刑は全財産没収と火刑です。この制度を国家として取り入れたのはスペインだけです。国家権力と宗教が結びついて、彼らの信条に反する者は極刑に処するという恐ろしい制度で、1478年、イサベルとフェルナンドの「カトリック両王」がローマ教皇の勅書(ちょくしょ)を得て始めたものです。さらにスペインでは、国が異端審問所を設け

カール五世
ティツィアーノによる「公式」の肖像画。勇猛な姿を描いているが、表情には哀愁と苦悩が見える。この絵の完成から10年と経たずにカール五世はこの世を去った（〈カール五世騎馬像〉1548、プラド美術館）

る以前から「血の純潔規定」と呼ばれた不可解な制度がありました。スペインに住む者は出世したければ、自分たちにユダヤ教徒やイスラム教徒の血が一滴も混じっていないことを証明しなければならなかったのです。すなわち純粋なスペイン人でローマ教会の信者であった家系の者だけが、偉くなれるという法律です。お金を払えば家系図はでっちあげられます。けれども反対派が反証を出したりします。こんなことをしていると、みすみす優秀な人材が埋もれていきます。スペインは8世紀初めからイスラム教徒の支配下にありました。ユダヤ教徒はもっと昔からいたかもしれない。ピュアなローマ教会信者の家系など、たくさんあるはずがないのです。

この悪法はスペイン国内の活気を失わせました。しかも、この法律はスペインに侵入したナポレオン一世（在位1804〜14、1815〔エルバ島脱出、「百日天下」〕）が廃止するまで存続しました。ちなみに異端審問制は1834年まで350年以上続いたのです。

理想的なローマ教会の国をつくる、そのような理想を追って行なわれたこれらの宗教政策は、スペインの国力を衰微させました。この2つの政策はカール五世即位以前に制度化されていました。そして彼は、その制度に手を触れませんでした。

この２つの宗教的暴挙はスペイン国内において実行されたものです。また、前述しましたが、スペインは１４９２年にユダヤ人を追放しました。さらに１５０２年にはイスラム教徒も追放しています。加えて、１４９２年にコロンが西インド諸島に到達した後には、これらに匹敵するような愚挙が新大陸でも行なわれました。それはエンコミエンダ制と呼ばれるものでした。

新大陸に優先権を確保したスペインから、多くの一獲千金を狙う人々が新大陸を目指しましたが、彼らの代表者は宮廷で、次のようなことを言上しました。

「私どもはこれから新大陸へ参ります。その地を開墾して、スペインの新しい豊かな領土をつくります。けれども、それ以上に私どもが使命として思っていることがございます。それは、新大陸の住民たちを善きローマ教会の信徒にすることです」

１５０３～０４年のことでした。これを聞いたカトリック両王は喜んだ。言上は続きます。

「でもコストがかかります。教会も建てなければいけない。聖書も印刷する必要がある。お説教をするお坊さまに来ていただく必要もございます」

これは資金を出せと言われるのかなと、両王に少し不安がよぎります。

「けれども私どもはスペインから資金をいただこうとは思いません。現地で賄おうと思います。現地の開墾は現地の人々に働いてもらおうと思います。そして開拓地から得られる収入を私どもにいただければ、そこから布教に必要な経費を算出いたす所存でございます。どうか先住民に働かせて租税を課せる権利を私どもにいただけるよう、ご配慮申し上げます」

両王は、先住民雇用の権利を彼らに認めました。遠い新大陸のことはよくわからない。けれど、コストゼロでローマ教会の信徒を獲得する悪くない話だと思ったのでしょう。こうして出現したのがエンコミエンダ制という制度でした。しかしすでにおわかりいただけたと思いますが、要するにカトリック両王が新大陸で起業しようとする人々に、先住民を勝手に奴隷として使役することを認めた悪法にすぎません。

もちろん現地に行ったスペイン人たちは、現地の人々を善きキリスト教徒として教育しようなどとは、まったく考えていませんでした。要は堂々と先住民を酷使できるお墨付きが欲しかっただけです。現地のスペイン人たちは、粗末な教会ぐらいは建てたかもしれない。朝に現地人を教会に集合させて、「アーメン」と言わせてから労働に狩り出したのかもしれません。けれど、その徹底した奴隷労働は想像を絶するものであったようです。この非人道的所業を告発したのはラス・カサス（１４７４〜１５６６）というドミニコ会の修道士でした。彼はキリスト教を布教しようという使命に燃えて、新大陸に渡りました。

しかしラス・カサスが西インド諸島やメキシコの地で見たものは、酷使される先住民の姿と、布教活動などまったくなされていない現実でした。彼は義憤にかられて、この事実をカール五世に訴えました。そして『インディアスの破壊についての簡潔な報告』を出版しました（１５５２）。ラス・カサスの言動はスペインに大きな波紋（はもん）を広げました。当時のスペインの首都はバリャドリッドでしたので、この論争は「バリャドリッド論争」と呼ばれました。

「非道で血も涙もない人たちから逃げのびたインディオたちはみな山に籠（こも）ったり、山の奥深くへ逃げ込んだりして、身を守った。すると、キリスト教徒たちは彼らを狩り出すために猟犬を獰猛（どうもう）な犬に仕込んだ。犬はインディオをひとりでも見つけると、瞬く間に彼を八つ裂きにし（略）大勢のインディオを食い殺した。

インディオたちが数人のキリスト教徒を殺害するのは実に稀有なことであったが、それは正当な理由と正義にもとづく行為であった。しかし、キリスト教徒たちは、それを口実にして、インディオがひとりのキリスト教徒を殺せば、その仕返しに100人のインディオを殺すべしという掟を定めた。」(『インディアスの破壊についての簡潔な報告』染田秀藤訳、岩波文庫)

これらのことは、ラス・カサスの著書に記されている内容のごく一部です。カール五世はこの事実を知って、この制度は止めねばならないと初めて思ったのかもしれません。しかし、カール五世はこの制度を直ちに廃止するという強い意思を持ち合わせてはいませんでした。

なお、ラス・カサスの著書に出てくる「インディアス」や「インディオ」という言葉ですが、スペイン人は新大陸をインド(インディアス)であると思っていたので、そこに住む人々をインディオと呼んだのです。

このラス・カサスの人道的な立場からの批判に対して、これに反論する人々は、反スペインの「黒い伝説」に加担していると攻撃を加えました。

「彼はスペイン人なのに、スペイン人の俺たちを背後から撃って現地人の味方をした。とんでもない売国奴(ばいこくど)である」と。

一種の「自虐史観」のようなものだと言いたかったのでしょう。

結局カール五世は、自分がスペイン王を兼ねてから新大陸で長い間続いてきた残虐行為に的確に対処できませんでした。エンコミエンダ制廃止に向けた動きも、植民者たちの激しい反対に遭って撤回するなど、結果として悪政を黙認することになったのです。

■アウグスブルクの宗教和議と破産の晩年

宗教改革の嵐が吹き荒れる中でローマ教会を守ろうとしたカール五世は、さまざまな手を打ちますが、状況は不利になるばかりでした。

そして1555年、バイエルンのアウグスブルクで両派の対立を解消すべく帝国議会が開催されました。ここでようやく、アウグスブルクの宗教和議と呼ばれる解決策が決まりました。その内容はしごく単純なことでした。「ドイツ諸侯の国々において、プロテスタントを信じるかローマ教会を信じるかは、そこの領主が決めればよいではないか」。領主の信仰が領民の信仰となったのです。領主がルター派では不満だと思う領民は、その領国を出なさいということです。

これは、カール五世にとっては大きな妥協でした。しかし、プロテスタントの勢いを見れば、早晩こうならざるを得なかったわけで、カール五世が、早くからドイツの状況を正しく読んでいれば、40年近くも、宗教戦争に無駄なエネルギーを使わずにすんだことでしょう（なお、アウグスブルクの宗教和議で認められたのは、ルター派のみで、カルヴァン派はまだでした）。

カール五世は和議の結果に落胆したことでしょう。同じ１５５５年、彼の母フアナがその生涯を閉じました。ときおり正気に戻る彼女は公式にはまだスペインの女王でした。カール五世は仮の君主であったのです。もちろんフアナは、トルデシリャスのサンタ・クラ修道院に幽閉されていましたから、政治に参与することは、なかったのですが。

「もう疲れた」

カール五世は、こう言って翌１５５６年に引退してしまいます。１５００年生まれの彼は、56歳になっていました。

彼はハプスブルク家の領土を、弟のフェルディナント（一世）と子どものフェリペ二世に分割しました。弟には、ハプスブルク家の本拠地であるオーストリアの領土とドイツ王と神聖ローマ皇帝の地位を譲りました。そしてわが子にはスペインとフランドル、そして新大陸を譲りました。わが子に譲ったのは豊かな土地です。なによりも広大な新大陸があり、独立闘争がくすぶり続けるものの先進地域であるフランドルがあります。一方、弟が継承するオーストリアは伝統はあるけれど地味が豊かとは言い難く、ドイツ王と神聖ローマ皇帝の地位は伝統的な権威と支配権はあっても具体的な領地に乏しく、しかも強盛なドイツ諸侯が頑張っています。

こうしてスペインの支配権はフェリペ二世に継承されました。ところが翌年1557年、スペインはバンカロータ(国家破産)を宣言します。そもそもカール五世はドイツ王と神聖ローマ皇帝に選挙で選ばれるために、フッガー家に多額の借金をしていました。それを返済する間もなく、ヨーロッパ中で戦争をしていたのです。フランスとのイタリア戦争、ウィーン包囲や海上での対オスマン戦争、ドイツでの宗教戦争、フランドルの独立をめぐる戦争、これではいくらお金があっても足りなかったでしょう。

カール五世は退位のとき、こんなつぶやきを漏らしています。

「私はオーストリアへ、フランドルへ、フランスへ、何回も行っては戻り行っては戻ってきた。私の生涯は旅であった」

戦争、退位、破産、そして1558年、カール五世は死去しました。

▶社長だったら失格だったカール五世

　カール五世統治下のスペインは、メキシコのアステカ帝国や、ペルーのインカ帝国を滅ぼし、両国から大量の財宝を収奪しました。さらにペルーのポトシ銀山も開拓して、これを独占しました。タバコ、トウモロコシ、ジャガイモ、サツマイモ、トマト、トウガラシ、ゴムなど有用な植物をヨーロッパに移植しました（コロン交換）。エンコミエンダ制による先住民を酷使してのプランテーション（大規模農園経営）も、大きな利潤を生み出したはずです。

　世界に植民地を拡大し、多くの富をスペインにもたらしたカール五世について、僕たちは世界史の教科書で、「日の没することのない大帝国をつくった君主」として教わりました。立派な帝王であると。

　しかしながら1516年にスペイン王になって、統治すること40年、たくさんの金銀を新大陸から持ってきたというのに退位した翌年に国家破産したということは、企業の社長だったら、どのように評価されるでしょうか。40年間社長をやってきて、社業を息子と弟に譲ったけれど、本社は翌年に破産してしまったというのでは、明らかに社長失格であると思います。

彼にはすぐれたブレーンはいなかったようです。名前をもらった曾祖父の故地ブルゴーニュへの執着（これが対フランス戦争の根源）と、ローマ教会の信仰擁護という古い概念にとりつかれていたのかもしれません。しかし、彼の思惑を超えて、カール五世の時代は、すべて大きな時代の流れに翻弄されていたようにも思われます。コロンが新大陸に到達したことにより、地中海中心であった世界が大西洋を越え、太平洋にまで延びて、文字通り世界がひとつになった。すでに中世の思想では律しきれない方向に、歴史が動き始めていた。その中波を正面から浴びたのが、カール五世だったのではないか。

カール五世、そして彼と争ったフランソワ一世、スレイマン一世という3人の君主たち。彼らは中波に流されながらも、必死に生きた16世紀の大スターたちでした。また、ローマ教会に大きな風穴をあけたマルティン・ルターも、新しい時代への架け橋となる人物だったのでしょう。

もうひとり、イングランドのテューダー朝にヘンリー八世（在位1509〜47）という強者がいました。彼の行動は主として自国内に留まり、ヨーロッパとはあまり深くは係わりませんでしたが、彼はローマ教会と断絶し、自らをイングランド国教会の首長とする宗教改革を断行しました。このあたりは、前著でも触れましたが、この改革は「妻との離婚を認めないローマ教皇に激怒して」というのが表向きの理由でしたが、本音は無税でローマ教会に流れるお金を自国の収入とすることが目的でした。彼の子どものエリザベス一世の時代に、イングランドは大きな追い風を受けるようになります。

一方で16世紀には、異端審問・血の純潔規定・エンコミエンダ制など、およそ人間が考え得る限りのおぞましい迫害・収奪制度が登場します。またキケロの至言「戦争はお金で始まり、お金で終わる」が、立証されたようにも思われます。兵士を養うにも、まずご飯を食べさせなければならない。すべての戦争を支えているのは経済だというわけです。そのような視点から見れば、フッガー家の登場も、時代のキー・ファクターのひとつに違いありません。

16世紀はこのようにさまざまな意味で、ブローデルとウォーラーステインが指摘する通り、世界史の流れを画する時代のひとつとなりました。

この世紀の日本をみると次のような出来事がありました。日本は、長い間、世界商品を持っていなかったために誰も訪れなかったのですが（逆に言えば、平和を享受できた恵まれた国でした)、石見銀山に象徴されるように多量の銀や金が産出され始め一転して世界の注目を浴びるようになったのです。鉄砲伝来。イエズス会宣教師ザビエル来日。当時のわが国のキリスト教徒は最盛期には実に30~40万人を数えたといいます(人口で圧する中国のこの時代のキリスト教徒数のピークが15万人)。これは歴史上の大きな謎のひとつです。おそらく織田信長の世界感覚が優れていたのでしょう。そして、天正少年使節団がローマへ。信長の死後、暗転してバテレン(キリスト教宣教師)追放令。豊臣秀吉の朝鮮侵略。関ヶ原の戦い。徳川家康の時代へ、と続きます。

もし、信長の政治が続いていて、鎖国にならなかったら、日本はどんな姿になっていたのか。16世紀はそんなことを考えさせる時代でもありました。なお、この時代の日本を描いた2つの傑作があります。『クアトロ・ラガッツィ』(若桑みどり著、集英社文庫)と『みんな彗星を見ていた』(星野博美著、文藝春秋)です。

〈第1章の関連年表〉

カール五世とその時代(13世紀〜16世紀)

西暦(年)		日本
1273	スイス・ハプスブルク家のルドルフ一世、ドイツ王に(ドイツ大空位時代終わる)	
82	ルドルフ一世、ボヘミア王からオーストリアを奪取	
99	オスマン朝成立(〜1922)	
1469	イサベル一世とフェルナンド二世結婚	
77	ナンシーの戦いで、ブルゴーニュのシャルル突進公死去 マクシミリアン一世とマリー婚約	
78	スペイン、異端審問制始まる	
79	スペイン王国誕生	
82	マリー死去し、フランドルがハプスブルク家の領土に	
92	スペイン、グラナダを征服(レコンキスタ終了)。コロン、新大陸に到達	
96	フアナとフィリップ美公結婚	
1500	**カール五世誕生**	
09	イングランド・テューダー朝のヘンリー八世即位	
15	フランス・ヴァロワ家のフランソワ一世即位	
16	**カール、スペイン王カルロス一世として即位**	
17	ルター、『九五カ条の論題』公表	
19	**カール五世、ドイツ王・神聖ローマ皇帝として即位**	
20	オスマン朝のスレイマン一世即位	
21	イタリア戦争始まる(独対仏)(〜59)。スペインのコルテス、メキシコ征服	
24	ドイツ農民戦争(〜25)	
27	ドイツ傭兵、ローマ劫掠(サッコ・ディ・ローマ)	
29	スレイマン一世、ウィーン包囲(第一次)	
30	ドイツにて、シュマルカルデン同盟発足	
33	スペインのピサロ、ペルー征服	
34	イングランド国教会成立	
38	オスマン朝、プレヴェザの海戦でスペイン・イタリア連合艦隊を破る	
45	トリエント公会議(〜63)	
46	ドイツにて、シュマルカルデン戦争(〜47)	
		49 ザビエル、鹿児島に
52	ラス・カサス、『インディアスの破壊についての簡潔な報告』出版、スペインにて「バリャドリッド論争」始まる	
55	アウグスブルクの宗教和議	
56	カール五世引退	
57	スペイン、バンカロータ(国家破産)	
58	カール五世死去	
		82 天正少年使節訪欧
		92 豊臣秀吉、朝鮮出兵
1600		00 関ヶ原の戦い
		03 江戸幕府開府

COLUMN ドイツにおける支配者の呼称について

中世のドイツには、さまざまな呼称の支配者が登場して、頭が混乱することがよくあります。このコラムではドイツの支配者の呼称について整理してみました。

ドイツでは、ひとりの王が全領土をその権力で中央集権的に取り仕切るのではなく、諸侯と呼ばれた有力貴族の間で選ばれた者がドイツ王となることは、本文中で触れたとおりです。徳川将軍と諸藩の関係と似ているようですが、ドイツ王には将軍ほどの権力はありませんでした。諸藩の談合で次の将軍を選ぶと考えればわかりやすいでしょうか。諸侯の力は強く独立性もありました。またドイツ王は、ローマ教皇から教皇領を守ることと引き換えに、ローマ皇帝として戴冠されイタリアの政治にも介入しました。しかし、ローマ皇帝としての権威は時代とともに形骸化し、16世紀初頭からは「ドイツ国民のための神聖ローマ皇帝」という名誉の冠が残りますが、ナポレオンによって事実上このローマ皇帝位も廃止されました。

ドイツ王を選んでいた諸侯は、フランク王国時代の有力部族の生き残りです。諸侯の中の有力者は、中世になり、ザクセン、シュヴァーベン、バイエルン地方などで大貴族（公もしくは大公）となっていき、その領国を公国と呼びました。「伯」は、フランク王国時代の地方長官職の名前に由来します。

また中世以降のドイツには、一定の自治権を獲得した自由都市が登場します。交通の要衝（ようしょう）にあったり、交易によって実力を蓄（たくわ）えた大都市です。

そして「神聖ローマ帝国」内において、「王国」と呼ばれたのはボヘミアやプロイセン、後のバイエルンなどの超大国でした。三十年戦争後、約３００の領邦の寄せ集め状態となっていたドイツは、ナポレオン戦争の後のウィーン会議で最終的に35の君主国と４つの自由都市（ハンブルク、ブレーメン、リューベック、フランクフルト）に再編されました。

第2章

イスラム世界が歩んできた道

——21世紀のテロ問題を冷静に見つめるために

■ＩＳ（自称イスラム国）のこと

２０１４年6月、イラク第二の大都市モースルがＩＳ（自称イスラム国）を名乗る武装集団に占拠されました。彼らは周辺の都市をも制圧下に置きました。モースルは12世紀から13世紀にトゥルクマーン（ムスリムとなったトルコ系遊牧民）が建国したザンギー朝の都として栄えましたが、20世紀に近郊で油田が開発され、新たに重要性が増した都市です。武装集団は、ムハンマドの代理人を意味する「カリフ」を頂点とする国家であると宣言しました。

ＩＳはテロリストの集団であり、イラクとシリアにまたがる占領地では恐怖政治を行なってパルミラの神殿など歴史的な遺産を破壊し、国際的にも大きな波紋を広げています。２０１５年1月には、拘束した2人の日本人を殺害、11月にはパリで１３０人が死亡した大規模なテロを実行しました。その後も世界各地でテロを起こしています。ＩＳのテロがこれまでのテロと少し異なるのは、誰かの指令を受けてテロが実行されるのではなく（9・11、米国同時多発テロは、アルカーイダが命じたものでした）、ＩＳに共感した世界各地の不平不満分子が、ＩＳに連帯して（あるいはＩＳを口実にして）自発的にテロを実行するところに特徴があります。

ISについては、イラクのフセイン政権が崩壊したカオスの中から生まれた鬼子(おにご)ともいうべき単なるテロリストの集団にすぎないのか、それともイスラム教と本質的な部分で何らかの関係があるのか、識者の見方は分かれていますが、ここではまずイスラムの歴史をひもといてみたいと思います。

ムハンマドの生涯とイスラム世界の形成

1 イスラム教は普通の市民がつくった宗教だった

僕は、人間がつくったものは、総じて人間に似ていると思います。つまり王朝も企業も宗教も、それを創始した人間の人生をある程度までは反映していると思うのです。

三大宗教の創始者のうち、イエスとブッダは家族や社会を捨て、人間を救う道を模索しました。平たく言えば世捨て人のつくった宗教です。

ところがムハンマドは世捨て人ではありませんでした。普通の男性として妻に看取(みと)られて人生を終えた、幸せな生活人でした。彼の人生を素描(そびょう)すると、次のようになります。

ムハンマド(570?~632)は、アラビア半島のマッカに生まれました。当時の中東は、サーサーン朝ペルシャが東にあり、西にはコンスタンティノープルに都を移したローマ帝国が、現在のトルコからエジプトまでを支配下に置いていました。この頃のアラビア半島は地中海東岸地域（シリアやパレスチナ）を除くと、ペルシャ文明圏とローマ文明圏の双方から置き忘れられたような地域でした。半島の大半が砂漠だったからです。ただ半島のアラビア海に面する現在のオマーン、イエメン地域と、紅海に面するヒジャーズ地域にはオアシスや港町が点在していました。しかしいまだ、都市国家といえるほどのスケールも政治的統一もなく、多くのアラブの部族がそれぞれの拠点を形成しているという状況でした。

彼らの生業（なりわい）は遊牧と交易でした。中国やアジアからの産物がインド洋を渡って、イエメンのアデンなどの港に陸揚げされ、そこからマッカやマディーナを経て、シリアに運ばれていました。そして帰路には地中海の産物を運んできて、インドや中国に送り出します。マッカはこの交易の中継地点として栄えていました。なお、昔は、マッカ Makka はメッカ、マディーナ al-Madīna はメディナと日本では表記されていました。

このマッカの有力な一族であったクライシュ族の両親からムハンマドは誕生しましたが、早くに両親を失い、叔父に保護されて成長しました。

アラブ人の宗教は、昔ながらの土俗(どぞく)の多神教でした。また、半島にはわずかながらもユダヤ教徒やキリスト教徒の集落もあったようです。

ムハンマドは、そのような多神教の世界で育ち、やがて商人となりましたが、20歳をいくつか過ぎた頃に、裕福な女商人ハディージャに見込まれて結婚しました。彼女はムハンマドよりも10歳以上年上でしたが、2人は仲むつまじく暮らし、数人の子どもに恵まれました。

40歳前後になったとき、ムハンマドはしばしばマッカ郊外の岩山、ヒラー山の洞窟(どうくつ)に籠(こも)って瞑想(めいそう)するようになりました。人生について悩んだのか、それともその当時のマッカの社会が、だんだんエゴばかりが強調されて弱者を大切にしなくなったことを悩んだのか、定かではありません。しかし彼は、正直な人として知られていたようですから、何か思案することがあったのでしょう。するとある日、その洞窟に訪問者があったと、ムハンマドの伝記は語っています。どこかただならぬ雰囲気の訪問者は、ムハンマドに言いました。

「詠(よ)め!」

ムハンマドは読み書きができなかったので、反射的に言いました。「私は読むことができません」。けれどもその来訪者は、繰り返し繰り返し、「詠め」と言いました。そして次のように命令しました。

「私の心に想うことを、声を出して詠むのだ」

その来訪者は、何かの文章を読めといったのではなく、彼が想うことをムハンマドに声を出して歌のように復唱して詠（よ）め、と言ったのでした。そして来訪者は、神の啓示を伝え、それをムハンマドに復唱させると、洞窟の外へ飛翔して消えたと伝えられています。

突然の来訪者は、神に仕える大天使ジブリール（ガブリエル）でした。ジブリールは神の言葉を伝え、それをムハンマドに預（あず）けて人々に教えるように命じたのです。すなわちムハンマドは、神の言葉（啓示）を預かり人々に伝える者、預言者になったのです。神の啓示がクルアーン（昔はコーランと呼ばれていました）であり、クルアーンを信じて帰依（きえ）することをイスラムといいます。

こうしてイスラム教が誕生したのです。イスラム教の神様は、ユダヤ教やキリスト教と同じ神様で、ヘブライ語ではＹＨＷＨ（ヤハウェ）と呼ばれています。イスラム教ではアッラーと呼ばれます。この３つの宗教を一般にはセム的一神教と呼んでいます。

ムハンマドは新しい宗教の教祖となっても、普段の生活は変えませんでした。信者の第一号は、妻のハディージャでした。なお、イスラム教の信者のことをムスリムと呼びます。muslim はアラビア語でイスラム教徒のことですが、原義は「アッラーに帰依する者」です。

ムハンマドの新しい教えは一神教であったため、多神教のマッカの人々から強い反撥を受けました。ムハンマドは生まれ故郷のマッカを逃れ、ヤスリブ（後のマディーナ）の町で布教を始めました。622年のことで、この移住をヒジュラ（聖遷）と呼び、イスラム暦ではこの年を元年としています。マディーナではムハンマドに従う人々が増加して、やがてイスラム共同体（ウンマ）を形成し、小さいながらも都市国家規模となり、一定の地域を治めるようになりました。

ここに至ってムハンマドは行政の長となり、多神教を信ずる部族と戦うときは、自らが将軍となりました。そして晩年近くになってマッカの多神教勢力に勝利を収め、ついにアラビア半島の大統領のような存在になり、60歳あまりで亡くなりました。ハディージャに先立たれた後に再婚した、若い妻アーイシャの膝枕で眠るように死んだといわれています。

このようにムハンマドは、イエスやブッダとはまったく異なる普通の市民として、新しい宗教を興し、国を興して死去しました。彼の生き方が示すように、彼のつくった宗教はわかりやすく合理的、商人的でした。その基本は、普通の人間がどう生きていけば個人と他者の幸せにつながり、弱者を救うことになるのかを、当時の社会的現実に合わせて考えぬかれたものだったのです。イスラムの基本はヒルム（堪忍）にありました。また、ジハード（戦闘）の本義は、社会と心を改革するための奮闘を指す言葉だったのです。

「イスラム教は砂漠で生まれた宗教だから、人を寄せつけぬ峻厳さがある」

ときおり日本では、そのような言葉を聞きます。しかし、おそらくそういう人はクルアーンを読み込まず、不毛の砂漠というイメージだけでクルアーンを解釈しているのではないでしょうか。なお、ムハンマドについては、『ムハンマド』（カレン・アームストロング著、国書刊行会）という優れた伝記が書かれています。

2 クルアーン（詠唱すべきもの）という言葉に残る民族の歴史

イスラムの町にいると、日に5回、マッカの方角を礼拝する時間を知らせるアザーン（呼びかけ）がモスクのミナレット（塔）から流れてきます。宗教とは関係なく、その歌うように流れるアザーンの旋律のここちよさに心を打たれることがよくあります。イスラムの世界では言葉を声に出して詠うことをとても大切にしています。もっとも詩や歌というものは、どこの世界でも声に出して詠唱することが本来の姿ですが。

ジブリールがムハンマドに「詠め」と言った背景には、次のようなマッカの伝統が息づいていたのです。

マッカは交易商人たちの中継地でした。町の広場にはカアバ（立方体の意味）と呼ばれる多くの神々を祭る神殿がありました。この神殿前では、商人たちが集まって、季節の平安を祈る祭礼や旅路の安全を祈る祭礼などが行なわれていました。こうした祭礼の中心行事のひとつが詩を詠むことだったのです。部族の代表や隊商の頭領が、自分の経験やみんなの願い事、そして神をことほぐ言葉を、朗々と詠唱する形で競い合ったのです。現代でいえばカラオケ大会のようなものでしょうか。

そして一番優れた詩歌は、カアバ神殿に掲（かか）げられました。たぶん大きな布に書かれたのでしょう。マッカの人たちは、長い間、この習慣を続けてきました。歌うこと、詠唱することは神へのメッセージでした。より美しい声とより人をうっとりさせる言葉で歌うことが大切だった。この伝統が、イスラム教の聖典、クルアーン（詠唱すべきものという意味）となったのです。

ムハンマドは、マッカを征服したとき、カアバ神殿に祭られていた多神教の神々の像を排除しましたが、神殿は破壊せず、そのままイスラム教の神殿として尊重しました。

そのときから、カアバ神殿はムハンマドの墓所でもあるマディーナのモスクと並んでイスラム教徒の大切な巡礼の場所になっていきます。13世紀にエジプトを支配していたマムルーク朝のスルタンであるバイバルスは、カアバ神殿を飾る美しい布を奉納しました。これをキスワと言いますが（最初にキスワを奉じたのはムハンマドです）、この後、カアバ神殿に掛ける布を寄進する君主が、イスラム世界の守護者であると考えられるようになります。マムルーク朝からオスマン朝のスルタンを経て、今日ではサウディアラビアの国王がキスワを寄進しています。

3 イスラム教の正典はムハンマドの死後、18年後に完成

イエスの死はＡＤ30年頃と考えられています。そしてＡＤ80年から90年頃にかけて、4つの福音書（マタイ、マルコ、ルカ、ヨハネ）が完成します。これが正典（新約聖書）の中心となりました。

イエスの死後、新約聖書がつくられるまでに50～60年の時差があるということは、当時の人生はだいたい20～30年が一世代でしたから、イエスと面識のない人間が福音書を書い

たということになります。ですから、福音書に記述されていることが、本当にイエスの言葉であったかどうか、裏付ける証拠はありません。事実、福音書については正典以外にも多くの異書が発見されています。トマスやピリポ、マリアによる福音書などです。1945年に、エジプトのナイル川中流域のナグ・ハマディという場所で、農夫が壺(つぼ)におさめられていた写本を掘り出しましたが、その中に、多くの異説を説いた福音書が含まれていたのです。

なお、福音書は、イエスの言行録(げんこうろく)です。福音は良い知らせという意味ですが、こう呼ばれるようになった由来は、最初に書かれたと思われるマルコの福音書が、「神の子イエス・キリストの福音の初め」という文節で始まっていることに起因しています。

マッカにあるカアバ神殿
黒い布（キスワ）に覆われた四角い建物がカアバ神殿。マディーナの預言者のモスクとあわせて、巡礼の「二聖都（アル・ハラマイン）」といわれる
©ZUMAPRESS.com/amanaimages

次に仏教の場合。いま僕たちがなじんでいる法華経(ほけきょう)や浄土三部経(じょうどさんぶきょう)など多くの大乗(だいじょう)経典は、ブッダ

の死後500年ぐらい後に書かれています。そこにはブッダの面影はほとんどありません。名も知られていない多くの人々が大量の大乗経典を自由に創作したのです。従って三大宗教のなかで仏典は正典が際立って多いのです。

一方クルアーンは、ムハンマドの死が632年で、第三代カリフ、ウスマーンによる編集が650年ですから、その間、わずか18年です。すなわち生前のムハンマドをよく知っていた人々から、話を聞いてまとめられたのです。その際にウスマーンは集めた資料の正誤を峻別（しゅんべつ）し、これは間違いないと確信できるものだけを残し、それと相違するものはすべて廃棄しました。したがってクルアーンには、異本は一冊もありません。揺るぎない正典がいち早くできたことが、イスラム教の求心力を著（いちじる）しく高めました。ムスリムは、異説に悩まされることがなかったのです。

◆イスラム帝国はなぜ急速に拡大したのか

1「横綱同士の死闘」の後だった

ムハンマドがイスラム教を興し、アラビア半島を制圧していく中、当時の中東を取り仕切っていた2つの超大国、サーサーン朝ペルシャとローマ帝国は600年頃から約30年にわたって死闘を繰り広げていました。両国の覇権を賭けた戦いです。戦いの舞台は両国の首都（コンスタンティノープル、クテシフォン）からエジプト、シリアにわたる広大な地域でした。

・サーサーン朝ペルシャ側　ホスロー二世（在位５９１〜６２８）
VS
・ローマ帝国側　ヘラクレイオス一世（在位６１０〜６４１）

この両国の戦争は、相撲でいえば横綱同士の取組のようなもので、両者ともすっかり疲弊してしまいました。そこへアラビア半島から、元気の良い、いわば前頭のイスラム軍が北上してきたのです。イスラム軍はラッキーでした。両横綱はふらふらだったのです。こうしてイスラム軍は、シリアに次いでエジプトを奪取（６３９）、サーサーン朝を滅ぼし（６５１）、地中海の北アフリカ沿岸をすべて手中に収め、７１１年にはジブラルタルに上陸してイベリア半島の西ゴート王国を滅ぼしたのです。

2 現実的な税金政策

さらにイスラム軍が、広く受け入れられた理由として、「降伏して納税すればこれまでの生活は保証する」とした統治方針があげられます。たとえばローマ帝国領を奪(うば)って治めるとき、次のような考え方を採りました。

その地域の宗教がユダヤ教やキリスト教であっても、同じ一神教の神であるから、別にこだわらない。政治的に反抗せず、いままでローマ帝国に納めていた税金を我々に納めれば、これまでの地位や職業は保証する。知事も市長も解任しない。

そして賢明なことには、困窮(こんきゅう)している地域にはそれまでの税率を少し低くする。そうするとその地域に住む人々は、同じ生活が保証されて少しでも税金が安くなるなら、なにもコンスタンティノープルに従わなくてもいい、マディーナに従っても同じじゃないかと考えます。これがイスラム帝国をあっという間に拡大させた主因です。

この政策は、イスラム帝国のオリジナリティではなく、支配者が少数である場合によく実施される統治方法です。アカイメネス朝ペルシャやモンゴル帝国も同様でした。イスラムの支配は「クルアーンか剣か」すなわち「改宗か死か」である、という説は俗説に過ぎません。

3 同じ一神教でもユダヤ教やキリスト教とは異なる寛容さ

「降伏して納税せよ」という統治方針を貫徹するためには、イスラムの教えが他の宗教に対して寛容であることが前提となります。それはイデオロギーよりも現実的利益を優先する発想ですから、まさに商人の生み出した宗教らしい特徴です。

前著でお話ししましたが、ユダヤ教やキリスト教に登場するYHWHという一神教の神様は、嫉妬深くて信者が他の教えに心を傾けることをなかなか許しません。しかしイスラム教になるとYHWHはアッラーという、かなり寛容で合理的な神様に変貌しました。その典型的な事例は、1453年にローマ帝国の首都コンスタンティノープルをオスマン朝が陥落させたとき、その地にあったキリスト教の東方教会（俗にいう「ギリシャ正教」のこと、ローマ教会すなわち「カトリック」と対立していた）の大本山の存在を許したことです。もちろん反抗しないことを条件にしましたが。

当時、ローマ教会のお膝元であるローマにイスラム教のモスク（礼拝所）やミナレット（塔）があれば、即座に破壊されていたことでしょう。

イスラム世界には「ジハード」（戦闘）という概念があります。この言葉は「クルアーンか剣か」と並んで、イスラムの闘争性を物語る言葉として、よく用いられます。しかし本来の意味は、前述したように社会と心を改革するための奮闘を指す言葉なのです。繰り返しになりますが、多数派ではなかったモンゴルやアラブが広大な世界を支配するポイントは、いかに軍事活動による人的資源の損傷を避けながら広大な地域を統治するかにあったのです。

4 新しく支配した地域や都市にアラブ軍団を入れずに軍営都市（ミスル）をつくった

イスラム帝国が新たな地域を支配するとき、その原則は「降伏して納税せよ」でした。それと同時に、降伏して納税することを認めた都市には、軍団を進駐させない政策を採りました。洋の東西を問わず、戦勝軍が占領地域とりわけ大都市に入ると、略奪や破壊活動や暴力などいろいろな軋轢（あつれき）を起こしがちです。そのことを計算に入れた、これも商人らしい発想でした。その代わりに近在にアラブ軍を居住させる都市をつくりました。たとえば東京を制圧して、お台場（だいば）に軍の巨大なキャンプをつくるようなイメージです。

こうすることで、睨（にら）みを効かせながらも、東京の市民は日常的には軍事的圧迫や暴力を恐れる必要がなくなります。このような軍営都市をミスルと呼びました。ミスルというアイデアが、支配下に置かれた人々にイスラムを恐れさせない、大きな力になっていた。そのことも急激なイスラム世界の拡大と無縁ではなかったでしょう。代表的なミスルとしては、イラクのバスラやクーファ、エジプトのフスタート（後のカイロ）やチュニジアのカイラワーンなどが挙げられます。

イスラム教が地中海の南半分を征服して、一神教革命が成立した

イスラム教はアラブの多神教を否定しました。多神教には神様がたくさんいます。それぞれの神様を区別して認識するには、その絵姿や肖像が有効です。それがないとなかなか区別ができません。ギリシャやローマの世界も多神教でしたから、立派なひげを生やしたゼウスや若々しい青年像のアポローンが描かれたり作られたりしました。アラビア半島でも事情は同じでした。ムハンマドはそれらを否定しました。第一、神様はアッラーひ

ムハンマドの肖像画には顔がない
マッカ郊外のヒラー山の洞窟で瞑想するムハンマドを訪ねる大天使ジブリール（ガブリエル）。ムハンマド（左）の顔は白い布で覆われている

とりですから識別する必要がないのです。ムハンマドの死後も大切に守るべきはクルアーンの言葉でした。それを声に出して詠う。ですからムハンマドの姿が描かれた絵画も、いくつか残っていたのですが、その顔はすべて削り取られてのっぺらぼうになっています。

こうして地中海の南半分で多神教や偶像崇拝が否定されたとき、北半分はどうなっていたのでしょうか。

ローマ帝国が宗教に寛大であった時代は、ギリシャやローマの神々はみんな自分の絵姿を持っていました。

しかし、テオドシウス（一世）帝のキリスト教の国教化（３９２）とそれに伴う古代オリンピックの廃止や、ユスティニアヌス（一世）帝のアテネにあった総合大学、アカデメイアの閉鎖（５２９）などによって、ギリシャ・ローマの神々は否定され、ギリシャ・ローマの数多くの古典も廃棄されました。キリスト教は、古代ギリシャ・ローマ文明のいわば焚書坑儒を行なったのです。さらに東のローマ皇帝レオン三世（在位７１７〜７４１）のイコノクラスム（偶像破壊運動）によって、教会のイコン（神の絵姿）や像は破壊されました。

かくして地中海世界から多神教の神々が消え去りました。一神教の神様だけが残り、アポローンもアプロディーテー（ヴィーナス）も、ルネサンスまで長い眠りに入ります。このことを一神教革命と呼んでいます。

もっともローマ教会では、やがて聖人像など多くの画像が復活します。字が読めない人々がほとんどであった後進地域の西ヨーロッパで布教するには、紙芝居が必要不可欠だったのです。イスラム教では復活せずに今日に至っています。

ところで、一神教革命に関連して地中海世界から一掃（いっそう）されたはずのギリシャ・ローマの古典は、失われずに生き残りました。そこにはペルシャ人とアラブ人が関係してきます。

ギリシャ・ローマの古典を残したのは、ペルシャ人とアラブ人たちだった

1 話は古代のメソポタミアにさかのぼる

初めて世界帝国がつくられたのは、文字と同様にメソポタミアの地でした。BC2300年代のアッカド帝国やBC2000年代のウル第三王朝などです。なお、帝国とは、通常、異なる言語を話す人々を包摂（ほうせつ）して統治する国を指します。アッカド帝国やウル第三王朝は、ティグリス・ユーフラテス両河川のあたりから、上の海と呼ばれた地中海、下の海

と呼ばれたペルシャ湾に至る広大な領域を、自分たちとは異なる民族を含めて支配したのです。これらの帝王たちは、自分の支配欲を満足させるために、人間だけではなく、動物や植物をも自分ですべて支配したいと考えるようになっていきました。たとえばアッカド王サルゴンは動物園をつくりました。

さらに支配欲が高まってくると、過去の人間の文化や歴史をも支配してしまおう、独占しようと考え始めます。そこで知識を集積します。図書館をつくるのです。たとえばアッシリア帝国のアッシュルバニパル王（在位ＢＣ６６８〜６２７）がつくった大図書館の遺跡が、ティグリス川上流のニネヴェで発掘され、楔形文字が刻み込まれた膨大な数の粘土板が発見されました。

アッシュルバニパルは腰にペンと剣を帯びた像を残しています。いかに文武両道において秀でていたかを誇っているように見えます。そう言えば、ムガール朝（１５２６〜４０、１５５５〜１８５８）を創始したバーブルの絵姿もペンと剣を帯びています。

世界帝国を意識した帝王たちの文化的遺産は、世界史上に数多く残されています。エジプトのプトレマイオス朝がアレクサンドリアに開設したムセイオン（学問の研究施設。このMuseionがMuseumの語源になっています）、明の永楽帝が編纂させた『永楽大典』

や『四書大全(ししょたいぜん)』、『五経大全(ごきょうたいぜん)』、ナポレオンが開設したルーブル美術館、連合王国の大英博物館などは、すべて発想を同じくするものです。

2 サーサーン朝ペルシャに避難したギリシャの「東京大学」

世界帝国の帝王は万巻(ばんかん)の書を集め知の集積を行なうというメソポタミアの伝統は、ペルシャの地に脈々と受け継がれました。アカイメネス朝ペルシャの血を引くと自称していたサーサーン朝ペルシャでは、シャープール一世(在位241~272)の時代に、現在のイラン南西部のジュンディー・シャープールに大図書館と大学がつくられました。

プラトン(BC429~347)によってアテネに創設されて以来、地中海の知の殿堂であったアカデメイアは、日本でいえば東京大学のような存在でした。そこには数多くのギリシャ・ローマの古典文献が集積され、最高のインテリたちが教授として活躍していました。ところが彼らはユスティニアヌス一世によってアカデメイアを閉鎖され(529)失業してしまった。さればと言って、いまさら農民にも兵士にもなれません。

彼らはアテネを捨てて、どこに職を求めたのでしょうか。それがジュンディー・シャープールの大学でした。当時のサーサーン朝は、アルメニアをめぐってローマと争っていましたが、この「東京大学」の教授たちをこころよく迎えました。

元来ペルシャ人は、現実的な損得を重視します。アカイメネス朝時代に、アテネとペルシャはサラミスの海戦（BC480）を戦いました。この戦争は将軍テミストクレスの作戦が功を奏して、アテネが大勝するのですが、テミストクレスが必要以上に権力を求めたため、怒った市民に陶片追放されてしまうのです。このとき、最後にテミストクレスが逃亡した先がペルシャです。ずいぶん図々しい話なのですが、ペルシャは彼を受け入れます。

「サラミスでは頭にきたが、あれだけの軍略があるのだから、何かの役には立つだろう」

こういう現実的な発想をするペルシャ人は、喜んで教授たちを迎え入れたことでしょう。かくてギリシャの東京大学はペルシャの地に移転したのです。大量のギリシャ・ローマの文献とともに。

3 アラブ人はギリシャ・ローマの古典と出会って欣喜雀躍した

このサーサーン朝ペルシャを滅ぼしたのが、アラビア半島から北上したアラブ軍でした。彼らはジュンディー・シャープールで大量のギリシャ・ローマの古典を発見しました。アラブ人は旺盛な知識欲を持っており、この文献に深い興味を示しました。やがて、8世紀の中葉に、最初のイスラム帝国ウマイヤ朝を滅ぼしたアッバース朝が唐と争い（タラス河畔の戦い、751）、その前後に製紙法を入手します。そしてギリシャ・ローマの古典の大々的な翻訳運動が開始されます。このあたりのことは前著でお話ししたとおりです。

この翻訳運動については、その熱狂ぶりを伝える有名な話があります。カリフが懸賞を出して、アリストテレスの書をアラビア語に翻訳させ、一等賞には翻訳した作品と同等の重さのダイアモンドを与えたというのです。

アッバース朝の第七代カリフ、マアムーン（在位813〜833）は、バグダードに「知恵の館」（バイト・アルヒクマ）を建設し、ここにジュンディー・シャープールなどから学者を集めてギリシャ・ローマの文献のアラビア語への翻訳活動を組織的に推進しました。スタッフはキリスト教徒（ネストリウス派）やユダヤ人が主体であったようです。

この嵐のように展開された大翻訳運動は、中国で行なわれたサンスクリット語の大乗経典を漢訳したことと並ぶ、人類の二大翻訳運動といわれています。

イスラム教徒は、この大翻訳運動によってギリシャ・ローマの医学・天文学・幾何学・光学・地理学・哲学などを学びました。中でも、ギリシャ哲学を完成させたアリストテレスに深く影響されたようです。その著書『形而上学』、『自然学』、『オルガノン』は、熱心に研究されました。なかでもイブン・スィーナー（アウィケンナ、９８０〜１０３７）はアリストテレスの学問を継承し、独自の形而上学を完成しました。またイブン・ルシュド（アヴェロエス、１１２６〜９８）は、アリストテレス哲学の原像を復元することに多大な力を注ぎました。大翻訳運動の成果によって、イスラム神学は、アリストテレスの哲学から思考の方法と論理の立て方を学び、合理的で客観性のある体系に構築されていきました。

アッバース朝が肥沃なイラク平野の中心地バグダードに、東方との交易とギリシャ・ローマ文化の復活により栄華の花を咲かせていた頃、スペインでは後ウマイヤ朝（７５６〜１０３１）が栄えていました。この王朝は政治的にはアッバース朝と対立していましたが、文化的にはバグダードと深く係り合っていて、その首都コルドバや古都トレドにも、大翻訳運動の成果が届いていました。この後ウマイヤ朝が衰亡すると、イスラム勢力は40余りの小王国（タイファ）に分かれてしまいます。そのひとつとなったトレドを、キリスト教国カスティージャのアルフォンソ六世が占領しました。時に1085年のことです。彼はトレドで大量のアラビア語の書物を発見します。その書物がギリシャ・ローマの文献であることを知ると、興味を覚えた彼はラテン語への翻訳を命じました。

こうしてトレドの地でも、翻訳運動が始まりました。この運動によって、500〜600年という長い歳月を越えて、ヨーロッパに古代ギリシャ・ローマの学問が復活することになりました。

特にアリストテレスの哲学・思想は12世紀前後の西ヨーロッパの学問の体系化に決定的な役割を果たしました。たとえば、アリストテレスの論理を応用して、最初に神学の体系化を完成させたのはアラブ人でしたが、その翻訳本を学ぶことで、トマス・アクィナス（1225〜74）は『神学大全』を著わしました。そしてスコラ哲学を大成させました。つまり、イスラム神学からキリスト教は神学を学んだのです。

12世紀にイスラム諸国を介して、ヨーロッパに復活したギリシャ・ローマの古典文化によって、学問や芸術の花が咲き、各地に大学も生まれました。このような現象を12世紀ルネサンスと呼んでいます。

ヨーロッパのキリスト教国は、進んだイスラム諸国から学ぶことを表立っては肯定したくなかった。しかし彼らにも旺盛な知的好奇心があり、一方でより論理的なローマ教会の教義を確立したかった。その欲求が、トレドの翻訳運動を推進させたのでしょう。しかし、口惜（くちお）しいと感じていたのか、次のような営為（えいい）にも出ています。

前述のアラブ人の大学者、イブン・スィーナーとイブン・ルシュドの文献は、ヨーロッパの神学者たちに多大の影響を及ぼしているのですが、すなおにアラブ人を認めたくなかったのか、2人にラテン語の名前をつけました。イブン・スィーナーはアウィケンナ、イブン・ルシュドはアヴェロエスです。

ヨーロッパ世界とイスラム世界の相互関係

1「ムハンマドなくしてシャルルマーニュなし」

「ムハンマドなくしてシャルルマーニュなし」という言葉はベルギーの歴史学者アンリ・ピレンヌ（1862〜1935）が提起したテーゼ（命題）です。

ピレンヌの言うムハンマドは、イスラム帝国とほぼ同義です。このテーゼの画期的な点は、西ヨーロッパに大帝国を築いたフランク王国のシャルルマーニュ（カール大帝、在位

〈図2－1〉
イスラム帝国の版図（7世紀〜8世紀後半）

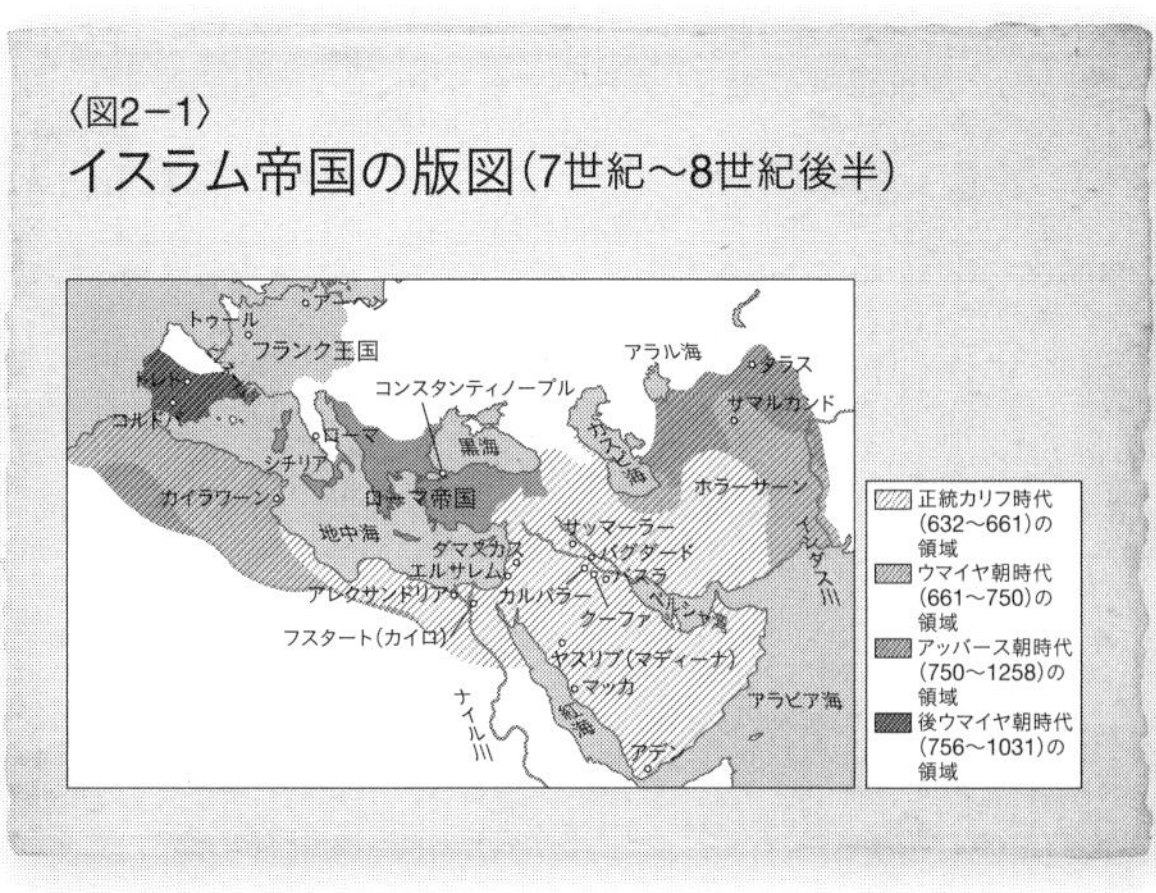

７６８〜８１４）の業績の要因を、イスラム帝国アッバース朝の繁栄に求めたことにあります。

　肥沃なメソポタミア全域を押さえたアッバース朝は、豊かな財政力を背景に大建設事業を始めました。第二代カリフのマンスール（在位７５４〜７７５）は、ティグリス川西岸の小さな村バグダードを、新王朝の首都にふさわしい百万都市にしようと考えました。第八代カリフのムウタスィム（在位８３３〜８４２）は、ティグリス川東岸に軍営都市も兼ねる新首都サッマーラーを造営しました。

　わずか80年ほどの間に、アッバース朝はとてつもない規模の土木・公共事業を実施したのです。そこから生まれた有効需要には計り知れないものがあり、当時の世界中が好景気に沸き立ちました。たとえば東アフリカのケニアやタンザニア地方の大木は、伐り倒されてほとんどがメソポタミアに運ばれました。

ヨーロッパも例外ではありません。都市を建設するのですから、建築資材や衣料や食料品、ありとあらゆる物資を買いつけようとします。しかしアッバース朝はコンスタンティノープルを首都とするローマ帝国とは敵対していました。勢い、交易先は西ヨーロッパに向かいます。その西ヨーロッパを治めていたのが、フランク王国のシャルルマーニュだったのです。

フランク王国をつくったメロヴィング朝もその後を継いだカロリング朝も出身地は低地地方（今日のベネルクス三国）です。この地域は北海交易の拠点として栄えたところです。カロリング朝の始祖カール・マルテルの母はマーストリヒト（現ネーデルランド）の豪商の娘といわれています。カロリング朝は、アッバース朝との交易で豊かになりました。そしてそのお金がシャルルマーニュの軍資金になりました。

シャルルマーニュは8世紀末までに、西ヨーロッパのほとんどの地域を統一し、その勢力は東のローマ帝国と肩を並べるほどになりました。東ローマ皇帝からの独立を夢見ていたローマ教皇はカロリング朝と結び、シャルルマーニュは800年に、ローマ教皇からローマ皇帝として戴冠されました。それもこれもアッバース朝のおかげであった。そのことが「ムハンマドなくしてシャルルマーニュなし」というテーゼに集約されています。

シャルルマーニュとアッバース朝の友好の証として、バグダードから北ドイツのアーヘンにあるシャルルマーニュの宮廷に象が贈られています。おそらくライン川を下ったのでしょう。はるばる北の都アーヘンへ贈られた象は、寒さのために命を落としたということです。

シャルルマーニュの全盛期と、アッバース朝の全盛期は、ほぼ重なります。フランク王国はシャルルマーニュの死後、急速に衰えて分裂していきます。その理由は、後継者たちが王国を分割統治したことが主因ですが、アッバース朝が国力を傾けたため、アッバース朝との交易から得ていた貿易黒字が減少したことも大きな要因でした。そしてアッバース朝自体も10世紀に入ると、実質的な支配権をブワイフ朝に譲ってしまいます。11世紀に入るとセルジューク朝が後を継いでスルタン(国王、皇帝)を称するようになり、アッバース朝のカリフは名実ともに象徴的な存在へと後退していきました。

ここで記憶に留めておきたいことは、西ヨーロッパの国々の出発点となったシャルルマーニュの帝国の盛衰が、アッバース朝の動向に左右されていた、ということです。

2 十字軍はイスラム勢力を崩せず、北イタリア諸都市が利益を得た

十字軍については前著『仕事に効く 教養としての「世界史」』の第5章で、その動機についてお話ししました。要は、気候の温暖化による人口増加の影響もあって、部屋住みの中小貴族の二、三男を中心とする人々が、豊かなイスラムの支配する地域へ、食と職を求めて侵略していったという事件でした。もちろん時の教皇ウルバヌス二世の「キリスト教の聖地を守れ」という熱烈なアジテーションと贖宥状（しょくゆうじょう）という甘い餌（えさ）もありましたが。

こうして熱に浮かされた軍団が東に向かったのですが、十字軍にとってラッキーなことに、当時のセルジューク朝は、内部抗争で四分五裂（しぶんごれつ）していた。そこで第一回十字軍は勝利を収めます。しかしその後、イスラム側が態勢を立てなおすと、形勢は逆転します。200年近くの間に7回も派遣された十字軍でしたが、最終的にはイスラム勢力に敗北して終結します。

イスラムの人々は、十字軍を「フランクの侵略」と呼びましたが（当時のイスラム世界の認識としては、西ヨーロッパ＝フランクでした）、西ヨーロッパの人々がイスラム圏の

人々の豊かな生活や高い文化に触れたことは、彼らの人生観や生活スタイルに多大な影響を及ぼしました。このことは、やがて訪れるルネサンスへの導火線のひとつになっていきます。

また、この十字軍戦争によって最大の利益を得たのはヴェネツィアやジェノヴァなどの北イタリアの海洋都市でした。兵士と物資の輸送を担当して東地中海の商圏を獲得し、東方交易に弾みをつけたからです。

3 イスラムの学問を学び、ローマ教皇になった男

西側のローマ教皇とコンスタンティノープルのローマ皇帝は、拡大を続けるイスラム帝国とは緊張関係にありましたが、両文化圏の間には交流も存在しました。10世紀後半から11世紀にかけて、その中心となったのは前述したようにイベリア半島です。

古都トレドでは、ギリシャ・ローマ古典のラテン語への翻訳運動が行なわれましたが、もともと、アンダルシアのイスラム文化圏の諸都市、コルドバ、グラナダ、セビージャなどは、イスラム教徒だけではなく、ユダヤ教徒やキリスト教徒が混住していて、文明の十字路となっていました。そのため西ヨーロッパの多くの学者や聖職者がアンダルシアの地

を訪ねては、進んだイスラム文化の哲学や医学、天文学を学んでいたのです。

ドイツのザクセン朝の君主で、ローマ皇帝でもあったオットー三世（在位996〜1002）は、自分の家庭教師であった司教をローマ教皇（シルウェステル二世。在位999〜1003）にした人です。この家庭教師は向学心に燃えていて、イスラムの高度な学問を懸命に学んだ人でした。その最先端の学識が認められて、皇室の家庭教師となりローマ教皇に推挙されたのでしょう。

イスラム世界の派閥と、さまざまな王朝の興亡

ここまでイスラム教の誕生とその性格、西ヨーロッパ諸国との関係について、見てきましたが、ムハンマド以降のイスラム世界の展開と、そこに登場してくる多彩な王朝について、少し概観してみたいと思います。

1 正統カリフ時代からウマイヤ朝成立まで

ムハンマドが没した後、この新しい共同体（ウンマ）を統率する人間は、カリフと呼ばれました。預言者ムハンマドの代理という意味です。カリフはムハンマドと一緒に、ムス

リム共同体をつくってきた人々の合議によって選ばれました。なお、ムスリムとは前述したようにイスラム教徒を指す言葉です。

このようにして選ばれたカリフの時代を、正統カリフ時代と後世では呼んでいます。初代アブー・バクル（在位632〜634）、二代ウマル（在位634〜644）、三代ウスマーン（在位644〜656）、四代アリー（在位656〜661）の時代です。この4名のうち、三代までの3人はムハンマドの戦友であり、いわばムスリム共同体の長老格でした。血族ではありません。しかし四代アリーはムハンマドの従弟であり、しかもムハンマドの娘ファーティマを妻としていました。

この4人のカリフは、ムハンマドと同様にマディーナから世界を統治していました。マディーナは小さな都市で、カリフの家も宮殿ではなく普通の民家同様の建物でした。そこに長老や信者の代表が集合して合議しながら、諸事を決めていました。議論好きなアラブ人同士ですから、議論が白熱することもあります。しかしムハンマド存命中は、預言者本人がいるわけですから、物事の決定もスムーズでした。また参加者全員が自分の意志でムハンマドと連帯しているという気持ちが強くありました。けれども拡大したムスリム世界全体のことまでは、なかなか思考が及ばなかった。

そのためにムハンマドが死亡すると統一が乱れました。

「俺、もう降りる。親分も死んじゃったし」

などと言う連中も出てきます。初代カリフ、アブー・バクルの苦労はたいへんなものだったでしょう。それでもムスリムが結束を保ったのは、彼の才覚に依るものです。二代ウマルのときは順調でした。ウマルは強い性格の持ち主で、統率力に長けていたからです。しかし三代ウスマーンのとき、内部が分裂し、あげくの果てにウスマーンはエジプトからやってきた過激な分子に暗殺されます。なにしろカリフの住居は衛兵もそれほどいないし、防御壁もない建物です。殺意があれば、たやすく実行できたのでした。

アリーがカリフになったとき、叛旗を翻した男がいました。ムアーウィヤ（在位661〜680）です。彼はムハンマドと同族のクライシュ族の出身で、中でも有力なウマイヤ家に属していました。そのときは、征服地シリアの総督でダマスカスに宮殿を構えていました。

ムアーウィヤは名門の出身として、カリフの地位に野望を抱いていましたが、彼は彼なりにイスラム世界の統治方法について、確かな構想を持っていたように思われます。その考え方はカエサルと同様の発想でした。

カエサルはイタリア半島をはるかに越えて拡大を続けるローマが、元老院の下で共和制という政治体制を続けることに危惧を抱いていました。もうローマは都市国家ではないのだから、軍事力を整備し官僚制を確立させなければ、早晩、崩壊するだろうと。彼はそう考えて、自分自身は暗殺されましたが、ローマ帝国への道を切り開きました。

おそらくムアーウィヤも同じことを考えたのでしょう。我々の国も帝国規模に達したのだから、帝国経営にふさわしい政治体制と軍事体制を執るべきだ。君主の身辺をガードし、宮殿に住むようにせよ。小さな町の民家に君主が住んで合議制を敷いている場合ではない。このままでは国家を維持する官僚も養成できない。暗殺も止められないと。

ムアーウィヤはそのように考え、アリーにも進言したのでしょう。ダマスカスを首都にせよ。私にカリフの座を譲れ。

もちろんアリーも愚かな人間ではありません。三代カリフの座をウスマーンと競い合った人物です。しかし、あまりにもムハンマドに近い距離にいたせいか、彼は世界帝国の大きな権力構造の推移を把握する先見性には少し欠けていたのかもしれません。彼はムアーウィヤの進言を聞き入れませんでした。そこでアリーを見限ったムアーウィヤは叛乱を起こしました。当然アリーも討伐の軍を率いました。

この両名の戦いは、アリーの側に権威はあるのですが、ムアーウィヤは現実主義者で賢く巧妙な戦術を展開し、なかなか勝負がつきません。するとアリーは、同じムスリム同士で争い続けても仕方がないと、ムアーウィヤと和議を結んでしまいました。

ところが、どこの世界にも頭の固い原理主義者はいるもので、ここでもアリーの支持者の一部が分派をつくり、袂（たもと）を分かって立ち去りました。「ハワーリジュ派」（立ち去った者たち）と呼ばれた人々です。

「正統な手続きで選ばれたカリフが、叛乱者と握手するとは何事であるか。これはアリーの堕落だ。許すわけにはいかない。もちろん、単なる地方総督の身分でカリフを狙うムアーウィヤも許すわけにはいかぬ。2人とも殺してしまえ」

かくて2人に刺客（しかく）が差し向けられました。結果は明白で、ガードの甘いアリーは殺害され、堅牢な城で軍隊に守られていたムアーウィヤは生き残りました。

この結果を受けて、アリーの長男であるハサンに、正統カリフとなる資格が受け継がれますが、彼は数カ月で退任します。もう父の時代のような昔ながらの体制では無理であると考えたと推測されます。そしてムアーウィヤが新たにカリフとなり、ダマスカスに遷都しました。こうして661年、世襲制のウマイヤ朝が開かれたのです。

2 アリーの次男フサインが殺害されてシーア派が生まれた

さて、アリーにはフサインという次男がいました。彼は兄のハサンのような温和な性格ではなく、ムアーウィヤのやり方に激しい怒りを感じていましたが、長兄がカリフの地位を譲ってしまったので、しぶしぶマディーナでおとなしく暮らしていたのです。ところが、ムアーウィヤが死去し、息子ヤズィードが二代カリフを継いだ頃、メソポタミアの中心部にある都市クーファからフサインの元へ、使いがやって来ました。クーファは、正統カリフ二代のウマルが、メソポタミアを支配するために建設したミスル（軍営都市）でした。また、アリーがムアーウィヤと戦火を交えたときの激戦地でもありました。そこからやってきた使者はフサインに、次のように告げたのです。

「私どもは、フサイン様の父上アリー様を尊敬しておりました。ウマイヤ朝には反対です。願わくば高貴な血筋につながるフサイン様に、ほんとうのムハンマド様の教えや言行（げんこう）についてご教示願いたいのです」

フサインは立ち上がりました。妻子も含め一族全員で、クーファに向かって旅立ったのです。ところがこの情報を漏れ聞いたヤズィードは、クーファの叛乱分子と高貴なプリンスが結びつくことを恐れました。そこで古都バビロンの西方カルバラーの地で待ち伏せ、フサイン一行を惨殺します。20名の女性と子どもを除き、100名近くが殺されました。680年に起こったこの事件は「カルバラーの悲劇」と呼ばれ、語り継がれていきます。

ところで、アリーは、ムハンマドの娘と結婚していましたが、殺されたフサインの妻はサーサーン朝ペルシャの君主の娘だったといわれています。ということは、フサインの忘れ形見の子どもは、ムハンマドとアカイメネス朝以来のペルシャ王朝の高貴な血を受け継いでいることになります。この血筋がシーア派のイマーム（指導者）となりました。

シーアとは、「派」とか「派閥」という意味です。したがって本来は、「シーア・アリー」、アリーの派閥と呼ばれていたのですが、いつのまにか「シーア派」という俗称が一般化してしまいました。「シーア派」では「派派」という意味になるのですが。

また「カルバラーの悲劇」が起きた日、イスラム暦の1月10日は、「アーシューラーの日」と呼ばれて、断食をする日でした。しかし、この悲劇があって以来、この日はフサイン殉教追悼の日として、シーア派の大切な祭礼の日となり、多くの人々がカルバラーを訪れます。そして、フサインの死を悼んでクーファの市民たちが我が身を打ったという故事に倣って、素手や鎖で身体を打ちながら歩く風習を今日も続けています。

3 シーア派の中での最大のグループ、十二イマーム派

シーア派はその後多くの派閥に分かれますが、現在もイスラム教の少数派として存続しています。その中で最大の勢力を誇っているのはイランの十二イマーム派です。やはりフサインの妻がペルシャの王女であったことが、市民の琴線（きんせん）に触れるのでしょう。彼らにとっての誇りは、アカイメネス朝ペルシャです。インダス川からエジプトまでを支配した大帝国であり、その血を受け継いだのがサーサーン朝ペルシャであるからです。

十二イマーム派の宗旨は次のようなものです。

この派では、イマームはアリーから始まって12人いると考えます。なぜ12人で終わるのかというと、十二代のイマームは、まだ少年のうちに「お隠れ」になったからです。この「お隠れ状態」を「ガイバ」と呼びます。お隠れになったのは940年、最終的には最後の審判のときに再臨すると信じられています。

ではイマームが隠れているあいだの指導者はどうするのか。再臨するまでは、徳を積んだお坊さんが、その代わりに治めるという教義になっています。現在のイランでも大統領の上に最高指導者としてハメネイ師（ホメイニ師の後継者）がいますが、それは十二イマーム派の教義からいえば、正当なことなのです。

この十二イマーム派のガイバの理論を、イランではどのように教育しているのか興味があったので、イランの高校の教科書を読んでみたことがあります。すると、あらまし次のように記述されていました。

人間が何百歳も生きるはずがないという近代科学の教えもある。しかし人間の歴史を見ると、アダムやイサクやアブラハムは何百歳まで生きたと書いてあるので、イマームが生きておられると考えることも、あながち荒唐無稽な話ではない……。

イランの教科書も、一応は近代科学と折り合いをつけているなと思いました。

4 少数派のシーア派、多数派のスンナ派

アリーの家系を神聖視することでシーア派が成立しましたが、残る大多数のイスラム教徒はスンナ派と呼ばれています。スンナとは預言者の言葉や行動の意味です。すなわちクルアーンに謳われていることが正典なので、預言者の言行録であるハディースとあわせてそれらを総合的に解釈するほうがいい。血統が大切なのではないという立場です。

しかしスンナ派とシーア派の経典は同じクルアーンひとつです。経典の解釈の相違があったわけでもありません。したがって法華経を経典とする日蓮宗と浄土三部経を経典とす

る浄土教諸宗のような激しい論争は起きません。また16世紀半ばのフランスで起きた、ローマ教会側がカルヴァン派のユグノーを大量に虐殺した、サン・バルテルミの虐殺のような事件は、ほとんど起きなかった。過去の歴史を見ると、スンナ派とシーア派が殺し合うような事態が生じるのは、両者を対立させることで利益を得る第三者の扇動による場合にほぼ限られると考えていいと思います。特に近代以降は、西欧列強に煽(あお)られたケースが目立っています。

5 ウマイヤ朝を滅ぼしたアッバース革命

フサインを破って政治的に安定をもたらしたウマイヤ朝は、五代カリフ、アブドゥルマリク（在位685〜705）の時代に全盛期を迎えます。彼の時代にエルサレムの岩のドームが建設されました。しかし、8世紀に入ると綻(ほころ)びが目立ち始めます。広大な領土に住む被征服民（マワーリー）からすると、クルアーンを信じる者はすべて平等であると謳われているのに、ウマイヤ朝の政治がともするとアラブ人優先になりがちなことへの不満が生じていました。またアリー一族をカリフに、と考えるシーア派の人々も根強い反感を抱いていました。

このような情勢を巧みに利用した一族がいます。それはムハンマドの叔父に当たるアッバース家でした。彼らはシーア派を前面に押し立ててウマイヤ朝打倒運動を始めました。その発火点となった地域が、ホラーサーンです。それはペルシャの東部（現在のアフガニスタンやイラン東部の地）の名称で、ペルシャ語で「太陽の昇る地」の意味です。シーア派が圧倒的に多い地域で、アブー・ムスリムという有能な武将が叛乱を起こしました。叛乱軍はまたたくまにウマイヤ朝の軍勢を駆逐し、アッバース朝を建国しました。７５０年のことです。

ところが、カリフになったアブー・アル＝アッバースは、多数派スンナ派の動勢を無視できませんでした。俺たちは利用されただけかと怒るシーア派は弾圧され、アッバース朝は多難なスタートを切りました。二代マンスール（在位７５４〜７７５）が傑物だったので、彼の時代に王朝の基礎が築かれました。マンスールはアブー・ムスリムを殺害し、後顧の憂いを断ちました。

バグダード建設と、それに伴うスケールの大きい交易活動については前述しました。アッバース朝はイスラム帝国の代名詞となるほどの隆盛を極めました。首都バグダードは文字通り百万都市となり、ティグリス川の両岸には無数の市場（スーク）が立ち並び、

〈図2－2 その1〉

アッバース朝が滅び去るまでに興ったイスラム王朝（8世紀～16世紀）

①[イラン～中央アジア地域]　太字は主要王朝

王朝名	統治期間	主たる民族	中心地	特記事項
アッバース朝	750～1258	アラブ	バグダード	・ウマイヤ朝を滅ぼす（アッバース革命） ・製紙法を唐より習う ・ギリシャ・ローマの文献を翻訳する ・フレグに滅ぼされる
ターヒル朝	821～873	イラン	ホラーサーン地方（ニーシャープール）	・アッバース朝より自立 ・最初のイラン系イスラム王朝
サッファール朝	867～903	イラン	ホラーサーン地方とアフガニスタン南西部	・ターヒル朝を滅ぼす ・建国者のヤアクーブはイランの歴史的英雄の1人
サーマーン朝	875～999	イラン	マー・ワラー・アンナフルとホラーサーン	・サッファール朝を臣従させる ・事実上の建国者サーマーニーは、タジキスタンの英雄 ・マムルークの輸出を産業化した ・学問が栄え、近世ペルシャ語が成立
ブワイフ朝	932～1062	イラン	イランとイラク	・シーア派（十二イマーム派）の王朝でカリフから大アミールとして全権を付与される ・イクター制（地方官に徴税権を委任）を始める
カラ・ハン朝	945頃～1140頃	トゥルクマーン	マー・ワラー・アンナフル	・サーマーン朝を滅ぼす ・トゥルクマーンの初めての王朝
ガズナ朝	962～1186	マムルーク（トゥルクマーン）とアフガン	アフガニスタンとホラーサーンと北インド	・サーマーン朝のマムルークが自立 ・マムルーク初の王朝 ・インドに侵入しインドイスラム化の契機となる ・英主マフムードに「王書」が捧げられた
セルジューク朝	1038～1194	トゥルクマーン	イランとイラク	・カリフより初めてスルタン（皇帝）の称号を得る。アッバース朝の保護者となるも、分裂が続き、弱体化
ホラズム・シャー朝	1077～1231	マムルーク（トゥルクマーン）	マー・ワラー・アンナフルとイラン	・セルジューク朝より自立 ・中央ユーラシアの西部に大帝国をつくるもチンギス・カアンに滅ぼされる
ザンギー朝	1127～1222	マムルーク（トゥルクマーン）	北イラク・シリア	・アタベク政権、セルジューク朝から自立 ・十字軍国家と戦う
ルーム・セルジューク朝	1077～1308	トゥルクマーン	アナトリア半島	・セルジューク朝王族の地方政権。ルームはローマの意味 ・アナトリア半島がトルコ化 ・フレグ・ウルスに服属
フレグ・ウルス	1256～1336	モンゴル	イラン・イラク	・チンギス・カアンの四男トルイの三男フレグが建国 ・アッバース朝を滅ぼす ・国の宗教をイスラム教に改宗

※トゥルクマーンとはイスラム教に改宗したトルコ系遊牧民のこと。突厥やウイグルが滅んだ後、西進した。マムルークは奴隷を意味するアラビア語だが、おもにトゥルクマーンの子どもから選抜した養子のような存在で、イスラム王朝の軍事力の中心となり、後には多くの国家を建てた

※アタベクとは、王朝の王子たちの護り役（後見人）のこと。トゥルクマーン出身のマムルークが任命されることが多かった

イスラム世界の特産物だけではなく、中国の絹織物・陶磁器、インド・東南アジアの香辛料、アフリカの金や奴隷があふれていました。

これらはアラブ人やペルシャ人などイスラム教徒の商人たちが、東南アジアや中国に進出して交易を行なった結果でしたが、そのときに彼らは交易と同時にイスラム文化やイスラム教の教義を、現地にもたらしました。それが後々、イスラム世界が東南アジア諸国や東アフリカ海岸地帯へ拡大する布石（ふせき）となっていきます。

「ムハンマドの生涯とイスラム世界の形成」のところで触れるべきでしたが、イスラム教にはキリスト教や仏教のような専従者（司祭や僧）がいません。モスク（礼拝堂）でクルアーンを詠（よ）む人も、教えを説く人も、みんな別に生業（なりわい）を持っています。それはムハンマドが商人であったことと同じです。モスクの建設は裕福な信者の喜捨（きしゃ）（ワクフ）で行なわれるのが普通です。そしてその管理は自治体やＮＰＯが受け持ちます。

話を本筋に戻します。さしもの繁栄を誇ったアッバース朝も、10世紀に入ると衰えがみえ始め、文化の中心もバグダードからカイロに移転、帝国内にいくつかの王朝が自立を始めます。そしてアッバース朝が完全に倒れるまで、実にさまざまのイスラム王朝が生まれました。それらの王朝の消長（しょうちょう）を、一覧表にしてみました（図２―２）。参考にしてくださ

〈図2−2 その2〉

アッバース朝が滅び去るまでに興ったイスラム王朝（8世紀〜16世紀）

②[エジプト]　太字は主要王朝

王朝名	統治期間	主たる民族	中心地	特記事項
トゥールーン朝	868〜905	マムルーク（トゥルクマーン）	フスタート	・アッバース朝から一旦自立するも、アッバース朝に滅ばされる
ファーティマ朝	909〜1171	アラブ	カイロ、北アフリカとシリア	・カイロを建設 ・シーア派（イスマーイール派）の王朝 ・カリフを名乗る ・六代ハーキムの時代に全盛期を迎え、バグダードを押さえてイスラム文化の中心地となる
アイユーブ朝	1169〜1250	クルドとアラブ	カイロ、北アフリカとシリア、アラビア半島西部	・ザンギー朝から派遣されたクルド人の将軍サラーフッディーン（サラディン）が自立 ・スンナ派のアッバース朝のカリフの権威を承認 ・十字軍からエルサレムを奪回
マムルーク朝	1250〜1517	マムルーク（トゥルクマーン）	カイロ、北アフリカとシリア、アラビア半島西部	・マムルークがアイユーブ朝を倒して建国 ・五代スルタン、バイバルスがモンゴル軍を破る ・十字軍国家の命脈を断つ ・アッバース朝の一族をカイロに呼んでカリフとなし、イスラム世界の盟主となる ・キスワの贈呈を始める

③[スペイン]　太字は主要王朝

王朝名	統治期間	主たる民族	中心地	特記事項
後ウマイヤ朝	756〜1031	アラブ	コルドバ	・アッバース朝に滅ぼされたウマイヤ朝の一族がつくった王朝 ・ヨーロッパ第一の大都市コルドバを中心に繁栄。10世紀にピークを迎え、カリフを名乗る ・11世紀に入ると滅び、小都市国家に分裂、キリスト教国とのレコンキスタ戦争へ

※レコンキスタとは、キリスト教国家によるスペイン再征服運動のこと

い。なお、アッバース朝の後、実質的にイスラム帝国の権力と権威を継承したのはエジプトの諸王朝（ファーティマ朝、アイユーブ朝、マムルーク朝）です。これらの王朝については、本書の第4章でエジプトの消長とともにお話しします。

ヨーロッパ列強の前に敗れた3つのアジアの大国、中国とオスマン朝とムガール朝

イスラム世界帝国の掉尾を飾るオスマン朝の勃興と衰亡については、ここでは繰り返しません（前著『仕事に効く 教養としての「世界史」』の第8章「中央ユーラシアを駆け抜けたトゥルクマーン」をご参照ください）。ムガール朝については、本書で後述するので、ここでは省きます。

19世紀に入って、アジアの三大国、中国とオスマン朝とムガール朝がなぜ黄昏を迎えたのかといえば、必ずしも彼らの責任ではありません。産業革命という技術革新による西欧の生産性の急上昇と、フランス革命とナポレオンによって完成させられたナショナリズムというエネルギーを原動力とした国民国家（Nation State）の誕生。この飛車角がたまたま揃って登場し、ヨーロッパの地位を急上昇させたことで、イスラム世界も中国も遅れを

とったというのが、世界史の大きな流れのような気がします。相対的な力関係が変化したのです。

もちろん中国やイスラム世界の中にも、衰退の原因は多々ありました。中国の場合、最大の原因は明の鎖国から始まったのでしょう。あまりにも豊かであったので、国を閉じても困ることはないと過信した。

オスマン朝については、その地域が南北と東西に広大になり過ぎた、という点があげられます。トルコ、イラク、シリア、エジプト、アフリカ北部、黒海周辺、バルカン半島など、文化も言語も異なり、地理も気候も違う大帝国を長く維持することの難しさ、それはウォーラーステインのいう世界帝国を維持する困難さそのものです。加えてオスマン朝には、中国のようにエリートが文書行政により大帝国を統治する、という伝統もありませんでした。

1 中国はヨーロッパ列強により一部を割譲させられた

中国は、ヨーロッパ列強によって、沿岸部の領土を一部割譲させられました。

しかし中国の場合、あまりにも領土が広大でかつヨーロッパから遠く離れていたので、列強も軍を中国に全面投入することは不可能でした。さしもの大英帝国もインドまでで、中国は沿岸部を割譲させるだけで終わりました。日本は満洲国を樹立し大陸の奥深く侵入しましたが、短期間の夢に終わりました。

21世紀の今日、中国はようやく回復しつつあり、ＧＤＰではアメリカと並ぶ大国となりました。しかしアヘン戦争（１８４０〜４２）前の国勢にはまだ戻っていません。アヘン戦争以後の流れを粗く辿れば、次のように整理できると思います。

アヘン戦争の敗北後、西欧列強の露骨な干渉（不平等条約、開港・租借地要求等）に憤慨した中国の民衆の叛乱が先鋭化します。

まず洪秀全が「太平天国の乱」（１８５１〜６４）を起こしました。そのスローガンは「滅満興漢」（満洲人の国を滅ぼして漢人国家を樹立しよう）でした。この叛乱は一時は南京を首都とするまでに成長しましたが、湘軍（湖南省の地方軍）等の新軍の登場に加えて、首脳部の分裂と、欧米列強の介入によって鎮圧されました。

しかし太平天国の後も、中国の民衆の反撥は年を追うごとに過激化を強め、ついに外国人殺害と追放を目的とする集団が登場します。その中心となったのが義和団という武術秘密結社です。そのスローガンは「扶清滅洋」（清朝を助け、西洋人を撃滅せよ）でした。

彼らのひとつの理想像は古代中国の英雄、関羽であり、昔の古き良き中国に戻そうとしたのです。義和団はついに北京に入り、各国の公使館を取り囲みましたが、列強の軍隊に敗れました（１９００〜０１）。

義和団事件はいわば「尊王攘夷」の行動でした。自国を守るために外敵を討ち払えというわけで、外国人を殺害するやり方です。日本でも幕末に「生麦事件」という英国人殺害事件が起きました。その後、中国では孫文による辛亥革命（１９１１〜１２）が起こります。しかし武力を持たない孫文の政権は長続きせず、中国は混乱状態に陥ります。

このような争乱の中で、有力者たちは自衛のために武装化し、軍閥と呼ばれる集団を組織しました。孫文の政権を奪い取った袁世凱や張作霖がその代表格です。張作霖は東北地方満洲に一大軍閥を築き上げ、事実上の君主のような存在になりましたが、１９２８年に日本の関東軍によって列車を爆破され死亡しました。ここから日本の侵略が本格化して、日中戦争（１９３７〜４５）が始まります。

孫文の後を継いだ国民党の蔣介石は共産党の毛沢東と結んで（国共合作）、日本と戦いました。第二次世界大戦の後に毛沢東の共産党政権が樹立され、中華人民共和国が成立しました（１９４９）。毛沢東は偉大な政治家・詩人ではありましたが、原始共産主義社会の万人平等を夢想するような側面もあり、新生中国はなかなか発展の方向にテイクオフすることができませんでした。毛沢東は、大躍進政策や文化大革命などの試行錯誤に国を導き、多くの才能や文化遺産を失うとともに、経済も生活水準も停滞させました。

この中国を変えたのは、毛沢東の死後（１９７６）、鄧小平が政権を掌握し、「白猫黒猫論」によって、政策を大幅に転換したときからでした。イデオロギーを重視するよりも、黒猫でも白猫でも鼠を獲る猫がいい猫だ。市場経済を導入して、国を豊かにする経済政策を実施せよ、という大号令を掛けたのです（改革開放路線）。強力な指導者が現われて生活を豊かにした。国が高度成長したから、中国の民衆は自信を取り戻したのです。けれどいまだに、アヘン戦争以前の水準には戻っていない。それが中国の現状であると思います。

2 オスマン朝は広大な領土を失って再生に成功した

オスマン朝は長らく「瀕死の病人」と呼ばれ、国境がヨーロッパ列強と隣接していたこともあって、ロシアを筆頭に領土を蚕食される日々が続きました。第一次世界大戦後は、イラクとパレスチナは大英帝国に、シリアはフランスに割譲され、バルカン半島では小国がいくつも独立して、トルコ本国のみが残りました。

ヨーロッパにとってのイスラム世界とは、アラビアン・ナイトのエキゾチックなイメージに加え、豊かな文明に圧倒され、十字軍を始めとしていくつかの戦乱で押しまくられた苦い記憶があります。第一次世界大戦で、ドイツ側に立ったオスマン朝に、大英帝国やフランスは侵攻しますが、ケマルの率いるオスマン軍に押し戻されます。青年トルコ人革命を経たオスマン軍は格段に強化されていたのです。

慌てた大英帝国はイスラムの聖地マッカの太守でムハンマドの血を引く名家のフサインに、オスマン朝打倒に協力してくれたら、勝利の暁（あかつき）にはシリアとパレスチナを譲渡すると言って、味方につけました。「フサイン＝マクマホン協定」（1915）です。なお、マクマホンは当時エジプトの高等弁務官でした。

1916年、大英帝国とフランスとロシアは、第一次世界大戦勝利後のオスマン朝分割について密議をこらし、大英帝国がイラク・ヨルダン・パレスチナを、フランスがシリアを、それぞれ委任統治することを決めました（ロシアは黒海からボスポラス海峡を支配）。この密議を、リードした英仏二人の外交官の名をとって「サイクス・ピコ協定」と呼んでいます。なお、委任統治とは国際連盟の名前を借りて、実際は自国領土として支配することです。

1917年、大英帝国のバルフォア外相は、ユダヤ人のシオニズム運動のリーダー、ロスチャイルド卿にオスマン朝打倒のための財政援助を求め、パレスチナにユダヤ国家の建設を約束しました。「バルフォア宣言」です。

シオニズムとはユダヤ人の「イスラエルの地に帰ろう」という運動です。

これら一連の大英帝国の〝三枚舌〟外交（あるいは外交技術の極致）で、最大のとばっちりを受けたのは、アラブ人でした。シリアに建国されていたフサインのアラブ王国はイラクに移され、シリアはフランスが領有しました。だいたいがサイクス・ピコ協定通りとなったのです。トルコは広大な領地を失ったものの、ケマルのリーダーシップで新生トルコ共和国の樹立にこぎつけました（割を食ったのは、オスマン朝支配下にあったクルド人とアルメニア人でした。この両民族には第一次世界大戦後のパリ講和会議で採択された民族自決の原則が適用されなかったのです）。パレスチナには、第二次世界大戦後にイスラエルが建国されました（1948）が、アラブ諸国はこの一方的な建国を不服とし、パレスチナ国家を求めて対イスラエル戦争を起こしました（第一次中東戦争）。しかしアメリカのバックアップにより強力な火器を持つイスラエルが圧勝します。この結果、パレスチナ地区に100万人を超えるアラブ難民が生まれましたが、この問題はいまだに最終的な決着がついていません。

3 冷戦後も中東地域はアメリカ・西欧・ロシアの思惑に乱され、内紛が続く

また戦後の冷戦体制下のイランでは、ソ連と米・英のイラン支配をめぐる主導権争いに石油の国有化問題が絡み、ソ連がバックアップする国民戦線（モサッデグ首相）と米・英が支援する国王派が衝突しました。勝利した国王派は近代化路線を推進しますが、イスラム教を背景とする勢力が、これに強く反発して革命を起こしました。そして、宗教家ホメイニ師を最高指導者とする、イラン・イスラム共和国が成立しました（1979）。この十二イマーム派の新政権は、国内の外国勢力を追放して、新しい国造りを目指しますが、欧米列強は、これに反撥し、その状況は今日でも根本的には変わっていません。しかし2015年に入って核合意が成立し、2016年1月16日、アメリカのオバマ大統領はイラン制裁解除を発表しました（その後トランプ大統領が破棄）。

またイランの隣国イラクでは、1958年に軍部のクーデターで大英帝国の支配を受け継いだ王制が倒され、軍部が政治を握っていましたが、1979年にサッダーム・フセイ

ンが大統領となりました。彼は隣国イランの革命が、自国や英米に不利とみて、これに武力攻勢をかけてイラン・イラク戦争（1980～88）を引き起こします。西欧列強はイラクへの武器貸与を続け、戦争は長引きました。その後、フセインはクウェートに侵攻し、これを併合しました。クウェートに多大の石油利権を有する西欧列強は国連の決定を受けて、イラクに対して宣戦を布告します。これが1991年の湾岸戦争です。イラクは敗北し、クウェートは独立を回復しました。

またイランの東、アフガニスタンは中央アジアからインドに入る要衝の地です。長い間ペルシャの勢力圏でしたが、18世紀に自立、19世紀に英露2国が争奪戦をした後、大英帝国の支配下に置かれました。第二次世界大戦後は、1973年のクーデターで王制が倒され、78年には軍事クーデターで社会主義政権が誕生しました。これに対してムジャーヒディーン（イスラム義勇軍）が蜂起、激しい衝突になりました。ソ連が政権側に立って武力介入（1979～89年）、アメリカはムジャーヒディーンを支援しました。しかし、最終的にはムジャーヒディーンの中から生まれたターリバーン（学生たちの意味）がアフガニスタンの大部分を掌握しました（1996）。

ターリバーン政権に世界の注目が集まったのは、2001年9月11日にニューヨークを中心として起きた、同時多発テロ事件のときです。ブッシュ大統領は、事件の実行犯はウサーマ・ビン・ラーディン率いるイスラム急進派組織のアルカーイダ（基地の意味）であるとし、それを保護していたのは、ターリバーン政権だと断定しました。今日の研究によると当時のターリバーンとアルカーイダは決して一枚岩ではなかったようです（『アフガン・対テロ戦争の研究』多谷千香子著、岩波書店）。そしてアフガニスタンに侵攻し、ターリバーン政権を追放しました（２００１）。その後、２００４年にはアフガニスタン・イスラム共和国が発足しましたが、国内情勢は不安定なままで、勢力を拡げるターリバーンとの武力闘争はいまだに終わっていません。そればかりか隣接するパキスタンの治安も大きく揺らいでいます。

またブッシュ大統領は２００３年、イラクのフセイン政権が大量破壊兵器の開発によって、中東地域に重大な脅威を与えているとの理由で、この政権を武力で壊滅させ、フセインの身柄を拘束して、後に殺害しました。しかし２００４年、イラクに大量破壊兵器開発の事実がなかったことをアメリカは公式に認めました。イラクは現在、アメリカの指導の下に、民主的国家の建設を始めていますが、ＩＳの台頭に象徴される混乱状態はアフガニスタンと同様で、出口が見えていません。

さらにイラクの西隣のシリアでは、政権を支援するロシア、反政府軍を支援する欧米諸国、それにIS三者三つ巴（みつどもえ）となった出口の見えない内戦状態が続いています。シリアを脱出した難民はヨーロッパに向かい深刻な受け入れ問題が生じています。

かくして、アフガニスタンからパキスタン、イラン、イラクを経てシリアに至る中央ユーラシアのイスラムベルト地帯は、イランを除いてテロの温床とも言うべき混迷状態をいまだに抜け出せないままです。2014年には全世界で実に3万3000人近くの人がテロの犠牲となりました。国別に見ると、イラク、ナイジェリア（ボコ・ハラムというイスラム系のテロ組織が暗躍）、アフガニスタン、パキスタン、シリアの上位5カ国で犠牲者の約80％を占めています。ナイジェリアを除く4カ国がイスラムベルト地帯に属しています。

この地域を安定させる実力を持っているのは、歴史を眺めれば人口も多くかつイスラムベルト地帯の中央に位置する大国イランしかないでしょう。その意味でアメリカとイランの雪解けは、一筋の光明を与えてくれます（イランを宿敵と見なすイスラエルやスンナ派の盟主を自任するサウディアラビアの存在が厄介（やっかい）ですが）。

第二次世界大戦から70年、中国は失われたものを、かなりの程度まで取り返しました。

そして新しい次の段階に移ろうとしています。一方でイスラムベルト地帯は、いまだ泥沼のような状態にあり、いずれの国も武力闘争と列強の影響力から抜け出せていません。

そのような状況の中で、突然登場してきたのが、ISでした。

4 ISは中国の義和団と同質の存在ではないか

外国から侵略されたとき、これと戦うためには、民衆をひとつにまとめる理念と力量を合わせ持つオスマン朝のケマルのようなリーダーが不可欠です。ブローデルの言葉で言えば、リーダーという短波が国の状況という中波を動かすわけです。このようなリーダーが出現しないと、侵略に苦しむ人々は侵略する外国人に対して、過度の憎悪と報復の感情だけを強めます。そして殺意を抱きます。それを理屈にすると尊王攘夷となるので、小さな規模では外国人の殺害が行なわれ、大規模になると義和団のような叛乱となるわけですが、そこから新しい国が生まれるのは困難です。なぜなら将来を切り開くグランドデザインがないからです。義和団が、まさにそれでした。彼らの理想は、中国古代の英雄・関羽だった。懐古趣味だけでは何ひとつ展望が開けません。

ISは国内がばらばらにされたイラクで生まれ、内乱で四分五裂（しぶんごれつ）状態のシリアへと拡大しました。彼らはアメリカに代表される西側諸国への、激しい敵意と報復の感情にかられています。捕虜の殺害や戦闘に関する策略のレベルは、プロの軍人並みですが、では首謀者に新しいグランドデザインがあるかといえば、「ムハンマドに返れ」、「クルアーンの世界を実現せよ」と言い、カリフを僭称するだけで、将来への新しい提言はどこにもありません。

ＩＳは、悲しいことですが、現在のイスラムベルト地帯の低迷の鬼子だと思います。このあたりの国際紛争は、モグラタタキのようなもので、政治の安定と経済の発展、それにパレスチナ問題の抜本的な解決がなされないとなかなか収まらないと思います。

１９９３年にパレスチナ解放機構（ＰＬＯ）のアラファト議長とイスラエルのラビン首相が、「パレスチナ暫定自治協定」に調印しました。それにもとづき、イスラエルがガザ地区とヨルダン川西岸から撤退して、パレスチナ人の自治が開始されました。一筋の光明が射したかに思えたのですが、残念なことにラビン首相は、イスラエルの対アラブ強硬派に暗殺されて、この協定は有名無実化してしまいました。

けれども、50年、１００年というのは長い歴史で見れば、これは短い時の流れです。歴史をもう少し長い眼で見るならば、「いまのＩＳは、義和団のような人々が大暴れしてい

〈図2−3〉
イスラムベルト地帯でのスンナ派・シーア派の分布図

るだけであって、いずれはラビンやケマル、鄧小平のようなリーダーが現われて、パレスチナ国家が樹立され、イスラムベルト地帯が豊かになり、正しい教育がなされて中間層が育ってくると、十分解決できる問題である」ということになるのではないでしょうか。リーダーの出現時期や大国の思惑などによって、そこに多少の時間的差異は生まれるでしょうが。

付言すれば、イラクのフセイン大統領は、中国でいえば、軍閥の頭目のような存在であったと思います。目茶苦茶ではありましたが、まがりなりにもイラクをまとめていました。フセインが生きていたら、おそらくＩＳは生まれなかった。その彼をブッシュ大統領は、あとさきの計算もなく殺してしまった。これではイラクが、ばらばらになるのも当然でした。ターリバーン政権も同じで敢えて倒す必要があったかどうかは疑問です（ウサーマ・ビン・ラーディンは、2011年にアメリカ軍が殺害）。社会の安定の形は文化や伝統によってさまざまであり、西欧の価値観だけで軽々しく判断してはいけないと思います。社会の安定が壊れると、仕事も落ち着いてできなくなりいわゆるユースバルジ（Youth Bulge＝若年層の膨らみ）問題が前面に出てきます（『自爆する若者たち』グナル・ハインゾーン著、新潮選書）。今日の中東の混迷振りはイスラムという宗教の問題として短絡的に語られがちですが、その本質は、政治の不安定、経済の低迷に起因したユースバルジにあるのではないでしょうか。ＩＳの自発的なテロも、その淵源にはユースバルジの問題が横たわっているような気がしてなりません。

5 アジアには多くのイスラム教徒がいる

イスラム教はローマ教会についで、世界第二位の信者数を擁する大宗教です。イスラム教徒を人口別に見ると、1億人を超えているのは、インドネシア、インド、パキスタン、バングラデシュの4カ国で、上位はすべて東南アジアの国々です。

なぜこうなったのかといえば、アラブ人は海のシルクロードをリードしてきた海商でした。西方の海の彼方から魅力的な文物を持ってきて、東南アジアの産物と交易してくれる。コショウやシナモンなどの香辛料が中心です。もちろん買いたたかれもしたでしょうが、もし商人が来なかったら地産地消で終わるわけですから、あまりお金にはなりません。やはり商売はウィンウィンになるからいい。インド洋の西方からやってくるアラブ商人たちは、東南アジアの人々からみたら、かっこいい存在に映ったことでしょう。

ところで先にお話ししたとおり、イスラム教にはプロのお坊さんがいません。キリスト教国からアジアにやってくる商船には宣教師が乗っていることが多かった。港々におりて、布教活動を行ないました。彼らは信者を増やさないと生活できないのです。

イスラム教にはプロの宣教師がいないので、東南アジアの人々は布教されることはなかった。けれども逆に、そのことで東南アジアの人々はイスラム教に興味を持った。かっこいい海の男たちのようになってみたい。

簡略化してしまえば、そういったプロセスが重なって、東南アジアの国々でイスラム教徒が増加して、今日に至っているのです。

「アッラーが唯一の神であり、ムハンマドは神の使徒であり預言者である。この2つを信じますか」

「はい」

イスラム教徒になるための条件は、このようにしごく簡単です。

アラブの交易船の交易ルートは、南シナ海が中心でした。彼らの交易の目的は広東(カントン)で充分に満たされましたので、さらに北方の日本にはやってきませんでした。日本には交易の目的となる特産品がなかったからですが、もし特産品があったとしたら、日本にもイスラム教が普及していたかもしれませんし、キリスト教と同様に鎖国によって弾圧されていたかもしれません。

いずれもイスラム大国である東南アジアの国々は西欧諸国と仲良く共存していますから、ＩＳの動きを針小棒大(しんしょうぼうだい)に取り上げて「文明の衝突」のように喧伝(けんでん)するのはいかがなものかと思います。そう言えば、『文明の衝突』（サミュエル・Ｐ・ハンチントン著、原題The Clash of Civilizations: And the Remaking of World Order）という本は、皮相的で歴史的根拠の乏しい本でした。

〈第2章の関連年表〉

イスラム世界の歴史(7世紀〜21世紀)

西暦(年)	
622	ムハンマド、ヤスリブ(後のマディーナ)で布教を開始(ヒジュラ/聖遷)
632	ムハンマド死去。正統カリフ時代始まる(〜661)
651	イスラム軍、サーサーン朝を滅ぼす
661	ウマイヤ朝成立(〜750)
680	カルバラーの悲劇
711	イスラム軍、西ゴート王国を滅ぼす
750	アッバース朝成立(〜1258)
751	タラス河畔の戦い
800	フランク王国シャルルマーニュ(カール大帝)、ローマ皇帝として戴冠
830	アッバース朝のマアムーンがバグダードに「知恵の館」建設。大翻訳運動始まる
1085	キリスト教国であるカスティージャのアルフォンソ六世、トレドを占領
1258	フレグ、アッバース朝を滅ぼす
1453	オスマン朝、コンスタンティノープルを占拠。東ローマ帝国滅亡
1908	青年トルコ人革命
14	第一次世界大戦(〜18)
15	フサイン=マクマホン協定(大英帝国がシリアとパレスチナの譲渡を密約)
16	サイクス・ピコ協定(大英帝国、フランス、ロシアがオスマン朝分割を密議)
17	バルフォア宣言(大英帝国、パレスチナにユダヤ国家建設を約束)
24	トルコ共和国成立
25	イラン、パフラヴィー朝成立
32	イラク王国、英委任統治領より独立
39	第二次世界大戦(〜45)
48	イスラエル建国。第一次中東戦争
51	イラン、石油国有化
56	ナーセルのスエズ運河国有化宣言
58	イラク、クーデターで王制が倒れ、共和国に(〜68)
61	クウェート、連合王国より独立
73	アフガニスタン、クーデターで王制が倒れ、共和国に
78	イラン革命始まる
	アフガニスタン、クーデターで社会主義政権誕生
79	イラン・イスラム共和国成立。イラク、サッダーム・フセインが大統領就任
	ソ連、アフガニスタンに武力介入(〜89)
80	イラン・イラク戦争(〜88)
90	イラク、クウェートに侵攻
91	湾岸戦争。クウェート解放
93	PLOのアラファトとイスラエルのラビンがパレスチナ暫定自治協定に調印
96	ターリバーンがアフガニスタンの大部分を掌握
2001	アメリカ同時多発テロ。アメリカ合衆国、アフガニスタン攻撃
03	アメリカ、英国等がイラク攻撃
04	アフガニスタン・イスラム共和国発足
16	アメリカ、イラン制裁解除発表

COLUMN

シリアは治めにくい国であるという話

シリアと呼ばれる地域は、古くから文明の進んでいた地域です。昔はパレスチナをも含んでいました。そしてメソポタミアからエジプトへ、またアナトリア（トルコ）からエジプトへの通り道でもありました。強国の支配下に置かれることもしばしばであった国です。そういう複雑な歴史を持っているので、この国を治めるのは、昔からたいへんだったようです。

１９５０年代、アラブの民族主義運動が高まる中で、シリアとエジプトが合併することになりました。主導役はエジプトのナーセル大統領でした。そのとき、シリアの大統領クーワトリーが、ナーセルに次のように言いました。

「アラブ民族の大同団結のために、あなたが合併を決断したことに敬意を表します。しかし、ナーセルさん、この国を取り仕切るのは一苦労ですぞ。昔からこの国には、有名な諺があるのです」

そう言ってクーワトリーが楽しそうに教えてくれたのが、次のような諺でした。

「シリア人の50％は自分が国家の指導者であると考え、25％は自分が預言者であると思い、10％は自分が神だと信じている」

とすると……ナーセルは計算しました。普通の人は15％しかいない。これが本当ならやってられないぞ、と思ったかどうか。この言葉のせいではないでしょうが、世界が注目したシリアとエジプトが合邦したアラブ連合共和国は、3年7カ月で解消されました。

第3章

豊かな国インド

——なぜ始皇帝もカエサルも登場しなかったのか

この国の独特な地形――巨大な陸の孤島

インドの語源はペルシャ語から来ています。ペルシャ人はアカイメネス帝国の東の果ての大河（インダス川）をヒンドゥーと呼びました。そしてその川向こうにある国もヒンドゥーと呼び慣わし、それが今日のインドとなったのです。ただしインドの憲法によれば、正式な国名はバーラト（バラタ族の国の意味）です。

インドの地形を眺めると、この国が巨大な陸の孤島であることに気づきます。西側にはスライマン山脈とヒンドゥークシュ山脈、北側にカラコルム山脈とヒマラヤ山脈の巨峰群がつながり、東側にはビルマ（現ミャンマー）との国境にパトカイ山脈とアラカン山脈があります。そして半島は南側の海に槍の穂先のように突き出し、東西のガーツ山脈によって隔てられた東のベンガル湾と西のアラビア海を望む沿岸には、良港を持つ港湾都市が存在します。内陸部に眼をやれば、西北の山脈を越えるとインダス川が流れ、その流域は豊かな農業の生産地です。インダス川の東にはタール砂漠があり、北東部にはもうひとつの大河ガンジス川がヒマラヤ山脈の南側に、豊かなヒンドゥスターン平野を広げ、広大な稲作地と大都市を形成しています。南部には、デカン高原が小高原と盆地と小山脈を波状に

〈図3−1〉
インドの地形

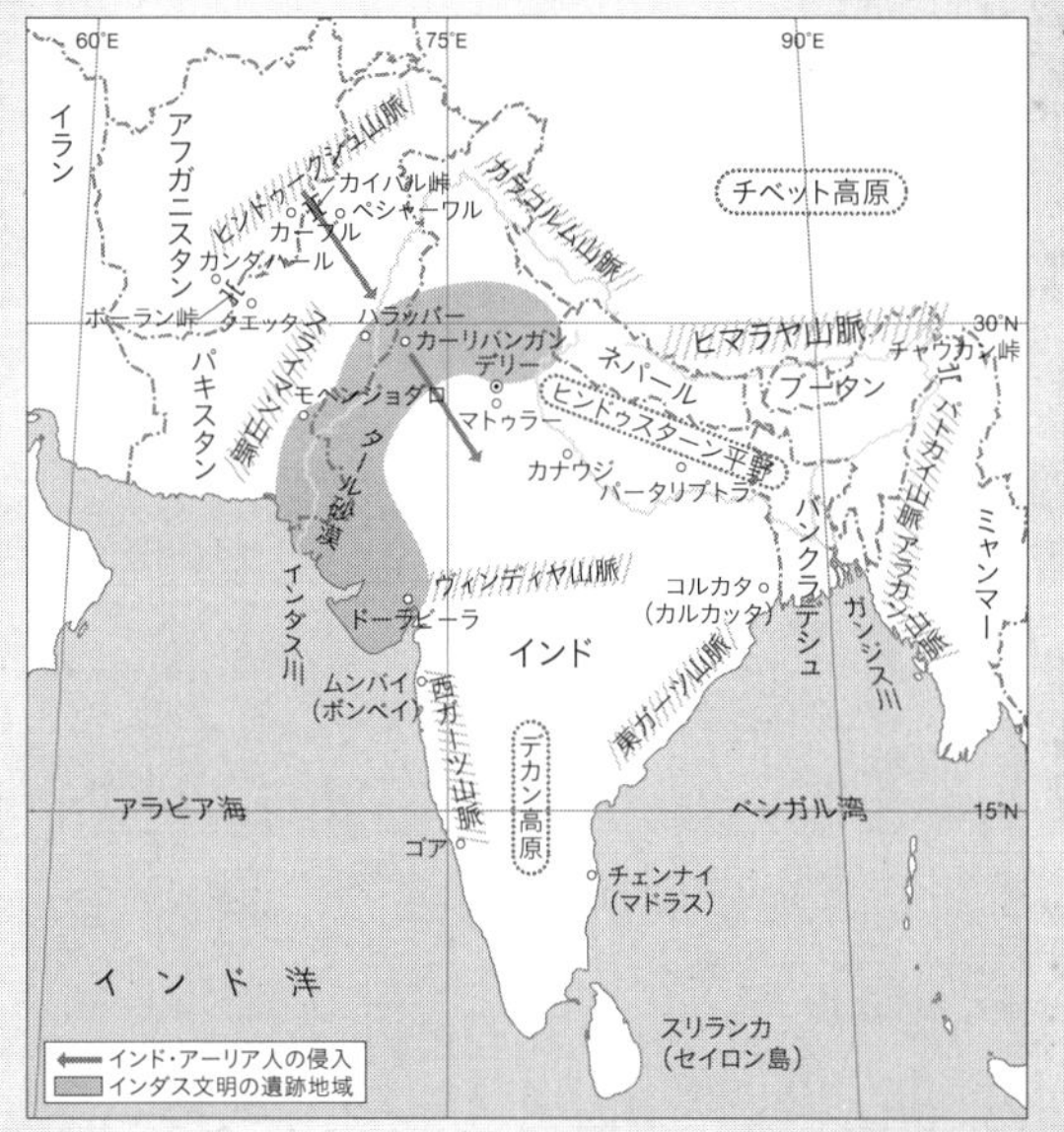

山脈と砂漠に囲まれ、まるで巨大な陸の孤島のような地形のインド

繰り返しながら、半島の南端近くまで続きます。

西方からインドに入るには、現在のアフガニスタンのカーブルからパキスタン北方の都市ペシャーワルに通じるカイバル峠が、主たる要衝（ようしょう）となります。もうひとつの要衝はもう少し南方の、アフガニスタンのカンダハールからパキスタンのクエッタに抜けるボーラン峠です。東方のビルマに抜けるルートも簡単ではなく、中国との国境近くにチャウカン峠があるだけです。しかも東の国境付近は、密林と豪雨地帯でもあります。

インドは北緯8度から37度の間に縦に長く延びています。国土の五分の三は熱帯に属します。豊かな高原も平原もあります。鉱物資源も豊富です。しかし国土を横に移動するにも縦に移動するにも、地形が複雑であまりスムーズに動けない。モンゴル高原からハンガリー大草原まで馬で簡単に移動できるユーラシア中央部とは対照的です。また外から入ってくるにも、入り口がかなり少ないことは前述したとおりです。海から入ろうとしても東西両海岸とも、縦に東西ガーツ山脈が延びていて、大軍を率いて侵略するには無理があります。

長々と、地形の話をしてきましたが、ブローデルの「長波・中波・短波」の区分を借りるならば、長波である地形と気候風土が、社会の大きな流れという中波と人間の行動という短波をみごとに規定しているのが、インド世界であると思います。このことを考慮に入れながら、学校の世界史ではなぜか系統的に登場してこなかったインドの歴史に迫ってみたいと思います。

インダス文明の中心地

ＢＣ３６００年頃からＢＣ１８００年頃まで、インダス川流域でひとつの文明が栄えました。おそらく先行したメソポタミア文明やイラン高原のトランス・エラム文明に刺激されたのでしょう（『メソポタミアとインダスのあいだ』後藤健著、筑摩選書）。これをインダス文明と呼ぶのですが、この文明を築いた民族はいまだ明らかにされていません。国家の形態も不明です。インダス文字が残されているのですが、その数が少なすぎて今なお解読されていないことが主因です。

ただハラッパーやモヘンジョダロの遺跡からは大規模な浴槽が発見されています。排水設備も高度に進んでいたようです。おそらくこの地方には沐浴（もくよく）の習慣があったのでしょう。宗教的行動をとるとき、水で身を清めること（禊（みそぎ））は、昔も今も世界中で見られる風習です。イエスもヨルダン川で洗礼を受け、現代の日本でも神社にお参りするときに手を洗います。

またそれらの遺跡からリンガ信仰と呼ばれる男根崇拝の痕跡も発見されています。インダス文明には男性性器を崇(あが)める信仰があり、それは後に登場するシヴァ神のリンガにつながっていることは間違いないようです。

インダス文明はBC1800年頃に滅んだようですが、その原因は気候変動にあり、農業が衰退したからだと推測されています。

インダス文明は、インダス川中流域のハラッパー、下流域のモヘンジョダロ、さらにインドのドーラビーラ（グジャラート州）、カーリバンガン（ラージャスターン州）など極めて広大な地域を、ひとつの文明圏としていました。

インダス川流域の肥沃(ひよく)な土地で食料を生産し、いくつかの都市国家を発展させ、インダス川を高速道路のように利用して、お互いの都市を結び、文明を発展させたのでしょう。そのすぐれた工芸技術品が、インダス川からアラビア海を西行してペルシャ湾へ、そしてメソポタミアに輸出されたことが判明しています。

このように恵まれた土地であるインダス川流域は、この後もインド文明の大きな中心地のひとつであり続けます。

▶インダス文明が滅んだ後にアーリア人が入ってきた

インダス文明が滅んで２００～３００年が経ったＢＣ１５００年頃、カイバル峠を越えて、インダス川流域にインド・アーリア人が侵入してきました。彼らは長い歳月をかけて、ＢＣ１０００年頃に東のガンジス川の流域に向かいます。前述しましたが、ガンジス川流域も肥沃な土地で、水田耕作による稲の栽培が行なわれていました。アーリア人は、先住民を征服したり同化するなどして、ガンジス川流域に繁栄の基盤を構築していきます。

▶アレクサンドロスの来襲がインドをひとつにした

さらに時を経てＢＣ５００年頃になると、大きな変化が生まれました。鉄器が普及し、ユーラシア全域が温暖化して高度成長が始まったのです。社会に余裕が生まれ、文化が一斉に花開きました。中国の諸子百家(しょしひゃっか)やギリシャの哲学者や劇作家たちがその代表ですが、インドも例外ではありませんでした。六十二見(けん)と呼ばれる見識の高い多数の学者が生まれています。さらに仏教やジャイナ教やアージーヴィカ教など新しい宗教が生まれ、古くからのアーリア人の宗教も四大ヴェーダ（聖典）がまとめられて、バラモン教が完成しました。なお、アージーヴィカ教は宿命論に立って大きな勢力を有していたようですが、現在はわずかな痕跡をとどめるだけで、存在しません。

六十二見の中で有名なのは「六師外道（ろくしげどう）」と呼ばれた6人の思想家です。アジタ・ケーサカンバリン（唯物論者で、世界は地・水・火・風の4元素から成ると主張）、プーラナ・カッサパ（道徳否定論者）、マッカリ・ゴーサーラ（宿命論に立つ裸形托鉢（たくはつ）教団アージーヴィカ教の祖）、マハーヴィーラ（ジャイナ教の祖）、パクダ・カッチャーヤナ（唯物論者で、4元素に苦・楽・命を加えた）、サンジャヤ・ベーラッティプッタ（懐疑論者）の6名です。この人たちは時代を代表する大思想家ですが、仏教関係の人々が選んだので、「外道」という余分な形容がついたのです（仏教は内道）。インドでは牛に鉄製の犂（すき）を引かせて田畑を耕し、生産力を高めていましたが、バラモン教では、神々に牛を殺して捧（ささ）げます。これを怒った田畑の持主である貴族や商人たちに、殺生（せっしょう）を禁ずる新宗教である仏教とジャイナ教が支持されて発展したことは、前著『仕事に効く 教養としての「世界史」』でお話ししたとおりです。

ところで、生産力が向上し、都市国家が豊かになると、覇権をめぐる争いも激しくなり、大国が登場してきます。中国では、それが戦国七雄と呼ばれる国家群となりました。

インドでは、十六大国と呼ばれる国々が競っていました。

ただし、本当に16の国があったかどうかについては論争があり、後には4大国に収斂（しゅうれん）していきます。そして、その中で、まずコーサラ国が台頭します。インドの二大叙事詩のひとつ『ラーマーヤナ』は、コーサラ国の王子ラーマの物語です。このコーサラ国を打倒してマガダ国が登場します。この国にはブッダの時代にビンビサーラ王やアジャータシャトル王といった強力な君主が登場して、ガンジス川中流から下流の地域を支配しました。

さらにBC4世紀になると、マガダ国にナンダ朝が出現して威勢をふるいましたが、その頃にアフガニスタンを越えて、アレクサンドロス大王（在位BC336〜323）の大軍が、インダス河岸に姿を見せたのです。

インダス川西岸に押し寄せた軍勢がいまにも渡河しそうな勢いなので、インド側はパニックとなりました。さいわいにもアレクサンドロスの軍勢が引き返したため、インドは一息つくことができました。

これまでは、外敵の来襲を考えたこともなく、内輪の争乱に明け暮れていたインド人は、外からの脅威を目の当たりにして、なんとかせねばと考えます。そのような経緯があって、チャンドラグプタがマウリヤ朝（BC317頃〜BC180頃）を建国しました。

■インド亜大陸を初めて統一した大国、マウリヤ朝

インドは、楕円形に2つの焦点があるように、西のインダス川流域（パンジャーブ地方）と東のガンジス川流域という、2つの中心地を持っていました。この国を支配する王朝は、このいずれかを拠点として発展します。そしてまれに大国が登場して、この二大拠点を征服します。

マウリヤ朝は、第三代のアショーカ王（在位BC268頃〜232頃）のとき両大河を支配したばかりではなく、東は現在のミャンマーとの国境線、西は現在のパキスタン全域、そして南はデカン高原の五分の三ぐらい（北緯15度あたり）まで、最大版図（はんと）を広げました。

アショーカ王は、東インド海岸部のカリンガ国征服戦争で多くの犠牲者を出したことを反省し、それ以降は国土の統治を、武力ではなく仏教的理想主義で行なったと伝えられています。道路を整備し病院をつくるなど社会事業にも力を注ぎました。すぐれた支配者だったのでしょう。

マウリヤ朝が、これだけ難しい地理的条件の中で、これほどまでに大きい帝国をつくれたのは、伝説に残るような名君であったアショーカ王のカリスマ性に原因があったのかもしれません。デカン高原の起伏の多い地形に住む人々も、とんでもなくすばらしい君主がいる、という噂を聞いていて、考えました。

「この人には、従っていても大丈夫そうだ……」

そして波が押し寄せては広がるように、この王朝は拡大していったのでしょう。でも国としての組織や中国の文書行政のような統治技術は整っていませんでしたから、カリスマ亡きあとは、波が引くようにマウリヤ朝は衰(おとろ)えていきました。たぶんそのあたりが、マウリヤ朝の寿命が100年と少ししか続かなかった理由ではないかと推測できます。

サールナートの石柱の柱頭
1950年、インド初代首相ネルーはサールナートの柱頭の獅子を図柄化して「国章」を制定した
©www.bridgemanart.com/amanaimages

ところで、アショーカ王は、ペルシヤの伝統を取り入れて、領内の至るところに、石柱を建てたり、岩肌に磨崖(まがい)

文書を彫りました。インドの国章は4頭のライオンですが、これはインド北部の都市でブッダが初めて説法を行なったとされるサールナートの石柱の柱頭に飾られていたものです。

これらの石柱や磨崖文書に刻まれた内容は、法勅（ほうちょく）が中心でしたが、サンスクリット語（祖形）で刻まれた文字はほぼインド最古の文献であり、カンダハールの地域ではギリシャ語とアラム語で刻まれています。これらの文献から判明した当時のことも、少なくありません。またマウリヤ朝の首都であったパータリプトラを訪れたギリシャ人メガステネス（セレウコス朝の使者）は、『インド誌』を著しましたが、この本は長期にわたってインドを知る基本書となりました。

なお、インドでは、貝葉（ばいよう）と呼ばれるヤシの葉を筆写材料に使用していたので、保存に難があり、彼ら自身が著述した文献はほとんど残っていません。このことは前著の第2章でお話ししたとおりです。

大乗仏教と仏像は、クシャーナ朝時代に生まれた

マウリヤ朝の衰退に応じて、バクトリア王国を基点としたギリシャ人の侵入が始まりま

す（インド・グリーク朝）。その中で最大のものは、パンジャーブ地方を拠点にメナンドロス一世（ミリンダ・在位BC150?〜130?）がつくった王国です。記憶に留めておきたいのは、彼が仏教に深く帰依（きえ）したという珍しい記録があるからです。その著書『ミリンダパンハ』（邦訳『ミリンダ王の問い』平凡社・東洋文庫）には、当時のインドの状況が活写されています。

BC1世紀頃から西北インドには、ギリシャ人に代わって中央ユーラシアの遊牧民が侵入し始めました。その中でイラン系遊牧民のクシャーナ族が、1世紀後半に、パンジャーブの地にクシャーナ朝を建国しました。2世紀半ばに出たカニシカ一世（在位130頃〜155頃。諸説あり）のときに最盛期を迎え、その領土はガンジス川領域まで拡大しました。クシャーナ朝は漢（かん）とローマ帝国の東西交易に力を注ぎ、大量の金貨を発行したことでも知られています。

クシャーナ族は大月氏（だいげつし）（イラン系遊牧民）の一族です。大月氏はBC3世紀から2世紀に、モンゴル高原で匈奴（きょうど）との覇権争いに敗れて西方に移動しました。その中からアフガニスタンを越えてインドに侵入した一族がクシャーナ族であったようです。

大月氏については、中国に有名な故事が残っています。漢の武帝（ぶてい）は匈奴を討つべく大月氏と同盟して、東西から挟み撃ちにしようと考えました。その使者の張騫（ちょうけん）が、すでに匈奴への戦闘意欲を失っている大月氏に同盟を断られたという話です。この張騫の旅は困難をきわめ、匈奴に2度も捕われて、往復十数年の長旅となりました。しかも挟撃作戦も実を結びませんでした。けれども張騫の提出したレポートは、後の武帝の対匈奴作戦に大きな力を発揮したようです。

さて、クシャーナ朝時代に仏像や大乗（だいじょう）仏教が登場します。

バラモン教では祭礼のつど牛を殺すので、貴重な生産手段（牛）を奪（うば）われる都市部の新興ブルジョアジーが怒っていた。タイミングよく登場した殺生禁止の教えを持つ仏教がブルジョアジーに支持されて、急激に広まったのですが、それでは、都市部での支持を失ったバラモン教は、どこに行ったのでしょうか。農村に追われました。

バラモン教には、いろいろと難しい教えがあり、インテリが多い都市部なら理解してもらえたのですが、読み書きのできない人々がほとんどの農村に行ったら誰もついてきてくれません。そこでバラモン教は考えました。教えをわかりやすくシンプルにしたのです。「バラモン教の代表的な神であるシヴァやヴィシュヌを拝めば救われるよ」と。もともとインドには、たくさんの土俗の神様がいました。そしてそれらを、素朴な像にして祈って

〈図3−2〉
インド王朝の変遷(BC3世紀〜AD2世紀)

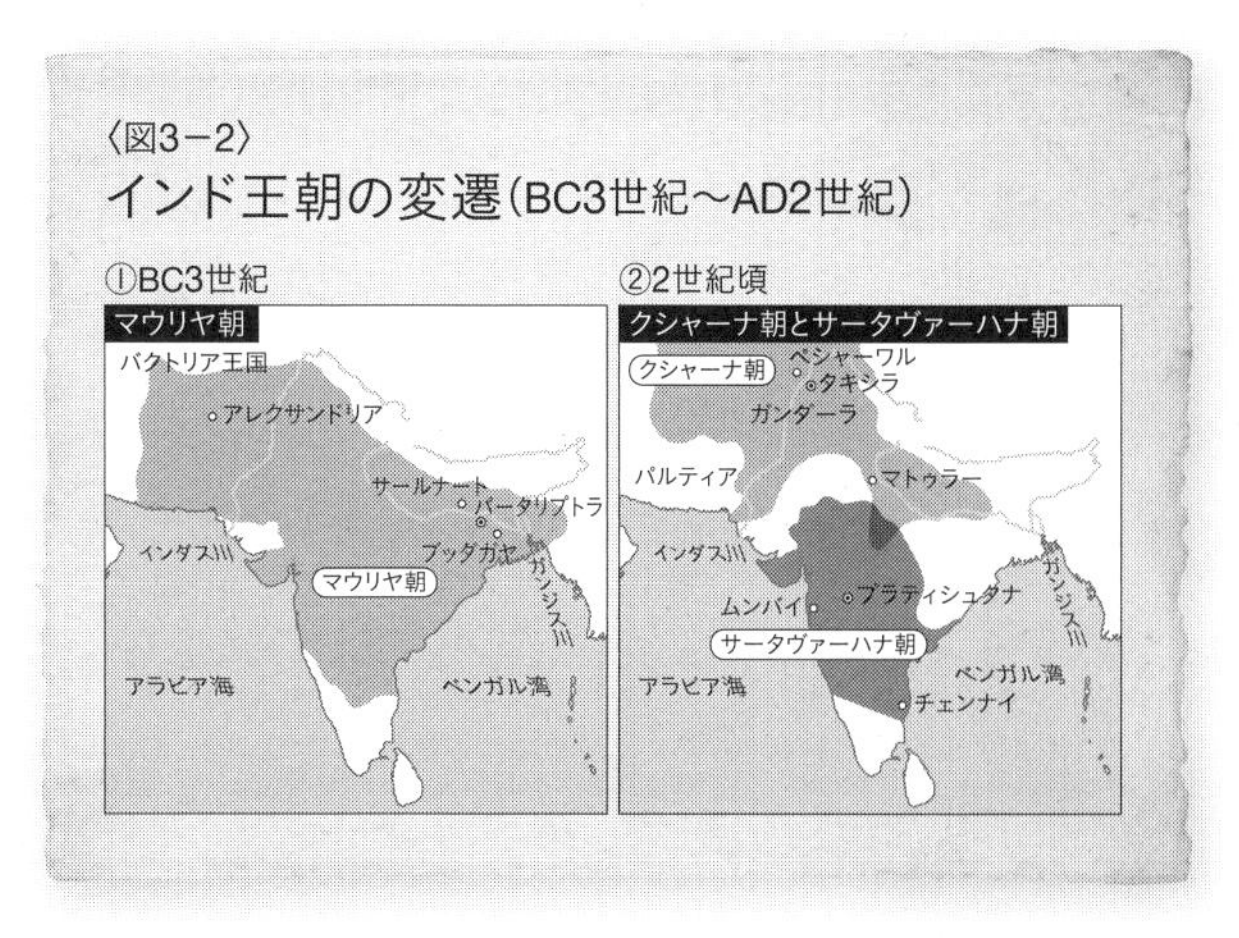

いたのですが、バラモン教はその風習をも採り入れて、拝みやすく親しみやすいヒンドゥー教に変化したのです。

この結果、ヒンドゥー教はまたたくまに農村地帯に広がりました。ということは、都市は地方から人が集まってくる場所ですから、彼らと一緒に土俗化したヒンドゥー教が、再び都市部にカムバックし始めた。

一方、仏教のほうは、殺生禁止の教えはともかく、教義の本質は難解です。インテリやお金持ちがいかに心の平安を得るかを、大きなテーマとしています。涅槃(ねはん)も悟りもややこしい。その仏教が栄える都市部に、シンプルに衣替えしたヒンドゥー教が帰ってきたので、仏教側の信者が離れ始めました。わかりやすいヒンドゥー教が難解な仏教を包囲したのです。

ここで危機感を抱いた仏教側に過激な人々が登場します。自分たちを大乗という大きな乗物だと主張し、自己解脱を中心におく旧来の仏教（上座部）を小乗（小さな乗り物）と批判しました。そして数多くの大乗経典を創作しました。たとえば浄土三部経や法華経などです。阿弥陀仏を拝めばそれでいいよ、とシヴァ信仰やヴィシュヌ信仰の真似をします。さまざまに形を変えて出現する庶民の頼りになる観音菩薩は、あきらかに変身するヴィシュヌの真似です。このようにして大乗仏教が誕生しました。

また、仏教は、本来は偶像崇拝禁止の教えでした。その代わりに、仏足石や仏教の教えを輪にたとえて法輪と呼び、それを拝んだりしていました。しかしクシャーナ朝の時代に仏像が登場します。

クシャーナ朝の都は、パンジャーブのタキシラ（後にペシャーワル）でした。ガンダーラ美術の中心地として栄えた都です。ガンダーラ地方はギリシャ人が侵入してきたエリアです。ここでギリシャ彫刻に学んで、仏像がつくられるようになったというのがこれまでの多数説でした。

ところでクシャーナ朝は、ガンジス川中流域まで勢力を拡大し、アーグラの近くにマトゥラーという副都を置いていました。そしてマトゥラーで仏像がつくられるようになったという有力説もあります。ヒンドゥー教の素朴なシヴァ神やヴィシュヌ神の像を真似て、仏像がつくられ始めたのではないか、という説です。

クシャーナ朝はサーサーン朝ペルシャ（224～651）の英主、シャープール一世（在位241～272）と戦い敗北したことが原因で、インドを失い衰退の道を辿りました。ペルシャとインドは、インダス川を自然国境とした宿命のライバルでもあるのです。アレクサンドロスも、ペルシャ帝国（アカイメネス朝）の後継者だと理解すれば、合点がいきます。

クシャーナ朝と同時代、インド南部ではサータヴァーハナ朝が東西交易に勤（いそし）んでいた

サータヴァーハナ朝（アーンドラ朝とも）はBC3世紀頃から3世紀にかけて、デカン高原中央部のプラティシュタナに都を定め、インドの中央部を横断する領域を支配していました。この王朝はアーリア人ではなく、インド土着のドラヴィダ系の人々が築いたといわれています。主たる収入源は、ベンガル湾のチェンナイ（マドラス）周辺とアラビア海

のムンバイ（ボンベイ）周辺の港での仲介貿易でした。漢とローマ帝国を結ぶ交易船が、インドで水や食料を積み込む、そのときに得る利益が大きかった。またサータヴァーハナ朝からも、胡椒（こしょう）・綿布・象牙細工などをローマに輸出していたようです。サータヴァーハナ朝の全盛期はクシャーナ朝の全盛期とほぼ重なっていました（2世紀）。

このような仲介貿易による巨利が歴史的にインド全体のGDPを、世界シェアの約2割（中国に次ぐ）に保ってきた大きな理由です。それが崩壊するのは、連合王国（イングランド）のインド支配以後のことです。

クシャーナ朝崩壊の約100年後に現われたのはインド古典文化の黄金期を生んだグプタ朝

グプタ朝はガンジス川中流域を中心に発展した王朝です（320〜550頃）。この王朝はアーリア人の王朝でした。その版図はマウリヤ朝やクシャーナ朝に比べればそれほど大きくはありませんでした。パンジャーブまで勢力が及ばず、南のデカン高原へ、勢力を拡大した時期もありましたが、版図とはせず諸王の帰順だけを求めました。国を開いた君主はチャンドラグプタ一世（在位320〜335）といい、奇（く）しくもマウリヤ朝の創始者と同名です。首都もマウリヤ朝と同じくパータリプトラに置かれました。

この王朝の時代は、後世にインド古典文化の黄金時代と呼ばれたほど、文化が花開きました。インドのシェイクスピアと讃(たた)えられるカーリダーサが登場し、サンスクリット文学の最高傑作『シャクンタラー』を残しています。美しいお姫さまの物語です。数学・医学なども発展し、「ゼロの発見」はこの時代にほぼ確立したと考えられています。グプタ朝時代に、『ラーマーヤナ』と『マハーバーラタ』が最終的にまとまった形になったのですが、この時代に『マヌ法典』も完成しています（これらはすべてクシャーナ朝時代には完成していたと見る有力説もあります）。

『マヌ法典』はヴァルナ制度の下で生活する人々の義務を定めた書物です。ヴァルナ制度はインド独特の階級制度（カースト）で、バラモン（司祭者）、クシャトリヤ（王族、武人）、ヴァイシャ（農・牧・商に従事する庶民）、シュードラ（先住民を主体とする隷属階級）の四階級を指し、これらは生まれながらに備わったものとされます。

また、『マヌ法典』は徹底した男尊女卑の立場を採っています。たとえば女性の三従の教え「女性は子どもの頃は親に従い、嫁いだら夫に従い、老いては子に従え」が有名です。

同じ遊牧民でも、隋（ずい）や唐（とう）を建国した鮮卑（せんぴ）・拓跋部（たくばつぶ）では女性の地位が高く、武則天（ぶそくてん）のような女傑も登場しています。しかしアーリア人の男尊女卑は徹底していました。

今日まで残っているアジャンターやエローラの石窟寺院も、領域外ですがグプタ朝の時代に建設されました。中国の僧、法顕（ほっけん）がグプタ朝を訪れ、この王朝の繁栄を、『仏国記』に記しています。

グプタ朝は建国後200年ほどで、イラン系のエフタル（フーナ、白い匈奴）と呼ばれた遊牧民に滅ぼされました（550年頃）。

◆グプタ朝のあと7世紀にヴァルダナ朝が登場

グプタ朝が滅んだ後、北インドは小国分立状態に陥ります。ところが7世紀の初めに、彗星（すいせい）のように登場したハルシャ・ヴァルダナ（在位606～647）がインドを統一しました（ヴァルダナ朝）。この王朝は、一代のカリスマ支配で終わったのですが、ハルシャはヒンドゥー教と仏教の熱心な保護者でした。この50年弱のハルシャの時代に、中国から玄奘（げんじょう）（602～664）がインドを訪れます。

玄奘は、グプタ朝時代につくられた仏教の本拠ナーランダ大学に学んだ後、首都カナウ

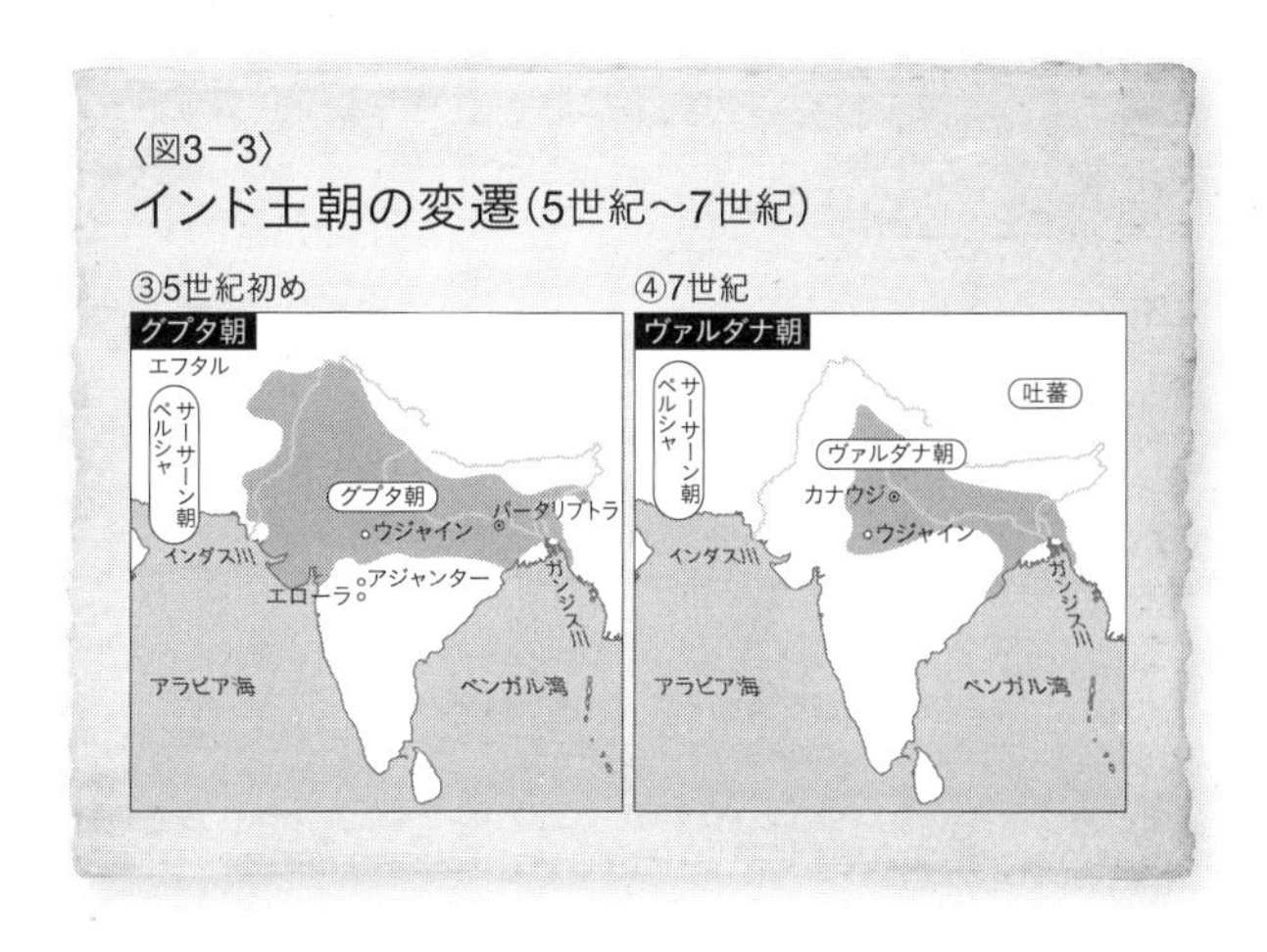

ジのハルシャの宮廷に招かれるという幸運をつかんでいます。その旅行記『大唐西域記』は、当時のインドの歴史や地理や文化、風俗について詳細な記録を残しており、今日でも貴重な文献となっています。
興味深いことは、玄奘は本当にタイムリーにインドを訪れたということで、あと50年早くても遅くても、インドは小国分立、群雄割拠の不安定な世情であり治安も悪くて、長期滞在し得たかどうかは疑問です。あれほどの大きな業績も上げられなかったでしょう。そして明の時代に書かれた、大長編冒険小説『西遊記』も登場しなかったことでしょう。あの主人公、三蔵法師のモデルは玄奘だからです。孫悟空というキャ

ラクターも生まれなかったことでしょう。

ブローデルに従えば、ヴァルダナ朝という中波に、ピン・ポイントで玄奘という天才が短波となって合致した、ということになります。見事な歴史の暗合(あんごう)です。

11世紀まで続く北インドの群雄割拠「ラージプート時代」

ヴァルダナ朝が滅んだ後、7世紀後半からラージプートと名乗る集団が北インドに登場してきます。彼らはインド北西部のラージャスターン地方(古称はラージプーターナー)に勢力を張っていたクシャトリヤ階級の出身といわれています(定説はなく、エフタルの後裔説もあります)。そして自分たちの祖先は太陽や月から来たと自負していました。

ラージプートの王朝とは、たとえばプラティーハーラ朝(8~11世紀)、ラーシュトラクータ朝(8~10世紀)やチャンデーラ朝(10~13世紀)などです。チャンデーラ朝は、月を先祖と自称する一族でした。彼らは北インドの南部のカジュラーホーに、多くのジャイナ教やヒンドゥー教の寺院を建立しましたが、人生の讃歌を描いたとされるエロティックな彫刻は、今日でも有名です(世界遺産)。ガンジス河畔のカナウジを都としたプラティーハーラ朝は、8世紀から10世紀にかけてデカン高原に本拠を置いたラーシュトラクー

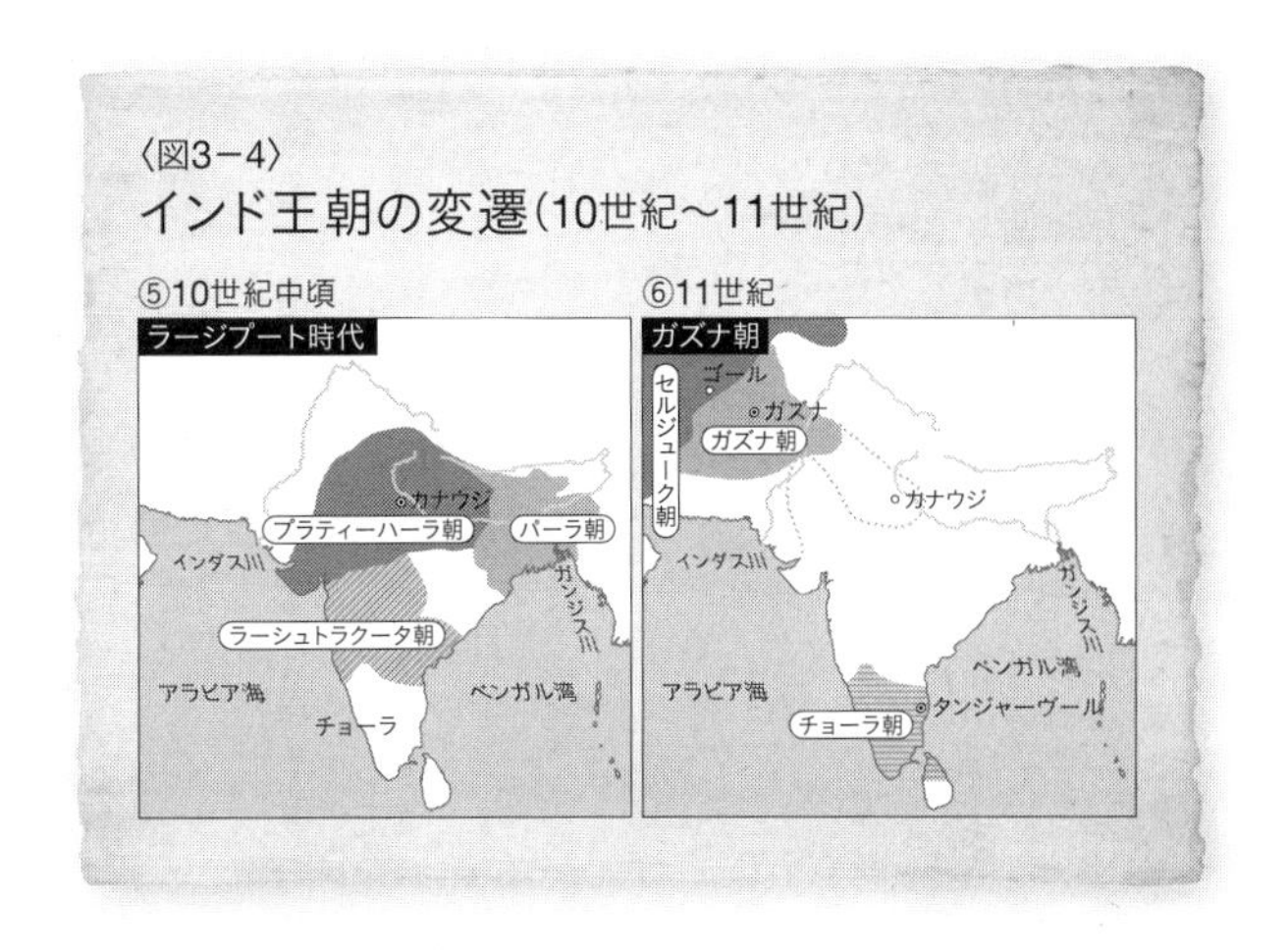

タ朝や北東インド（ベンガル、ビハール）から興ったパーラ朝（土着の王権）と三つ巴の激しい争いを繰り広げます。パーラ朝は仏教を保護し、ダルマパーラ王はナーランダ大学と並ぶ仏教の拠点ヴィクラマシーラ大学を創設したことで知られています。

北インドの争乱に終止符を打ったのは、トゥルクマーンのマムルーク（奴隷出身の軍人。奴隷といっても養子に近かった）が建てたガズナ朝（962～1186）でした。その三代、英主マフムード（在位998～1030）は1018年にカナウジを襲撃してプラティーハーラ朝を滅ぼしました。

このときから、インドの北部は実質的に

イスラム系王朝の支配下に入り、マムルークの軍隊とペルシャ人官僚の組み合わせでインドを統治する時代に入っていきます。

■ガズナ朝の英傑マフムードの時代

偶像崇拝を徹底的に否定するイスラム軍（ガズナ朝）が北インドに侵入して真っ先に襲ったのは仏教寺院でした。目立ちやすい大きな建物で、都市部のインテリやお金持ちに支持されていたリッチな宗教施設だったからです。仏教はインテリ層の宗教で、大衆の信者はなかなか増えませんでした。それをカバーするために大乗仏教を発展させ、ヒンドゥー教に真似て偶像崇拝も取り入れましたが、そういう点では、もともと土着の宗教に密着していたヒンドゥー教には勝てない。そこで7～8世紀頃新しく登場したのが密教でした。この教えは、大乗仏教がブッダの教えをシンプルにして大衆化したのに対して、もう一度インテリや富裕層に近づいたものです。密教とは、言葉や文字では表現できない教義の真髄を、個人に伝授するという秘密仏教です。これが「阿弥陀仏を拝むだけで救われる」、という単純過ぎる大乗仏教に不満であったインテリや富裕層のエリート意識をくすぐりました。

ガズナ朝第三代君主マフムード
1000年、アッバース朝カリフ、カーディルより贈られた賜衣（ヒルア）をまとうマフムード
©www.bridgemanimages.com/amanaimages

こうして再び都市部の富裕層の支持を集めて、豊かになった寺院を襲ったのがイスラムの軍勢でした。こうして仏教はインドから姿を消していきます。

もちろん、マフムードはヒンドゥー教寺院に対しても容赦はしませんでした。グジャラートのシヴァ神の聖地、ソームナート寺院も略奪、破壊しています（1025）。マフムードは、スルタンの称号を最初に用いた英傑で、イランの民族叙事詩、フェルドゥスィーの「王書（シャー・ナーメ）」はマフムードに捧げられました。マフムードがインドから西はサマルカンドに及ぶ大帝国を築いていた頃、南インドでは、ドラヴィダ人の王朝、チョーラ朝（846〜1

279）が、仲介貿易で栄えていました。ラージャラージャ一世（在位985～1016）は、セイロンの北半分を併合、支配し、息子ラージェーンドラ一世（在位1012～44）は、スマトラ島のシュリーヴィジャヤ王国に遠征して影響下に収め海のシルクロードを支配しました。11世紀の初頭、インドには北と南にまったく性格の異なる2大帝国が成立していたのです。

デカン高原に首都を建設したイスラムの君主

マフムードは豊かな北インドのガンジス川流域を、繰り返し徹底的に略奪しましたが、インドに腰を据えた政権はつくりませんでした。略奪してはアフガニスタンの都ガズナに引き揚げる、というパターンでした。しかし、ガズナ朝の支配を抜け出して、新しくアフガニスタンに登場したゴール朝（1117～1215）は、北インドのデリーに代官を置きました。

この代官アイバクは、ゴール朝が統一を失うと自立してデリーに新しい王朝を建設し、初代王となりました（在位1206～10）。アイバクはトゥルクマーンのキプチャク系のマムルークでしたので、この王朝を北インド・マムルーク朝（1206～90）と呼んでいます。その後、ハルジー朝、トゥグルク朝、サイイド朝、そして最後にローディー朝（1451～1526）と、五代の王朝が続きます。ローディー朝はトゥルクマーンではなくアフガン系の王朝でしたが、この五代の王朝をデリー・スルタン朝と総称しています。

この中でトゥグルク朝時代（1320～1413）にムハンマド・ビン・トゥグルク（在位1325～51）というユニークな君主が登場します。軍事上の天才であったムハンマドは侵入してきたモンゴル軍（チャガタイ・ウルス）を打ち破り、アフガニスタンまで領土を拡げます。そして1327年頃、突然、都をデリーからデカン高原のほぼ真ん中の岩山、ダウラターバードに遷都してしまいました。おそらく南インドの征服を目論（もくろ）んだのでしょう。これは、東京から何もない一地方の山間部に、官庁が移ったようなものです。貴族や高級官僚の不満はたいへんなものだっ

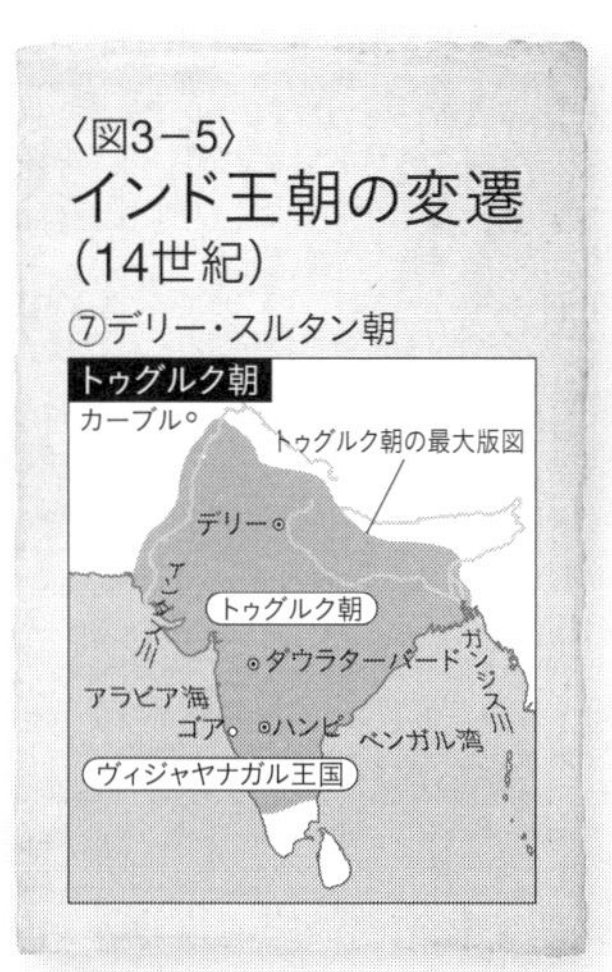

たと思います。

結局首都は、1334年にデリーに戻ってしまいます。なにかとてもバカなことをやってしまったようですが、必ずしもそうではなかった。

首都を移すということは、大量の物資や人間を運ぶ道路を整備することが必要です。すなわちインフラの整備がないと不可能です。ムハンマドが、北インドからデカン高原中央部まで幹線道路を開通させたことが、後にムガール朝がマウリヤ朝以来の大帝国を建設する大きな基礎条件をつくった、ともいえるでしょう。現にムハンマドの時代に、トゥグルク朝は一時的にせよ、マウリヤ朝に匹敵する大領土を実現させました。

しかし、ムハンマドの圧政に対して南インドでは、ヴィジャヤナガル王国（1336〜1649）が興り、ハンピ（古名ヴィジャヤナガル）にヒンドゥー教の都を建設して栄え始めます。

この頃からインドは、北インドのガンジス川流域を拠点とするイスラム王朝と、デカン高原以南を支配するヒンドゥー教国が対立する南北朝のような時代に入ります。そして、200年ほど後にそこに割り込むかのように、少しずつヨーロッパ列強が触手を伸ばし始めます。その最初は1510年にポルトガルが攻略して入手した、南インドのアラビア海に面する良港ゴアでした。

ムガール朝の興隆と滅亡

1 ムガール朝の基礎を固めたスール朝

ムガール朝は、14世紀のモンゴル系イスラムの大帝国、ティムール朝の直系の子孫であり、母方に、チンギス・カアンの血を引くバーブル（在位1526～30）が創建したイスラム王朝です。第二ティムール朝と呼ぶ人もいます。

バーブルはデリー・スルタン朝最後のローディー朝を倒してムガール朝を建国しましたが、まもなく死去します。そして王子のフマーユーン（在位1530～40、1555～56）が後を継ぐのですが、アフガン系スール朝のシェール・シャーに敗北して、ペルシャ（サファヴィー朝）に逃亡します。

スール朝を開いたシェール・シャー（在位1539～45）は実にすぐれた開明的な君主でした。6年という短い統治期間でしたが、地方自治（北インドを47州に分割）、自由貿易、道路網の整備（グランド・トランクなど）、貨幣改革（ルピーの誕生）など北インドにきちんとした統治機構を整えたのです。これらの政策はすべてムガール朝第三代のアクバルに継承され、インドの社会インフラとなって結実していきました。

社会の安定のために骨太の条件を整備したスール朝の存在はムガール朝にとって、唐における隋（文帝）や漢における秦（始皇帝）のような存在であったと思います。

2 バーブルの王子フマーユーンを匿ったペルシャのサファヴィー朝

スール朝に追われたフマーユーンは、ペルシャのサファヴィー朝（1501～1736）に逃亡しましたが、ムガール朝はスンナ派の王朝でした。そしてサファヴィー朝はシーア派の王朝です。しかしスンナ派とシーア派は、教義そのものにはさほどの差異はないので、サファヴィー朝はフマーユーンを温かく迎えて保護しました。いまでも当時の都、エスファハーンを訪れると、フマーユーンを歓迎する絵がたくさん残っています。ただ、サファヴィー朝の皇帝の絵姿のほうが、必ず少しだけ大きく描かれているのが、ご愛嬌ですが。

こうして保護されたフマーユーンは、シェール・シャーの死後、サファヴィー朝の援助を得て、スール朝を破りムガール朝を再建します。しかし、半年後に階段から落ちて死去しました。

サファヴィー朝については前書でも触れましたが、ここでは神秘主義との関連について少しお話しします。

イスラム神学は、9世紀前半のギリシャ語文献のアラビア語への大翻訳運動を得てアリストテレスが人気となり、理論的により精緻（せいち）になりました。しかし教えが複雑になり過ぎて、民衆の間から神とのシンプルな関係を求める声が高まり、スーフィズム（神秘主義）という流れが生まれてきました。神の名を繰り返し唱和したり、踊ったりすることでアッラーに近づくという運動です。イラン北西部のアゼルバイジャン地方で生まれた、神秘主義サファヴィー教団の教主イスマーイール一世（在位1501～24）が建国した国がサファヴィー朝でした。この王朝は、シーア派の十二イマーム派を国教とし、その流れは今日のイランまで続いています。

スーフィズム
踊ることなどでアッラーに近づくとするスーフィズム（神秘主義）

3 アクバル大帝の時代に迎えた繁栄とその理由

ムガール朝は三代アクバル大帝（在位1556～1605）の時代に繁栄を迎えます。そして四代ジャハーンギール（在位1605～27）、五代シャー・ジャハーン（在位1628～58）の時代までほぼ100年にわたり最盛期が続きます。

この最盛期を招いた最大の要因は、アクバルがムスリムとヒンドゥーの争いに終止符を打ったことです。ムガール朝は基本的には武官であるトルコ人と文官であるペルシャ人が、大多数のインド人を支配する政権でした。すなわち少数派の支配者層はイスラム教徒で、被支配者層はヒンドゥー教徒でした。この支配構造は、デリー・スルタン朝でも同様でした。

ムガールとはモンゴルの意味ですが、これは他称で、帝室の人々は一貫してティムールの称号、アミール（総督の意味）を名乗っていました。つまりムガール朝は、第二ティムール朝に他ならなかったのです。

ところで支配者であるイスラム教徒はヒンドゥー教徒たちが改宗しない限り、彼らから人頭税（ジズヤ）を徴収していました。このことが、トラブルの因（もと）になっていました。アクバルは、1564年にジズヤを廃止しました。彼は信仰の自由があり人々が平等である

ムガール朝繁栄の象徴タージ・マハル
第三代アクバル大帝から三代にわたる約100年がムガール朝の最盛期。五代皇帝シャー・ジャハーンが妃のために建設した総大理石の墓廟タージ・マハルはその象徴だが……
©YUTAKA TSUCHIYA/SEBUN PHOTO/amanaimages

ほうが、世の中が平和で豊かになることを知っていたのです。アクバルは、アショーカ王やシェール・シャーと並ぶインド史上屈指の名君です。

徹底したリアリストであるアクバルの寛容な政策を、その子も孫も継承したことで、アクバルから三代にわたって、約100年間の繁栄が続きました。世界遺産のタージ・マハルはその象徴です。

余談ですが、日本にも織田信長（1534～82）という宗教やイデオロギーにとらわれないリアリストの武将がいましたが、奇しくもアクバルと同時代の人でした。

4 衰退は第六代アウラングゼーブの時代に始まる

六代皇帝アウラングゼーブ（在位1658～1707）は熱烈なムスリムでした。彼には父や祖父や曾祖父アクバルの採ってきた、宗教的な融和政策が許しがたい堕落に見えました。彼は父シャー・ジャハーンを幽閉し、3人の兄弟を殺害して帝位に就きました。そしてジズヤを復活させ、ヒンドゥー教徒だけではなく、ヒンドゥー教とイスラム教双方の教義を融合して成立したシク教徒も弾圧して、徹底したイスラム純化政策を遂行しました。

また、彼は領土の拡大を目指して、デカン地方に目を向け、ヒンドゥー教の復興を目論むマラーター王国の創始者シヴァージーと衝突します。父までの三代が平和路線で蓄えたお金を使って強力な軍隊を形成し、徹底的な攻撃に出ました。かくしてアウラングゼーブは、マウリヤ朝以来、最大の統一国家をつくり上げたのです。

しかし、もともと少数勢力であるムガール朝の支配者たちが、偏狭な宗教政策を採り多数派のヒンドゥー教徒を武力弾圧しているわけですから、アウラングゼーブの晩年には雨後の筍のように叛乱が相次ぐことになりました。先祖を月や太陽と考えるラージプートの豪族たち、シク教徒、デカン高原のマラーター王国などです。さらに1739年にはペルシャのアフシャール朝（1736〜96）の創始者ナーディル・シャーが、首都デリーに侵入し、大略奪を行ないます。このときムガール皇帝の椅子である宝石をちりばめた「孔雀の王座」は、テヘランに持ち去られました。それはムガール朝の命運を暗示するような事件でした。

ムガール朝六代皇帝
アウラングゼーブ
熱烈なムスリムで、ジズヤを復活するなど、融和路線から一転。ムガール朝衰退のきっかけをつくる

5 ムガール朝の滅亡と連合王国によるインドの植民地化

ムガール朝の衰退で漁夫の利を得たのは、連合王国です。連合王国は17世紀から東南アジアの香辛料交易に狙いを定めていましたが、ネーデルランドの東インド会社にその野望を挫かれます。連合王国は方向転換

をして、植民地化の目標をインドに絞り込みます。チェンナイ（マドラス）を1639年、ムンバイ（ボンベイ）を1687年、コルカタ（カルカッタ）を1690年と、次々とインド侵略の拠点を確保することに成功します。それから後の見事なほどに狡猾（こうかつ）な連合王国の対インド植民地化政策の進展については、前著の第10章「アヘン戦争」の前半でお話しした通りです。

ムガール朝の終焉（しゅうえん）は1858年でした。経緯を簡略に記録します。

1857年に連合王国の東インド会社のインド人傭兵（スィパーヒーともセポイとも呼ぶ）が、叛乱を起こし、それがインド各層の反英意識と結びついて大規模な叛乱に発展しました。叛乱軍は、すでに名前のみの存在になっていたムガール皇帝を擁立しました。戦いは1859年まで続きインドの大部分を巻き込む大戦争になりましたが、結局は鎮圧され、このときにムガール朝はその命脈を断つことになりました。この事件を昔は「セポイの乱」という呼称で学んだと思います。しかし実際は、単なる傭兵の蜂起ではなく、インド全土の連合王国に対する戦いであったので、今日では「インド大叛乱」と呼び慣わされています。

1858年、連合王国は東インド会社に叛乱の責任を負わせて解散させ、直接統治に組

み替えます。そして１８７７年にヴィクトリア女王を皇帝とするインド帝国を成立させます。

その後インドは第一次世界大戦も第二次世界大戦も連合王国側に立って戦い、その間にガンディーの非暴力不服従運動（サティヤーグラハ）などもあって、１９４７年に至りようやく独立を勝ち取りました。しかし、イスラム教徒でパキスタンの分離を唱えた政治家ジンナーは、連合王国最後のインド総督マウントバッテンの反対を押し切り、パキスタンを分離独立させることに成功しました。カシミールなど国境の線引きをめぐって、ここに両国の対立の種がまかれたのです。

◆インドになぜ統一国家ができなかったか

これだけ豊かであるのに、侵略はされてもなかなか統一国家の生まれなかったインド。その理由をもう一度まとめておきたいと思います。

古代においては、統一は地理的条件に大きく左右されます。北インドではインダス川流域とガンジス川流域という、あたかも楕円の2つの焦点のようにずいぶん離れた2つの文明の中心があったこと。北部と東西をユーラシア大陸から遮断する大山脈。縦に長く続く熱帯の高原地帯。海岸地帯に数多存在する仲介貿易のみで自給できる良港の存在。

地理的な条件に加えて、古代に統一国家が継続できなかった理由としては、適切な筆写材料がなく文字が普及しなかったために文書行政がうまくいかなかったことがあげられます。そのために官僚も育たず、統治機構を維持できませんでした。それもあってインドでは始皇帝やカエサルのようなグランドデザイナーが生まれなかったのです。

やがて11世紀頃から、行政機構も整い、道路も発達して統一へのインフラが可能になったと思ったら、次に出てきた難問が宗教でした。偶像崇拝を嫌うイスラム教と偶像崇拝を大切にするヒンドゥー教、これは宿命的な出会いでした。

イスラム教サイドからすれば、片方の牙（きば）が折れた象の顔をした太鼓腹（たいこばら）の神様（ガネーシャ）や、生首をつなげた首飾りをつけ長い舌をむき出した女神（カーリー）などは、おそらく生理的にも合わなかったのでしょう。アクバル大帝のような優れた指導者だけが、どうにか両者を調整できましたが、結局、イスラム教とヒンドゥー教は最後まで妥協ができず、独立以後もパキスタンとバングラデシュが分国化したのです。

このような国情の続いていた国から、国内をひとつにまとめる君主が登場するのは本当に困難であったと思います。付言すれば、ヒンドゥー教徒とイスラム教徒が連合王国に対して統一戦線を組めていたら、さすがの連合王国もあそこまでインドから搾取することは不可能であったかもしれません。

いまインドはＢＲＩＣＳ（ブラジル、ロシア、インド、中国、南アフリカ）の一員として大きな注目を集めていますが、歴史的には常に世界のＧＤＰの２割程度を占めてきた経済大国でした。勤勉で優秀な民族性を持つインドは、これからの世界で大きな可能性を秘めていると思います。

〈第3章の関連年表〉

インドの歴史(BC4世紀〜AD20世紀)

西暦(年)	
BC3600頃〜BC1800頃	インダス文明が栄える
BC1500頃〜	インド・アーリア人が侵入
BC500頃	コーサラ国、マガダ国が繁栄。六十二見登場。仏教やジャイナ教等誕生。バラモン教完成
BC4世紀頃	アレクサンドロス大王、インダス川西岸に迫る
BC317頃	チャンドラグプタ、マウリヤ朝を建国(〜BC180頃)
BC268頃	アショーカ王即位。マウリヤ朝最大版図
BC3世紀頃	サータヴァーハナ朝(〜AD3世紀、最盛期2世紀)
BC3〜2世紀頃	ギリシャ人の侵入始まる(インド・グリーク朝)
BC1世紀頃	中央ユーラシアの遊牧民の侵入始まる
AD1世紀後半	イラン系遊牧民によりクシャーナ朝成立
2世紀半ば	バラモン教がヒンドゥー教に変化。大乗仏教誕生
3世紀頃	クシャーナ朝、サーサーン朝ペルシャのシャープールー世に敗北し衰える
320	グプタ朝成立(〜550頃)。インド古典文化の黄金時代。ゼロの発見。法顕『仏国記』
550頃〜	北インド小国分立状態
606	ハルシャ・ヴァルダナ、インドを統一。ヴァルダナ朝成立
629	玄奘、インドを訪れる(〜45)
7世紀後半〜	北インド、ラージプート時代
846	南インドに、チョーラ朝成立(〜1279)
962	トゥルクマーンのマムルークによりガズナ朝成立(〜1186)
1018	ガズナ朝のマフムード、プラティーハーラ朝を滅ぼす
1025	マフムード、シヴァ神の聖地ソームナート寺院を破壊
1117	ゴール朝成立(〜1215)
1206	北インドにデリー・スルタン朝(北インド・マムルーク朝からローディー朝まで)興る
1327頃	デリー・スルタン朝のトゥグルク朝のムハンマドが、デリーからダウラターバードに遷都(34年、デリーに都を戻す)
1336	南インドにヴィジャヤナガル王国興る(〜1649)
1451	デリー・スルタン朝最後のローディー朝興る(〜1526)
1510	ポルトガルがゴアを攻略
1526	バーブル、ローディー朝を倒し、ムガール朝(第2ティムール朝)を興す(〜1858)
1539	シェール・シャー、スール朝(アフガン系)を興す
1540	バーブルの王子フマーユーン、スール朝のシェール・シャーに敗北し、一時ムガール朝崩壊。フマーユーンはペルシャのサファヴィー朝へ逃亡
1555	フマーユーン、スール朝を破りムガール朝を再建
1556	ムガール朝の三代アクバル大帝即位
1564	アクバル大帝、ジズヤ(人頭税)を廃止
1658	ムガール朝の六代皇帝アウラングゼーブ、即位
1674	アウラングゼーブに対抗して、シヴァージーがマラーター王国を建国。アウラングゼーブの晩年には叛乱が相次ぐ
1857	インド大叛乱(〜1859)
1858	ムガール朝滅亡。連合王国がインド直接統治に
1877	ヴィクトリア女王が皇帝となり、インド帝国成立(〜1947)
1919〜	ガンディーの非暴力不服従運動(サティヤーグラハ)
1947	インド、連合王国より独立。パキスタン、ムスリム多数地域の分離独立要求が認められ独立するが、国境の線引きをめぐり対立
1971	バングラデシュがパキスタンより独立

COLUMN アーリア人という言葉

現代インド人の原型をなす人々は、アーリア人と呼ばれます。このアーリアとは「高貴な」という意味です。

古来からインドの豊かな大地を求める人々は、インド西北部のアフガニスタン国境にあるカイバル峠を越えてやってきました。それ以外の場所はヒマラヤ山脈を始めとする、大山脈が連なっているからです。彼らの故地(こち)は中央アジアのステップ地帯でした。彼らはインドに次いでペルシャに侵入します。そして自らをイランと呼びました。イランという言葉は「アーリア人の国」という意味です。主なアーリア人としては、インド・アーリア人の他、ペルシャ人、アフガニスタンなどに住むパシュトゥーン人、タジキスタンのタジク人などが挙げられます。ナチスが一時使用したドイツ人は高貴なアーリア人種であるという学説は、現在では疑似科学と見なされています。

また、ペルシャは古代ギリシャ以来、ヨーロッパで使用されていたイランからアフガニスタンに至る地域に対する呼称でした。現代のイラン南部にギリシャ語でペルシス(現在名ファールス)と呼ばれる地があり、この地でアカイメネス朝が誕生して強大な帝国となったので、ペルシスから転訛してペルシャとなった、といわれています。

なおイランの国名は１９３５年までペルシャでした。

ところでアーリア人の代表とされるインド・アーリア人の中の有力部族がバラタ族です。はるかカスピ海の北方から南下してきて、インドに至りました。現在のインドの正式国名はヒンドゥー語でバーラトです。４世紀のグプタ朝時代に完成したと言われるインドの二大叙事詩、『マハーバーラタ』と『ラーマーヤナ』のうち、前者はバラタ族の物語です。

第4章

エジプトはいつも誰かに狙われていた

――「世界の穀倉」をめぐる支配の歴史

●「エジプトはナイルのたまもの」

世界最古の文明はメソポタミアに生まれ、すぐに西隣のエジプトに伝播(でんぱ)した。さらに海路等を経由してインドの地へ、最後に陸路を通って中国へ伝わった。最近の有力説ではそのように考えられています。四大文明が別々に発達したのではなく、相互に関連があったという視点です。

ティグリス・ユーフラテスの両河川が貫流するメソポタミアは、生産性の高い豊かな土地で温暖な気候に恵まれ、早くから農業や牧畜が発達して、遊牧民や山岳民の出入が激しい地域でした。ここで世界最古の文明が生まれ、楔形(くさびがた)文字が生まれました。この楔形文字の影響を受けてエジプトではヒエログリフ（聖刻文字）等の古代エジプト文字が生まれたと考えられています。

西を見ると、乾いた高原が連なるシナイ半島の向こうに大河が流れていて、その流域に豊かな土地があることをメソポタミアの人々は気づいていました。多様な民族が居住するメソポタミアでは、競争意識も激しく、いつも都市国家が覇権を求めて争っていました。

メソポタミアから見るとエジプトは気になる土地でした。ずいぶん早くから交易を求め

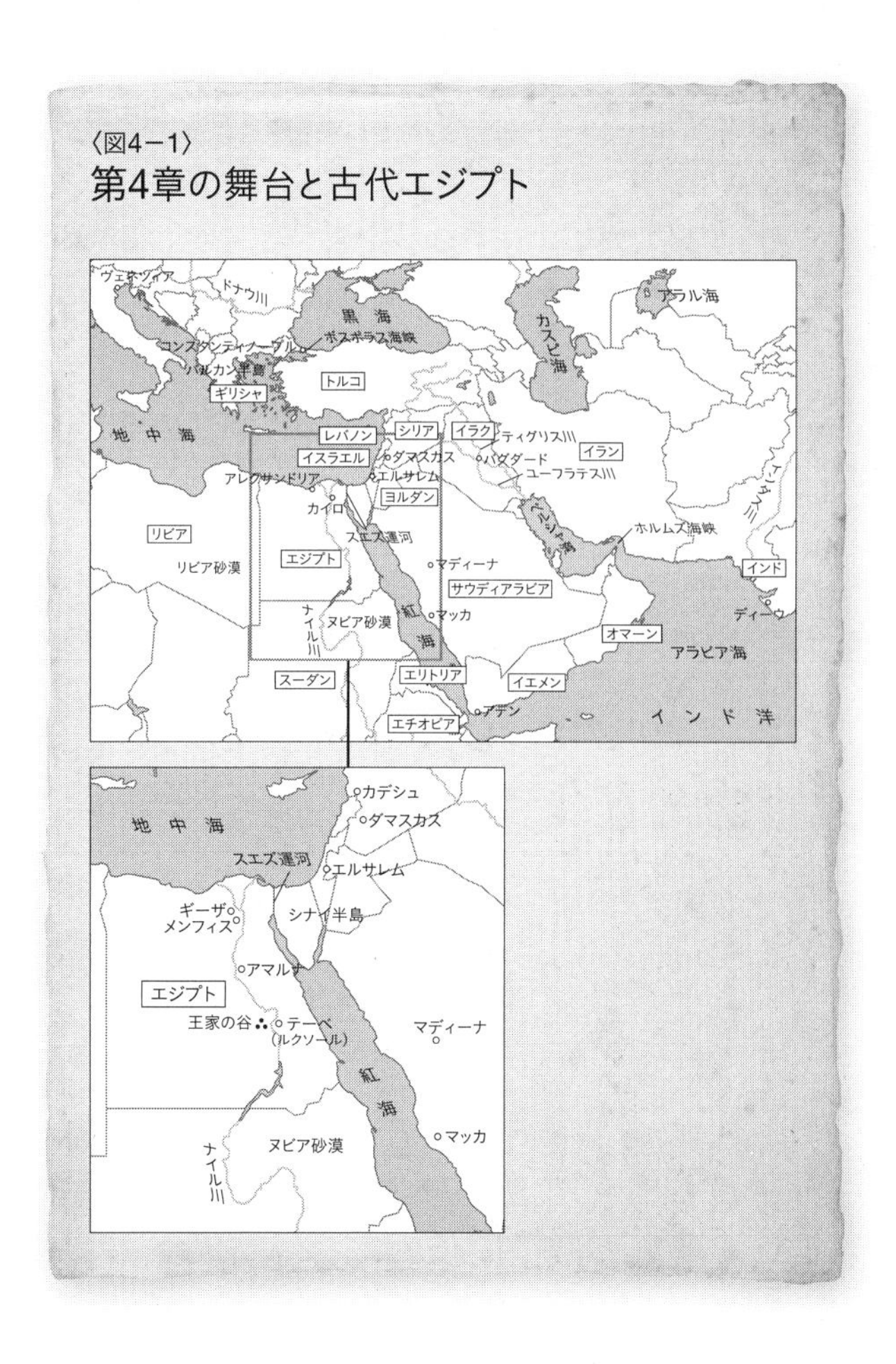

〈図4−1〉
第4章の舞台と古代エジプト

て、多くの人々がエジプトの地へ、足を運んでいた痕跡が残っています。

エジプトはとてつもなく長い歴史を持っています。しかし僕たちのエジプトについての知識は、ともすれば古代に片寄りがちです。この章では、あまり学校の授業に出てこなかった中世から近世のエジプトについても触れていきたいと思います。混迷する中東の現状について、何らかのヒントが生まれてくるかもしれません。

若い日に、ナイル川を旅したことがあります。この大河はかなりの上流まで旅客船が往復していることでもわかるように、高低差が少なく水量も豊かです。そして川の両岸に緑地帯が続き、その外側は砂漠です。上流に行けば滝もありますが、川の両岸に続く長い緑地帯と河口のデルタ地帯が、エジプトの中核となります。ナイル川が上流から養分を運んでくる肥沃な土地です。ここを治めることが、即ちエジプトの支配者になることでした。

川の両側のグリーンベルトを支配するには、川上に関所をつくって上流からの流入者をチェックし、川下に関所をつくって河口からの侵入者をチェックする、この2点を押さえれば、統治は可能です。両岸の外は砂漠で侵入は難しい。また、ナイル川は曲折の少ない直線の川筋です。しかも平坦な流れですから、川筋の曲がり角に監視所を置けば、侵入者は容易に発見できます。

こうしてエジプトでは、地理的条件からナイル川の上流と下流地域に、権力の焦点となる2つの地域が形成されるようになりました。上エジプトと下エジプトです。上エジプトの中心地はテーベ（今のルクソール）、下エジプトはメンフィス（カイロの南方）です。

ナイル川は平坦で川幅が広くゆっくりと流れているので、物資の輸送が楽であることも、大きな利点でした。君主が権力を握りそれを維持するには、昔はたくさんの穀物を貯えることが必要でした。ナイル川は、急な流れのティグリスやユーフラテスに比べ、物資の集積を容易にしたのです。

都市国家の発展はメソポタミアのほうが早かったのに、ナルメル王がエジプトを統一したのは紀元前31世紀、メソポタミア初の統一国家、アッカド帝国の登場がBC2330年頃と遅れを取ったのは、要するにナイル川流域のほうが、治めるのに簡単だったという話です。

まさに「エジプトはナイルのたまもの」。これは、ギリシャの歴史家ヘロドトスの言葉です。

■古代エジプト王国

ＢＣ３１００年頃に上エジプトのナルメル王（伝説のメネス王と同一人物かどうかは不明）が登場し、初めて上エジプトと下エジプトを統一しました。

ナルメル王は海に向かって広がる豊かなデルタ地帯を本拠地とし、都、メンフィスを建設しました。このメンフィスの別称がエジプトという国名の起源となりました。

エジプトが最初に安定したのは、メンフィスを首都とした古王国の時代で、第三王朝から第六王朝まで、およそ５００年間続きました（ＢＣ２６８２～２１９１）。

古王国は、巨大なピラミッドを残しました。ピラミッドは王の墓と推定されていますが、古代の公共事業でもあったのです。メンフィスに近いギーザの地には、有名な三大ピラミッド（クフ、カフラー、メンカウラーの三王）と大スフィンクスが今も残っています。

ピラミッドについて付言すると、クフ王の大ピラミッドに使用した石は、上エジプトで切り出し、おだやかなナイル川で運んだものでした。

古王国が滅びると、１５０年弱の第一中間期と呼ばれる小国分立状態に陥ります（ＢＣ

2191〜2040)。

次いで上エジプトのテーベを都とする王朝がエジプトを再統一して中王国をつくります。中王国は第十一王朝から第十二王朝までとされています(BC2040〜1794)。中王国はメンフィス南方のファイユームの地で、大干拓事業を行ないました。このことで穀物の収穫量は、さらに増大しました。また、中王国はクレタ文明(ミノア文明)を通して、ギリシャ文明に影響を与えました。

たとえば中王国の葬祭殿(墓)の前庭には、ラビュリントスと呼ばれる迷宮があるのですが、これと似たものが、クレタ文明の中心地クノッソスに残されています。この迷宮にアテナイの英雄テーセウスが侵入し、主の怪神ミーノータウロスを倒すギリシャ神話は有名です。またギリシャ最古の長編叙事詩イーリアスに登場する、トロイアに加勢したエチオピア王メムノーンの物語には、中王国の絶頂期を築きシリア方面にまで長駆して軍を進めたアメンエムハト三世の事跡が投影されているといわれています。

中王国が衰えた後、エジプトはシリア方面から進出したヒクソスと呼ばれる民族不明の集団に支配されます。ヒクソスが支配する第二中間期は200年以上続きます(BC1794〜1540)。

その後、ヒクソスに打ち勝ったエジプト人の王朝が、再度テーベを首都として登場します。新王国です。新王国は第十八王朝から第二十王朝までとされています（BC1540～1070）。約500年の栄華を誇った新王国時代に王のことをファラオ（大きな家の意味）と呼ぶようになりました。新王国は、ルクソールやカルナック、アブ・シンベルにある大神殿などの巨大建築で知られていますが、王墓は一転して王家の谷の岩窟墓へと変化しました。中でも黄金のマスクで知られるツタンカーメン（トゥトアンクアメン）の王墓が有名です。

また、シリアに進出したラムセス二世は、ヒッタイト王ムワタリ二世とカデシュの戦いを行ない、平和条約を結んで休戦にこぎつけました。現在僕たちがピラミッド以外で、古代エジプト文明の遺産としてイメージするほとんどのものは新王国時代のものです。一神教を奉じたアマルナ時代の芸術（ネフェルティティの胸象が有名）や、旧約聖書のモーゼの「出エジプト」も新王国時代の物語です。

新王国が衰亡すると、異民族の支配下へ

新王国は、BC1200年のカタストロフ（破局）を引き起こした「海の民」（東地中

海沿岸を荒らし回った諸部族の総称）の侵略をどうにか撃退したものの、第二十一王朝以後のエジプトの衰退は著しく、西方のリビュア（現在のリビア以西）やナイル川上流のヌビア（現スーダン）出身の王朝がエジプトを支配する時代に入ります。この時代は第三中間期と呼ばれ、第二十一王朝から第二十五王朝まで続きます（ＢＣ１０７０～６６４）。ヌビア人はピラミッドに感銘を受け、エジプトを追われてヌビアに戻った後、多くのピラミッドを創りました。ちなみに、現在、世界で一番多くのピラミッドが残っているのはスーダンです。

第三中間期の最後の頃には、東方の大帝国アッシリアの侵略が始まります。彼らはエジプトを属国として支配下に置き第二十六王朝を擁立して君臨しましたが、アッシリアが滅ぶと、第二十六王朝は独立します。

しかし第二十六王朝はペルシャに興ったアカイメネス朝によって征服されます（ＢＣ５２５）。そしてエジプトは、アカイメネス朝の属州になります（一時的に独立した時代も含めて第二十七～三十一王朝まで）。次いでＢＣ３３２年、マケドニアのアレクサンドロス大王によって、エジプトは征服され、ＢＣ３０００年代から継続してきた長い独立の歴史を閉じます。

結局古代のエジプトは、古王国・中王国・新王国と長期に安定した統一王国を3度もつくったものの、統一してはバラバラになる歴史を繰り返してきました。王朝は三十一代まで続きましたが（女系が基本）、エジプト人独自の王朝はだいたい新王国までで、そのあとはリビュアのベルベル人やヌビア人、アッシリアやペルシャが支配する王朝になっていきました。

なぜ外国勢力の侵略が絶えなかったかといえば、豊かな土地があったからです。エジプトはすでに古代から穀倉だったのです。

◆エジプトを支配した君主と王朝の系譜

「BC3000年頃から2000年もの長きにわたって王国をつくってきたので、エジプト人は王国をつくるのに疲れてしまったのさ」

そういう冗談があるほど、エジプトはBC1000年頃から、外国人に支配され続けます。エジプトの外国人支配は結構年季が入っています。半端じゃない。中国の穀倉である江南（こうなん）やヨーロッパの穀倉ウクライナが、なかなか自立できずに常に列強に狙われてはその支配下に置かれてきたのと事情は似ています。

そこでエジプトの歴史を、侵入してきた国々の側から見てみようと思います。

1 アレクサンドロスとプトレマイオス

アレクサンドロス大王とその後継者プトレマイオス。この2人はマケドニア人、すなわちギリシャ人です。

アレクサンドロス（三世、大王）はBC331年のガウガメラの戦いで事実上アカイメネス朝ペルシャを滅ぼしました。彼はしかし、その前年にアカイメネス朝が支配下に置いていたエジプトを襲撃して、この地を確保しています。それはアカイメネス朝にとっても、エジプトが食糧庫になっていたことを知っていたからです。ペルシャの食糧庫をまず押さえてから、ペルシャ本国に進撃するという、合理的な作戦でした。

彼はエジプト統治の拠点としてアレクサンドリアを建設しました。アレクサンドロスはアカイメネス朝の版図（はんと）をほぼそのまま簒奪（さんだつ）する形で大帝国を築きましたが、彼の死後（BC323）、ディアドコイ（後継者）戦争が起きます。その結果、帝国は3人の将軍の王国に三分割されました。マケドニア本国とギリシャを領土とするアンティゴノス朝、アナトリア半島とそれ以東のペルシャ本国を版図とするセレウコス朝、そしてエジプトを受け継いだプトレマイオス朝です。

この3人の中でアレクサンドロスの後継者を自任したのはプトレマイオスでした。一般に覇権が移行するとき、前の君主の葬儀を取り仕切る者が新しい覇者になります。日本でも信長の葬儀を執り行なった秀吉が天下を握りました。プトレマイオスもセレウコスと争って葬儀を取り仕切りました。そうすることで正統王朝の権威を得たのです。そして彼は、アレクサンドロスの妹、クレオパトラに求婚しましたが、アンティゴノスが許しませんでした。プトレマイオスはクレオパトラと結婚できなかったにもかかわらず、プトレマイオス朝の女王は、代々、クレオパトラという名前を引き継いでいきます。

また、神官だったマネトが『エジプト史』を著わしたのもこの王朝の時代のことでした（メネス王からアレクサンドロスまでを30の王朝に分け、古王国、中王国、新王国に三分したのは彼です）。

2 カエサルとクレオパトラ七世とアントニウス

クレオパトラ七世（BC69～BC30）は、数奇な運命を辿りました。

当時、もはや都市国家の域を越える大帝国となったローマを、元老院が牛耳(ぎゅうじ)っている共和政で統治することには無理があると考えた政治家がいました。それがユリウス・カエサル（BC100〜BC44）です。カエサルは彼を国賊と決めつけた元老院を討つべく、ルビコン川を渡ってローマに進軍しました。さらにエジプトに逃れた敵を追って、アレクサンドリアに入ったカエサルは、そこで弟と骨肉の争いを繰り広げていたクレオパトラ七世に出会います。カエサルはクレオパトラのために尽力し、彼女の女王としての地位を守りました。

2人は恋仲となり、カエサリオンという子どもが生まれました。ただ、このあとカエサルはローマで共和政側に暗殺されます。

カエサル亡きあと、カエサルの遠縁に当たり養子となったオクタウィアヌスとカエサルの武将アントニウスが争います。アントニウスは、エジプトに渡ってクレオパトラと結びます。2人は共同戦線を張り、オクタウィアヌスと戦いますが、BC31年のアクティウムの海戦で敗れ、2人は自死を選びます。

その後オクタウィアヌスはローマ皇帝となり、アウグストゥス（尊厳なる者）と呼ばれました。彼はエジプトを皇帝直属の州とします。穀倉としての価値をよく知っていたからです。

クレオパトラが絶世の美女であったという伝承を疑うわけではありませんが、もしかしたらカエサルもアントニウスもエジプトという穀倉を有しているクレオパトラを大切にした、という側面もあったと思います。

3 エジプトの小麦は600年間ローマ帝国へ送られ続けた

アウグストゥスの時代に皇帝属州となったエジプトからは、ローマへ大量の小麦が送られ、ローマ市民はパンを安価で入手できました。また皇帝たちは、サーカスやチャリオット（二輪戦車）の競走や剣闘士の試合を積極的に行ない、市民の支持を取り付けて（パンとサーカス）、平和な時代を築きました。ところが3世紀に入ると、気候の寒冷化に伴いドナウ川を越えて侵入する諸部族が激増します。そのためローマ帝国が誇りとしていた堅固な国境ライン（リーメス）の防備も、ずたずたになり始めます。そこで、帝国を分割統治して、難敵に当たろうと考えたディオクレティアヌスは293年に、四分割統治（テトラルキア、東西に正帝、副帝を置く）を始め、自らは東側の正帝となりました。

こうしてディオクレティアヌス以降、ローマ帝国の重心は、先祖伝来のローマよりも穀倉エジプトを含む東側に移りました。

この事態に対し、西側の正帝コンスタンティヌス一世は、自分が統治していた西方のローマ軍団と官僚を率いて東へ進撃しました。そして東側の正帝リキニウスを倒して、ローマ帝国を再統一し、330年、バルカン半島の東端、ボスポラス海峡を隔ててアナトリア半島を望むビュザンティオンに遷都したのです。この町はコンスタンティノープルと呼ばれるようになり、ローマ帝国は、俗に「東ローマ帝国」と呼ばれる時代に入っていきます。

新首都コンスタンティノープルとエジプトの都アレクサンドリアは、地中海の北と南にあり、ほぼ一直線です。ローマへ小麦を運ぶよりはるかに楽です。

またコンスタンティヌスは、隆盛期を迎えていたキリスト教の力を政略的に利用しました。第一回ニカイア公会議を開き、教義をめぐって論争していた2派のうち、三位一体を信条とするアタナシウス派を正統と認め、人気の出始めていたアリウス派を異端としました。

コンスタンティヌスがガリア地方（現在のフランスやドイツ）から、一線級のローマ軍団と官僚を東方に連れ去ったことは、この地は統治能力を持つ一級の人材を失ったということとほぼ同義です。ユリアヌスがパリで挙兵したときも同様でした。

ユリアヌスについては辻邦生が『背教者ユリアヌス』(中公文庫)という名作を残しています。ユリアヌスはギリシャ以来の伝統的な神々を奉じて、パリから東方へと進軍します。彼もまたガリア地方の優秀な軍団と官僚を、大量に連れて行きます。そしてコンスタンティノープルで皇帝となりました(在位361~363)。

この2人の皇帝が西側の精鋭部隊や人材を、ことごとく東側に連れて行ってしまったので、西側の人材は払底した形となりました。その地に大波のようにゴート族やヴァンダル族などの諸部族が入ってくることになります。帝国を維持すべき指導層の人材がいなくては防ぎようがありませんでした。

エジプトの小麦は、ローマへ約300年、コンスタンティノープルへも約300年、輸送され続けました。まさにローマ帝国の穀倉の役割を担っていたのです。

4 エジプトの支配はローマ帝国からイスラム帝国へ

「東」ローマ帝国の属領となっていたエジプトを、ほんの短期間(619~628)、サーサーン朝ペルシャが支配したことがあります。この王朝は、アカイメネス朝の血を引いていると主張していました。

サーサーン朝がエジプトまで遠征したのは、アカイメネス朝の栄光を再現したかったのでしょう。

「イランは大国だったのに、最近は小さくなってしまった。昔はエジプトも領土だったのだよ」

そんな話をイランの友人から聞いたことがあります。現代でも、彼らには、そういう心情が生きているのです。

このサーサーン朝と「東」ローマ帝国が死力をつくして中東の覇権を争い、両者がくたびれきったところへ登場してきたのがイスラム勢力でした。そして正統カリフ第二代のウマルが、６４２年「東」ローマ帝国をエジプトより駆逐（くちく）します。そして現代のカイロの基礎となるフスタートというミスル（軍営都市）を建設して、エジプト支配の要（かなめ）とします。

このあたりからは、内容の多くが第２章「イスラム世界が歩んできた道」と重複します。そのことに留意しつつ、エジプトの立場から歴史を見ていきたいと思います。

さてイスラム帝国は正統カリフ時代（６３２～６６１）の後、ウマイヤ朝時代を迎えます（６６１～７５０）。正統カリフ時代の都はマディーナ、ウマイヤ朝時代の都はダマスカスでした。両王朝ともフスタートを軸に、エジプトを支配します。

ウマイヤ朝を倒したのがアッバース朝です（750～1258）。この王朝は二代カリフ、マンスールのときに大都市バグダードを建設しました。アッバース朝は100年ほど権勢を誇りますがその後は衰えて、帝国内に多くの王朝が自立するようになります。エジプトも同様でした。

5 エジプトを自立させた2人の英雄。サラディンとバイバルス

バグダードの支配が弱体化したのを見て、エジプトではトルコ系のマムルークの総督が叛旗を翻してシリアを含むトゥールーン朝（868～905）を樹立します。トゥールーン朝を倒して、短期間、アッバース朝が再びエジプトを直接支配した後をトルコ系マムルークのイフシード朝（935～969）が継ぎますが、この王朝を倒したのがファーティマ朝（909～1171）です。

ファーティマ朝は北アフリカのチュニジアで、ムハンマドの娘ファーティマの末裔（まつえい）と称する人々が興した、シーア派の中でも過激なイスマーイール派の王朝です。彼らは自分たちこそムハンマドの後裔であるといってバグダードの権威を認めず、自らカリフを名乗りました。それを見てスペインでは後ウマイヤ朝の君主もカリフを名乗ったので、カリフは

3人になりました。ファーティマ朝は969年にエジプトを占領すると、フスタートの北側にカイロを建設して首都と定めました。さらに彼らはシーア派のイスラム神学の権威を高めるため、アズハルモスクに大学を設立します（970）。一方で、十字軍との争乱において、正面きって戦い続けていたザンギー朝が1164年にクルド人の将軍をエジプトに派遣します。彼が死んだ後、その甥、サラーフッディーン（在位1169〜93）通称サラディンが、エジプトで実権を握り、アイユーブ朝（1169〜1250）を開きます。

アラブ世界の英雄、サラディン
アイユーブ朝を開く。クルド人。「西方から侵入した蛮族フランク族」である十字軍をエルサレムから追い出した
©www.bridgemanimages.com/amanaimages

サラディンはファーティマ朝とは異なり、スンナ派を支持し、アッバース朝のカリフを認めました。さらにアデンを支配して海のシルクロードのひとつ、紅海ルートを押さえ、エジプトの国力を高めました。このようにファーティマ朝やアイユーブ朝がエジプトを支配するようになって、エジプトの小

麦はもうどこへも送られることがなくなりました。エジプトは再び自立したのです。

サラディンの特筆すべき業績は、十字軍が占拠していたエルサレムを奪還したことです。

十字軍は1099年にシリアからパレスチナの地に乱入すると、ファーティマ朝の管理下にあって、ユダヤ教徒もキリスト教徒もイスラム教徒もトラブルなく平和に巡礼していた聖地エルサレムを占領し、あまつさえユダヤ教徒とイスラム教徒を大量に殺害しました。そしてパレスチナの地にいくつかの十字軍国家（小都市国家）をつくりました。

この十字軍をエルサレムから追い出したのが人格高潔なサラディンでした。ヨーロッパでカール大帝やオットー大帝、そしてフランスのカペー朝に人気が集まるのは、彼らがそれぞれアヴァール族、マジャール族、ヴァイキングを追い払ったからですが、同様な意味で「西方から侵入したフランクという蛮族」を追い払ったサラディンはアラブ世界で人気の高い歴史上の英雄となっています。

もうひとり歴史上の英雄となっている人物がいます。マムルーク朝（1250～1517）のバイバルスです。

マムルーク朝はアイユーブ朝が戦力としていたトゥルクマーンのマムルークたちが、最終的に権力を握って樹立した王朝です。トルコ（キプチャク）系のバイバルスは、シリアからエジプトへ進入しようとしたフレグ・ウルス（イル・ハン国）の軍を、パレスチナのアイン・ジャールートの戦いで迎撃し、これに大勝して権力を握りました（1260）。

フレグは中東やヨーロッパに勇名を轟（とどろ）かせたチンギス・カアンの直孫です。そのモンゴル軍がアッバース朝を滅ぼして攻めてきたのですから、エジプトの不安は大きかった。これを撃破したわけですから、バイバルスの人気はいやがうえにも高まりました。そして彼はマムルーク朝の第五代スルタンになりました。

バイバルスはすぐれた政治手腕を持っていました。マッカのカアバ神殿を飾る絹布（キスワ）の奉納者としての地位を確立して、マッカ、マディーナ両イスラム聖都の保護者がマムルーク朝であることを世界に知らしめました。

また、フレグ・ウルスによって滅ぼされたアッバース朝のカリフの末裔をカイロに招き、カリフに就任させました。イスラム教のカリフはマムルーク朝が守るという立場を、鮮明にしたのです。

こうしてバイバルスは、「東から侵入した蛮族モンゴル」を追い払った英雄となったばかりではなく、イスラム世界の中心地をバグダードからカイロに移し、エジプトをイスラムの盟主としたのです。

サラディンとバイバルス、奇しくも2人の異邦人がエジプトを力強く復興させたのです。

エジプトのマムルーク朝が250年も続いた最大の理由は砂糖だった

サトウキビを原料とする砂糖の生産は、BC2000年頃にインドで始まったようです。古くから洋の東西で生薬として知られていましたが、商業ルートでみれば、サーサーン朝時代末期（7世紀）にイランに入り、アッバース朝時代（750〜1258）にはバグダードの宮殿で砂糖を使った料理が供され、シリアのダマスカスではシャーベットにして食べる、などイスラム世界で広く利用されていました。

フランス料理は、イタリアのメディチ家のカトリーヌ（・ド・メディシス）がフランス王室に嫁いだことから始まりますが、その元を尋ねるとバグダードの宮廷料理に辿りつくと伝えられています。

ところでヨーロッパの人々は、長い間砂糖の存在を知りませんでした。初めて知ったのは、十字軍がシリア・パレスチナの地へ侵入したときのことです。そして、その甘美なおいしさに触れたのでした。十字軍は、戦争で疲れた体に、浸み込むような砂糖の味わいを忘れられなくなりました。こうして十字軍を境に、ヨーロッパで砂糖の需要が急上昇することになります。このヨーロッパの砂糖需要に応えたのが、マムルーク朝でした。そこには次のような背景がありました。

十字軍はエルサレムから追われた後も、いくつかの十字軍国家をかろうじて守りつつ、第七回（1270）まで断続的に行なわれました。しかし最終的にはマムルーク朝によって残る十字軍国家がすべて崩壊させられて、1291年に終結しました。

アラブ世界のもうひとりの英雄、バイバルス
マムルーク朝の五代スルタン。「東から侵入した蛮族モンゴル」であるフレグ・ウルスを追い払った
©www.bridgemanimages.com/amanaimages

かくてマムルーク朝はシリア、パレスチナからアラビア半島の南半分、マッカ、マディーナを含む地域、そしてエジプトから紅海全域までを版図としました。このことは中国・インドにつながる交易ルート、海の道のうち、紅海ルートを完全に掌握したことになります。

さらにバイバルスの戦略的視点も冴えていました。彼はいまだにエジプトへの侵入をあきらめないフレグ・ウルスに対抗するため、ジョチ・ウルス（キプチャク・ハン国）と結びました。ジョチ・ウルスはチンギス・カアンの長男ジョチが、現在の南ロシアのヴォルガ川を中心とする地域に建てた国です。ジョチ・ウルスとフレグ・ウルスは、その建国者が血縁関係にありながら、カスピ海と黒海に挟まれたアゼルバイジャンの豊かな草原地帯の領有をめぐって争っていました。

つまり、ジョチ・ウルスとマムルーク朝は、南北でフレグ・ウルスをサンドイッチにして牽制（けんせい）する戦略を立てたのです。

こうして北の難敵を押さえたバイバルスは、紅海ルートを積極的に活用して交易による利益の拡大を図りました。紅海からインドへ、さらには中国へ、アラブ商人のダウ船が三角帆をはためかせて航海し、東南アジアの香辛料、中国の絹や陶磁器やお茶、インドの象牙や砂糖などを運びました。それらはアデンから紅海に入り、陸揚げされてエジプト本国に運ばれました。そしてアレクサンドリアの港から、ヨーロッパに向けて輸出されます。その荷を運んだのはヴェネツィアの商船です。

現実主義国家のヴェネツィアは宗教やイデオロギーよりも、交易を重視します。十字軍

〈図4−2〉
エジプトのイスラム王朝(10世紀後半〜13世紀)

ファーティマ朝の版図(10世紀後半)

アイユーブ朝の版図(12世紀)

マムルーク朝の版図(13世紀)

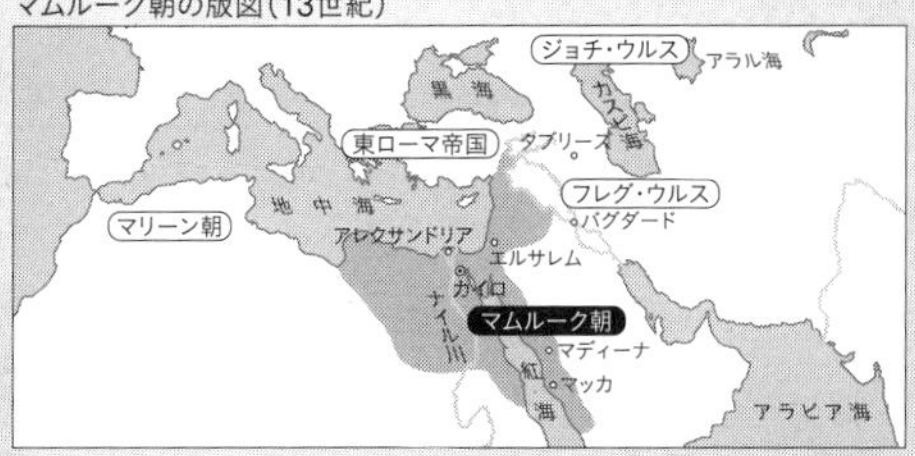

の時代にはその輸送でひと山当てましたが、マムルーク朝が勝利するといち早くアレクサンドリアに領事館を置き、ヨーロッパ交易の利権を手中に収めました。その中心に砂糖があったのですが、実は砂糖についてはインドからの輸入ばかりではなく、マムルーク朝は自分たちの手でサトウキビの栽培と砂糖への加工技術を独占していたのです。

バイバルスが土台を築いたマムルーク朝は、ナースィルというスルタンの時代（14世紀前半）に最盛期を迎えます。サハラ砂漠の南（サブサハラ）からマリ帝国のマンサ・ムーサという君主がマッカへ巡礼するためにやってきて、カイロで大量の金（きん）を消費したので、金相場が大暴落したというエピソードが歴史に残ったのも、この頃でした。

サブサハラの金は、ラクダの背に乗せられサハラ砂漠を縦断してマムルーク朝に運ばれ、そこからヴェネツィアやフィレンツェへ流れたのです。その金が、フィレンツェのフィオリーノ金貨やヴェネツィアのドゥカート金貨となりました。

最盛期のカイロにはモスクが立ち並び、いまやイスラム神学の殿堂となったアズハル大学がイスラムの学問の最高権威となっていました。

マムルーク朝は、ファーティマ朝やアイユーブ朝が築いた土台の上に、穀倉エジプトを、経済的にも文化的にもイスラム世界の中心に押し上げました。後にエジプトの大統領

イスラム神学の殿堂アズハル大学
マムルーク朝の最盛期のカイロにはモスクが立ち並び、アズハル大学はイスラムの学問の最高権威となった ©SIPA/amanaimages

となったナーセルが、「イスラム世界のリーダーは自分だ」と言ったのも、マムルーク朝以来の偉大な足跡を踏まえた上での発言でした。

このような輝かしいマムルーク朝の勢いも14世紀を境にして衰えます。１３４７年から１年あまり、エジプトはペストに襲われて、国力を奪われました。さらに１４９８年ポルトガルのヴァスコ・ダ・ガマによって、アフリカ南端を回ってインド洋に至るインド航路が発見され、ポルトガル船がインド洋交易に介入してきました。１５０９年マムルーク朝はインドの現地グジャラートの政権やオスマン朝と組んで、ポルトガル艦隊とディーウ沖の海戦を戦いますが、ポルトガルに敗北してインド洋の制海権を失います。そしてポルトガルはペルシャ湾の入り口となるホルムズと、紅海の入り口であるアデンを占領します。地中海に通じる道を閉ざされたマムルーク朝の交易収入は激減しました。

さらにアメリカ大陸での大規模なサトウキビ栽培と製糖が始まると、ヨーロッパ市場からエジプトの砂糖の需要がなくなってしまいます。

マムルーク朝は、1517年に東ローマ帝国の後継をも自任するオスマン朝に、カイロを占領されて滅亡しました。

イスラム教徒と砂糖、その関係は、お酒を飲まないイスラム教徒にとって大変に深いものがあります。彼らは紅茶に砂糖を入れて喉の渇きを癒すのです。sugar という英語はアラビア語の砂糖を意味する sukkar スッカル（元はインドのサンスクリット語）に由来しています。

ナポレオンが大勢の学者を連れてエジプトに進攻してきた

オスマン朝の支配下に入ったエジプトに、1798年ナポレオンが進攻してきました。その主たる目的は連合王国を押さえるためでした。ナポレオンは連合王国の生命線が植民地インドにあることを見抜いていたので、インドを押さえるために、エジプトを占領したのでした。これはアレクサンドロスや後のドイツの3B政策（ベルリン、ビュザンティオン、バグダードを鉄道で結ぶ）と同様の戦略で、エジプトから紅海を手中にして、そこからインドをうかがうという戦略でした。この視点がスエズ運河建設につながります。紅海ルートのほうが、喜望峰を回るより、はるかに距離が近いのです。

ナポレオンは、この派遣軍に200人の一流の学者を連れて行きました。29歳の青年将軍としては非凡なセンスです。

ナポレオン自身は、連合王国のネルソン提督にフランス艦隊を殲滅(せんめつ)されたので、単身フランスに帰りましたが、学者たちは暑いエジプトに残って研究と収集にはげみました。その成果は全23冊の『エジプト誌』に結実しました。これをきっかけに、ヨーロッパではオリエンタリズム（東方への憧れ）が生まれます。また、ロゼッタ・ストーンが発見され、ヒエログリフが解読されるという大きな成果もありました。ドノン（ルーブルの初代館長）は、多くの財宝を持ち帰り、ルーブル美術館がスタートしました。

エジプトの近代化を進めたムハンマド・アリーは
ひとつの時代をつくったが……

ナポレオンのエジプト支配そのものは、1801年、オスマン朝や連合王国の介入もあって失敗に終わります。直後のエジプトの混乱をまとめる功績をあげたのがムハンマド・アリーです。彼はオスマン朝からエジプトに派遣されたアルバニア人の傭兵隊長でした。彼はナポレオン退却後のエジプトにおいて、これまでの支配層であったマムルーク軍団を滅ぼして徴兵制を導入し、さらに富国強兵・殖産興業を推進して国力を高めました。

近代国家形成に向かって進もうとするムハンマド・アリーに対するカイロ市民の支持は高く、オスマン朝もこれを追認する形で、彼はエジプトの総督になります（在位1805～48）。ムハンマド・アリー朝が実質的に始まったのです。彼の威信は高まり、徴兵制によって強化された新しい軍隊は、アラビア半島の第一次サウード王国を滅ぼし、一時はシリアを領有してついに本国オスマン朝と対立するに至ります。ここに至って、オスマン朝の存続が自国の利益になると判断した西欧列強が動き、ムハンマド・アリーの軍隊は連合王国に敗れます。

その結果、エジプトはムハンマド・アリー一族が総督職を世襲することと引き換えに、兵力の削減やシリアからの撤退を余儀なくされます。また貿易の国家独占を止めさせられ、国内市場の開放を要求されました。要は西欧列強がエジプトを、経済的に従属させ、政治的に支配下に置くことに成功したわけです。

ムハンマド・アリーが1805年にエジプト総督になってから、第二次世界大戦後の1952年、自由将校団のクーデターでエジプトの王位が廃されるまで、この国を名目上支配していたのは、ムハンマド・アリーの一族でした。しかし実質的にエジプトを牛耳っていたのは連合王国でした。

スエズ運河はエジプトとフランスが協力し、フランス人レセップスが建設しましたが、対外債務返済のためスエズ運河会社の株式(44%)を手放そうとしたエジプトに対して連合王国の首相ディズレーリは、ユダヤ人銀行家ロスチャイルド家から融資を受け全株を購入して筆頭株主となりました。この頃から連合王国はエジプトを保護国化していきます。第一次世界大戦後にはエジプト王国が独立しますが、連合王国の間接的支配は揺るぎませんでした。

この支配を断ち切ったのは、自由将校団のリーダーのガマール・アブドゥル＝ナーセルです。彼はクーデターによって成立したエジプト共和国第二代大統領になると、冷戦下に積極的な中立外交を展開し米英と対立しました。米英は、エジプトに対してアスワン・ハイ・ダム建設資金の援助を約束していましたが、これを撤回しました。するとナーセルはスエズ運河を国有化してしまいます（1956）。エジプトは国有化に激怒した英仏と交戦状態に入ります（第二次中東戦争）。

最終的にスエズ運河の国有化は認められ、ナーセルの声望は高まりました。また、彼は中国の周恩来（しゅうおんらい）やインドネシアのスカルノとともに第三世界の立場から、世界平和をアピールしました。欧米を第一世界、ソ連圏を第二世界、そしてアジア、アフリカの新興国を第三世界と称したのです。そして自分たちの権利と世界平和を提唱しました。

ナーセルは、シリアと一時合邦するなど新しいイスラム世界の盟主として、ひととき輝きました。しかし、シリアとの合邦は約4年で破綻し、イスラエルとの6日戦争（第三次中東戦争）に敗れて威信は失墜しました。ナーセルの生涯はまるでムハンマド・アリーの生涯をなぞるようでした。ナーセルの後は、盟友のサーダートが継ぎ、サーダートの後はムバラクが継ぎました。

しかし21世紀の現在、エジプトについての話題は必ずしも明るいものではありません。

イスラム主義運動を弾圧して約30年以上にわたる独裁政権を維持してきたムバラク政権が「エジプト革命」(アラブの春の一環)と呼ばれる民主化運動で倒されました(2011)。しかしその後も、混迷は続いています。

紛糾が深刻化するイスラム世界で、もう一度エジプトは「イスラム世界の盟主」となれるのでしょうか。

〈第4章の関連年表〉

エジプトの歴史（BC3100頃～AD2011）

西暦（年）	
BC3100頃	ナルメル王がエジプトを統一
BC2682	古王国時代（第三王朝～第六王朝／～BC2191）
BC2191	第一中間期（～BC2040）
BC2040	中王国時代（第十一王朝～第十二王朝／～BC1794）
BC1794	第二中間期（～BC1540）
BC1540	新王国時代（第十八王朝～第二十王朝／～BC1070）
BC1070	第三中間期（第二十一王朝～第二十五王朝／～BC664）
BC525	第二十六王朝がペルシャのアカイメネス朝に征服され、第二十七王朝～第三十一王朝はアカイメネス朝の属州に
BC332	アレクサンドロス大王、エジプトを征服
BC331	アレクサンドロス大王、ガウガメラの戦いでアカイメネス朝ペルシャを破る。アレクサンドリアの建設始まる
BC323	アレクサンドロス大王、死去。ディアドコイ戦争起こる
BC304	エジプト王国（プトレマイオス朝～BC30）成立
BC31	アクティウムの海戦で、アントニウスとクレオパトラ七世がオクタウィアヌスに敗れる。その後エジプトはローマ皇帝直属の州に
AD293	ディオクレティアヌス、ローマ帝国を「四分割統治」
619	サーサーン朝ペルシャ、エジプトを支配（～628）
642	正統カリフ二代のウマル、「東」ローマ帝国をエジプトより駆逐
661	ウマイヤ朝成立（～750）
750	アッバース朝成立（～1258）
868	トゥールーン朝成立（～905）
935	イフシード朝成立（～969）
909	ファーティマ朝成立（～1171）
1099	十字軍、エルサレムを占領
1169	アイユーブ朝をサラーフッディーン（サラディン）が開く（～1250）
1250	マムルーク朝成立（～1517）
1260	マムルーク朝のバイバルス、フレグ・ウルスを破る
1291	マムルーク朝がアッコンを攻略し、十字軍終結
1347	エジプトにペストが流行（～48）
1509	マムルーク朝、ディーウ沖の海戦でポルトガルに敗北
1517	マムルーク朝、イスラム帝国オスマン朝にカイロを占領され、滅亡
1798	ナポレオン、エジプトに進攻
1805	ムハンマド・アリー、エジプトの総督に就任。ムハンマド・アリー朝始まる（～1952）
1956	ガマール・アブドゥル＝ナーセル、エジプト共和国第二代大統領に就任（～70）。スエズ運河国有化宣言。第二次中東戦争始まる
1958	エジプト、シリアと合邦し、アラブ連合共和国成立（シリアは61.9に離脱）
1967	イスラエルとの6日戦争（第三次中東戦争）でエジプト敗れる
1970	サーダートがエジプト大統領に就任（～81）
1981	ムバラクがエジプト大統領に昇任（～2011）
2011	エジプト革命

第5章

日本文化に大きな影響を残した唐宋革命

——平和はどのように築かれたか

◆派手さはないが重要な意味を持っている宋の時代

中国の歴史では商（殷）から周に王朝が移ったとき（ＢＣ１０２３）、政治と文化の両面で大変革が起こりました。その中心は、祭政一致体制から祭政分離体制への転換でした。商は天上の神を「帝」と呼び、自分たちの祖先と同一視していたのに対し、周は神を「天」と呼び、人と神を分けて考えたのです。政治や社会の主人公が神から人間に変わった。また、「帝辛」から「文帝」へと語順も変わりました。この大変革を「商周革命」と呼んでいます。

この商周革命に匹敵する大変革が、唐代から五代十国を経て宋の時代になるときに起きます。この変革は、古代・中世の社会から一気に近代社会に移行するような大きな社会文化の革命で、歴史上、これを「唐宋革命」と呼んでいます。ここで留意すべきことは、宋は唐やモンゴル帝国のような絶対的な覇者ではなかったことです。武力ではなく、平和的な政策で国内と対外関係を安定させ、３００年の安定を維持しました。しかし、その国家運営は必ずしもスムーズには行かなかった。そのあたりのことも含めて、この国の誕生から終わりまでを見ていきたいと思います。中国の覇権主義が話題にのぼり、東アジアの波風が高い今日、現実を俯瞰する一助になると思います。

また宋の文化は、日本の文化や日本人の生活に、現代に至るまで大変大きな影響を残しています。

■大帝国唐はどのように滅びていったか

唐は６１８年に建国され、９０７年まで続きました。日本では、文学的な観点から、初唐、盛唐、中唐、晩唐と４期に分けて論じられることも多いのですが、大別すると二期に分かれます。初代李淵から九代玄宗（在位７１２〜７５６。なお、中宗と睿宗の重祚を数えて九代としています）までの約１４０年間は、大きな世界帝国で草原の道やシルクロードをも支配していました。しかし安史の乱（７５５〜７６３）から滅亡までの約１４５年間は、普通の国になっていました。その間には次のような事情があります。

唐は、日本が手本とした北魏以来の均田制（口分田と租庸調）で天下を収めていました。これらは基本的には人頭税であり、国家の田畑を農民に耕作させ、軍隊も府兵制（兵農一致）で、農民の負担でした。この制度は日本においても破綻したように、唐においても崩壊していきました。ひとつには豪族の私有地（荘園）が増加したことです。また府兵と呼ばれた農民に課す兵役が重くなり、職業兵士を雇用せざるを得なくなったことでした。そして中国の広大な辺境地帯では、他民族の反抗や自立の動きも激しくなっていきました。これに対して唐は、藩鎮（はんちん）制で対処します。

藩鎮とは辺境防衛のために、軍事力のみならず民政権も財政権もあわせもつ地方組織のことで、その長を節度使（せつどし）と呼びました。この節度使の権勢が増大したときに起きた争乱が、安史の乱です。

安史の乱は、開元（かいげん）の治（ち）を開いて名君と呼ばれた玄宗が、困難さが増す政治にくたびれたのか、楊貴妃（ようきひ）に溺れきってしまい、政治を忘れて歌舞音曲にうつつを抜かしているときに起きた叛乱です。首謀者は節度使を３つ兼任していた安禄山（あんろくざん）です。彼はサマルカンド出身のイラン系ソグド人と、突厥（とっけつ）の混血児です。安禄山に従って叛乱に参加した史思明（ししめい）も、やはり突厥とソグド人の混血児でした。そのために、この叛乱は安史の乱と呼ばれています。

この安史の乱を鎮（しず）めるために、唐は突厥を滅ぼして建国したトルコ系のウイグルに力を借りました。そのおかげで唐は救われたのですが、その結果ウイグルに臣従するような形になりました。ちょうど漢（かん）を開いた劉邦（りゅうほう）が、匈奴（きょうど）と臣従関係を結んだのと同様の形です。

〈図5−1〉
「安史の乱」後の唐の版図(8世紀〜9世紀)

また安史の乱の真っ最中に、短期間ながらトゥプト（吐蕃）が長安を占拠しました。チベットの王朝です。さらに南西部の雲南には南詔というチベット・ビルマ系の国が大きな勢力をつくっていました。

すなわち安史の乱に結着がついて、どうにか唐が生きのびたとき、大唐世界帝国は、北をウイグル、西をトゥプト、南を南詔に侵蝕されて、長安を中心とする中規模の政権に転落してしまいました。この時代は、軍事的にはウイグル、トゥプトの2強時代と言っていいと思います。草原の道もシルクロードも閉じられてしまいました。

しかし唐は、さらに150年近く続きます。続いた理由は2つ挙げられます。

ひとつは税制の改革です。それは７８０年、十二代徳宗のときの宰相、楊炎の建議による両税法の施行です。夏に麦で税金を取り、冬に米で税金を取るので両税法なのですが、実はもっと大きな税制の大改革が含まれていました。それは人頭税から資産課税に切り換えたことです。それまでは、均田制によって口分田をもらった成人男子が税金を払い労役も負担する形でしたが、その建前を捨てて貴族や大豪族の私有地の存在を認める代わりに、その土地の規模に見合う米や麦を税金として支払わせたのです。唐はもはや貴族や大豪族の大土地所有を阻止する力を失っていました。それで公地公民の原則は残しながら、彼らの荘園を認めて課税したのです。貴族たちも土地の私有が認められたので、喜んで納税しました。これで唐の国庫は、一息つきました。

それからしばらくして８４０年に、ウイグルがキルギスに滅ぼされます。トゥプトでも反乱が起こって８７７年に国が崩壊しました。さらに南詔も９０２年、内乱で滅んでしまいます。

つまり唐は税制改革とライバルの衰亡で、生き延びることができたのです。しかし9世紀後半に入ると、困窮した農民の叛乱や内政の乱れが激しくなります。そうした農民たちを利用して叛乱を企てた男が黄巣です。唐は塩を専売品として利益をあげていましたが、黄巣は塩の密売人（塩賊）をしていたスケールの大きい悪党でした。彼は密売ルートを生かして杭州（こうしゅう）から長安までを荒し回り、その行動距離は毛沢東（もうたくとう）が人民解放軍を率いて移動した長征（ちょうせい）をはるかに超えるほどの規模でした。

黄巣の乱（875～884）は、一時は長安を占領するほど勢力を拡大しましたが、叛乱軍から寝返って、唐の節度使になった朱全忠（しゅぜんちゅう）などによって鎮圧されました。しかしこの大叛乱で、唐の国制はがたがたの状態になりました。すでに中国を支配する統一王朝ではなくなり、一国一城の主（あるじ）となって所領地を治め始めた節度使たちと、ほぼ同様の地方政権のひとつとなってしまったのです。

かくして時代は分極化の方向に進み始め、907年、朱全忠によって唐は滅ぼされます。そして、中国は五代十国と呼ばれる、約50年の分裂時代に突入し、その後に宋が登場します。

しかし、宋も中国全域を支配する強大な政権とはならず、中国の大統一は安史の乱以降は、モンゴルの登場を待つことになるのです。

五代十国時代に中国の古代王朝の残影が消えていった

五代十国（９０７〜９６０）とは、中央（中原の地）に5つの王朝が生まれ、地方に10の国が生まれたという意味です。中国には晋滅亡の後に五胡十六国（３０４〜４３９）と呼ばれた乱立時代もありました。しかし、この五とか十という数字は、必ずしも史実通りではなく、陰陽五行説の影響ではないかという指摘もあります。

ところで、この五代とは、唐を倒した朱全忠が河南省の大運河の結節点、開封（汴州）を都として建国した後梁を最初に、後唐、後晋、後漢、後周と続いた5つの王朝の総称です。

この中で後唐、後晋、後漢の三国はトルコ系の王朝（突厥・沙陀族）でした。朱全忠の宿命のライバルであった沙陀族の李克用の一族が建てた国が後唐で、以下三代、沙陀族の重臣に引き継がれる形で、中国の地にトルコ系の王朝が続きました。トルコ系部族の行動スケールの大きさに改めて驚かされます。

後晋を建国した石敬瑭は、キタイ（遼）に中国の北部、現在の北京（燕州）から大同（雲州）を結ぶ、燕雲一六州を献じて盟約を結び、後唐を滅ぼしました。しかし、いざ後唐が滅亡すると、燕雲一六州をキタイに渡しませんでした。立腹したキタイ軍は、後晋に乱入して約束を果たさせました。

このトラブルの真っ最中に、始皇帝が作製した伝国璽（皇帝の玉璽・印章）が紛失してしまったというエピソードが残っています。紛失した伝国璽には特徴がありました。漢は一時的に王莽（在位8～23）に簒奪されました。王莽は外戚です。伝国璽を求めた王莽の使者に、姑母の王政君が怒りにまかせて伝国璽を投げつけ、そのときに一部が欠損したと伝えられていますが、その欠損の跡は後晋の時代にも判別できたそうです。

話を戻します。五代の最後、後周の二代世宗は五代屈指の名君でした。彼が健在であったら、おそらく中国を統一していただろうといわれています。しかし若くして病没し、後継者が幼少であったので、世宗配下の臣下（節度使）たちは、豪腕の武将であった趙匡胤（在位960～976）を擁立しました。

このとき、幼少の皇帝と趙匡胤のあいだで禅譲の儀式が行なわれました。皇位を譲る儀式で、原則として公開の場で行なわれます。

皇帝「皇位を受けてほしい」

趙匡胤「いえいえ、私には無理です」

こういうやりとりを数回繰り返します。つまり、この政権移譲は平和的に行なわれるのだ、暴力で奪取（簒奪）するのではないぞと人々に納得させる儀式です。そして中国における禅譲の儀式は、これが最後となりました。

伝国璽が失われ、禅譲の儀式も最後となり、古代王朝の伝統が消えていく中で、新王朝の宋（９６０〜１２７９）が誕生したのでした。

■宋の基盤は２人の兄弟が固め、澶淵システムが長い平和へと導いた

宋は豪放磊落な兄趙匡胤（太祖）と冷静沈着な弟の趙匡義（太宗）の組み合わせでスタートしました。

趙匡胤は巧みな談合によって節度使を廃止し、その軍隊を取り上げます。

彼は、建国の後、自分を推挙してくれた節度使たちと祝宴を開きますが、その席上で、芝居気たっぷりにこぼしました。皇帝になったのに、気が休まらない、つらい、つらい。節度使たちはなぐさめます。権力はあなたが握っている。自分の思う通りにやればいいじゃないですか。

そこで趙匡胤が次のように言ったと伝えられています。

「そんなことを言っても、みんな地方に帰ったら自分の軍隊を持っているじゃないか。いつ裏切られるかと思うと、心配の種は尽きないのだよ」

「それなら軍隊はお返しして都に住みましょう。誰もあなたを裏切ろうなんて考えていませんよ」

こうして趙匡胤は、辺境の節度使の軍隊をすべて国軍（禁軍）に組み入れてしまいます。そして節度使たちには、開封に大邸宅を与え手厚く遇することで、彼らの厚意に報いました。内乱の芽は根本から抜き去られたのです。さらに趙匡胤は、科挙の制度に、「殿試」を設けました。皇帝が合格者全員と直接に面接をして、一番、二番と成績順を定めるのです。そうすると合格者は感激して、皇帝に一所懸命忠義を尽くすようになります。このことは同時に、朝廷内部で貴族や外戚の活躍する余地がなくなったことをも意味しました。

この時代の日本は、藤原道長の時代、源氏物語誕生の時代です。道長が外戚として権勢を振るい、娘に天皇の赤ちゃんを生ませて政権を思うがままにしていました。宋と比較すると古代と近世のような大差がありました。

弟の趙匡義は、中国の三大ワークホリッカーのひとりとされています。他の2人は始皇帝と清の雍正帝です。趙匡義の時代に中国は統一され、兄の描いたグランドデザインを、弟がしっかりと踏み固めたのです。

しかし名君が三代続くのはむずかしいといわれるように、趙匡義の子どもの三代真宗（在位997～1022）は、凡人でした。

一方、北の強国キタイは名君聖宗の時代となって極盛期を迎えつつありました。そのキタイが大軍を南下させ、攻撃に出たのです。

あわてふためく真宗へ、王欽若という茶坊主の政治家が、安全で豊かな長江の南へ逃げるよう献策します。北から蛮族に攻められたら江南へ逃げるのは、中国の歴代王朝のパターンです。しかし、この献策に対して寇準という気骨ある政治家が反対します。皇帝が戦う前に逃げては士気にかかわる。彼我の戦力を比較すれば、大差はないのだから、出陣して実力を示しましょう。そう説得すると真宗に大軍を率いて北へ向かわせました。そして河南省の澶淵の地で、両軍は対峙します。

ところが陣中に寝起きする日々が、真宗には恐くてたまりません。彼は夜になると部下の宦官に寇準の寝所を見に行かせます。そして、寇準が大いびきをかいて寝ていると聞いて、ようやく安心して眠れるといった具合でした。

しかし寇準も戦火を交えることを目的とはしていませんでした。まずキタイに対して毅然たる態度を取ることが目的でした。「なめるなよ」という姿勢です。一方の聖宗もすぐれた政治家でした。キタイの南下にもまた、宋の出方を試す意図があったのでしょう。つまり、寇準も聖宗も両軍合わせて数十万の軍勢が、実際に戦うことを望んではいませんでした。そして両者は、お互いに妥協してあゆみ寄り、澶淵（せんえん）の盟（めい）という条約を結びました（１００４）。

澶淵の盟は現代風に言えばＯＤＡ（Official Development Assistance 政府開発援助）と同様の仕組です。兄の宋から弟のキタイへ、毎年一定額のお金（銀10万両）や一定量の絹布（20万疋（き））を贈与する。経済大国宋にとって、それはさほどの負担にはなりません。そしてキタイはそのお金で、豊かな先進国である宋から生活物資や文明の利器を購入するのです。こうして戦争をしないで、お金で平和を買って住み分けるという「澶淵システム」は武力の北と経済の南という双方を安定させ、モンゴル帝国の登場まで宋の３００年の時代を支えます。

ところで、澶淵システムの仕掛人だった寇準には不幸が訪れます。

逃げましょうと献策した王欽若は、結果的に大恥をかかされました。彼は真宗にささやきます。お金で平和を買うなんて恥ですよ、貢物を蛮族に届けるなんて負けたも同然ですよ、寇準は辞めさせましょう。真宗には澶淵の盟の本当の価値がわかりません。戦場で恐かった記憶しかなかったのかもしれません。彼は王欽若にそそのかされて、寇準をクビにしてしまいました。

しかも真宗は、自分の面目も寇準につぶされたと思っています。なんとか面目を取り戻したいと王欽若に相談します。それに対する王欽若の答が、封禅の儀を行なうことでした。

封禅の儀は、山東省の聖山泰山で始皇帝を含む歴代の皇帝が天と地を祀った行事のことです。ところで、この行事を最後に行なったのは、唐の玄宗です。それは真宗の時代から２７０年も昔のことでした。多くの臣下を引き連れ、神様へのたくさんの供物を持って泰山まで出かけて行き、滞留する。莫大なお金と人手のかかる祭祀でした。こういう浪費は、政治が進歩して官僚が力を得てくると、誰も認めなくなっていく。要するに祭祀が合理的になるのですが、真宗は時代に逆行する封禅の儀を実行したのでした。

名臣を切り捨て、無駄な出費を行なった皇帝も出たのですが、澶淵の盟という実利を伴うシステムに助けられて、宋は安定していきます。なお、唐の太宗の政治を語った『貞観政要（がんせいよう）』と並ぶ帝王学の古典『宋名臣言行録（そうめいしんげんこうろく）』（ちくま学芸文庫）が最近になって復刊されたことは、とてもうれしいことです。この平和な時代が中国に唐宋革命と呼ばれるさまざまな変化を生み出します。その内容は多岐に及びますが、それでは分野別に見ていきましょう。

さまざまな変化を生んだ唐宋革命

1 政治革命・軍事革命

殿試を取り入れて科挙を完成させたことによって、始皇帝がグランドデザインした文書行政による中央集権国家もまた完成しました。優秀な官僚が補佐する天子の独裁制が確立したのです。宋以降、大貴族や外戚の活躍する余地はなくなりました。

また、藩鎮制を廃止したことによって、軍事権も天子が独占するようになりました。

2 農業革命

この時代にチャンパ王国（ベトナム中部。占城、林邑（りんゆう））からチャンパ米という長粒種の稲が、中国に入ってきます。それまでの中国のお米は、日本と同じジャポニカという学名の短粒種でした。しかし実りの早い早稲(わせ)のチャンパ米が入ってきて、短粒種は栽培されなくなり、チャンパ米だけが生き残っていきます。

チャンパ米は収穫が早いので、長江周辺では米と麦の二毛作が可能になりました。要するに食料生産が2倍となり、それに伴って人口も倍増しました。中国では、漢や隋・唐時代の６０００万人がこれまでのピークでしたが、宋の時代になると、人口は1億人近くまで増加していきます。

3 飲茶(やむちゃ)革命・火力革命

７６０年頃、唐の時代に『茶経(ちゃきょう)』という茶の本が出版されましたが、その当時のお茶は貴族階級がたしなむものでした。ところが宋の時代になると広く市民がお茶を飲むようになりました。そのために茶碗など陶磁器の需要が急増し、生産も大規模になりました。現在でも有名な江西(こうせい)省にある窯(よう)業(ぎょう)都市の景徳鎮(けいとくちん)は、この時代の年号「景徳」（１００４〜０７）から名づけられました。宋の青磁や白磁などは今日まで名を残しています。

また石炭やコークスが燃料に使用され始めたのも、この時代です。そのために陶磁器の製造もさらに生産性が高まり、茶器の需要を満たしました。この火力革命によって、高温で食物を炒めたり揚げたりする中華料理の原型が出来上がりました。

4 海運革命

唐から宋に移る頃にジャンク船が登場します。この船は大きな竜骨を持っていて、船体が密閉された小部屋を並べたような構造となっています。そして木にタールを塗って防水加工をしていました。そのために、なかなか沈まず、遠洋航海が可能となりました。また羅針盤も実用化されており、ジャンク船とセットになって海運革命の武器となりました。

こうして中国は積極的に海に出ていくのですが、これには前史がありました。唐の後期に、長安がトゥプトに占拠されたり、ウイグルや南詔に西方や南方へのルートを遮断され、草原の道が途絶えたので（シルクロード交易は昔から微々たるものでした）、交易をしようとすれば海に向かうしかなかったのです。宋の時代以降、古代中国の首都であった内陸の長安や洛陽が再び首都になることはありませんでした。宋の都の開封は、隋の煬帝（ようだい）がつくった大運河に接している都市でしたから、そのまま海につながっていました。モンゴル帝国のクビライが建設した大都（だいと）（北京）も、天津（てんしん）を通じて運河によって海と結ばれていました。

広州、泉州、明州（いまの寧波）などの大きな港湾都市も、この時代に整備されました。また媽祖と呼ばれる福建省の漁師の娘が、海の神様になるのもこの時代のことでした。船乗りの守護神が必要になるほど、海に出ていく中国人が増えたのです。

5 仏教革命

唐までの時代の仏教は、龍門の石窟に彫られた毘盧遮那仏（武則天をモデルにしたという伝承が残されています）に代表されるような、全世界を光明で満たす国家を鎮護する仏教が中心でした。また武則天は全国に大雲経寺をつくらせました。日本の奈良の大仏や国分寺は、これらを真似たもので、仏教は国家に保護されていたのです。しかし、三武一宗の法難（中国の4人の皇帝による仏教弾圧）に見られるように、保護と弾圧は紙一重です。

そこで仏教は、国家に頼ることなく自力で生きていこう、信者を獲得しようと真剣に模索を始めます。そして浄土教と禅宗が盛んになりました。南無阿弥陀仏と唱えれば救われると説くシンプルな教えの浄土教は庶民層に広まり、生きることの意味を問うなど難しい理屈の多い禅の教えは士大夫層に広まりました。この布教に大きな役割を果たしたのが木版印刷でした。この当時の印刷技術の進歩には、目を見張るものがあり、信者を得るためのアジビラや宗教文書の大量印刷が可能になっていたのです。印刷を発展させたのは、宗教でした。この印刷技術の発達が科挙を可能にしたのです（参考書が全受験者に行き渡って初めて全国統一試験が実施できる）。

なお士大夫とは、科挙官僚たちを生み出した地主（豪族）・文人（知識人）層のことです。

また、この浄土教と禅宗は日本に伝わり、日本の仏教界の中で今日でも主流を占めています。鈴木大拙（すずきだいせつ）はその著書『日本的霊性』の中で、この両者が日本人の宗教意識を形造ったと述べています。

6 三大技術革命

この時代に中国で発達して、世界に大きな影響を与えた三大技術革命があります。それは羅針盤と印刷術と火薬です。

唐代に黒色火薬が使い始められ、宋代に火器として武器に使用され始めました。日本に来襲したモンゴル軍の火器を、鎌倉武士たちは「てっぽう（てつはう）」と呼んで恐れたそうです。

7 都市文化革命

唐の都長安は、人口100万人ともいわれた世界有数の大都市でした。しかし長安は、城壁都市で、市内の各区画も城壁で固められていました。そして夜になると市門は閉じられ、出入りは不可能でした。長安には、シルクロードを旅してきた白人の女性が接待をしてくれる歓楽街もあったのですが、全体としては暗い町だったのです。

それに対して宋の開封は、運河に向かって開かれている都だったので、夜になっても出入が自由でした。交易で豊かになった多くの商人を中心に、人々が夜遅くまで活動していました。国際ビジネスに従事するユダヤ人街もありました。茶館が立ち並び、娯楽が市民に広く浸透し、講談や芝居、大道芸人たちに人気が集まっていました。

なかでも包拯(ほうじょう)という名裁判官が、強欲な役人やお金持ちを懲(こ)らしめる話は大人気でした。日本の大岡越前守(おおおかえちぜんのかみ)の物語のほとんどは、ここに原典があります。また、日本の講談や人形浄瑠璃(じょうるり)や歌舞伎なども開封(宋)文化の影響を受けています。

その様子をみごとに描いた絵巻が、「清明上河図(せいめいじょうかず)」です。春が訪れる頃の開封郊外の市

清明上河図
英国の歴史学者トインビーが「生きてみたかった時代」宋。その賑わいを描いた絵巻は、宮廷画家の張擇端（ちょうたくたん）が宋の八代皇帝徽宗に献上したとされる。故宮博物院蔵
©Alamy Stock Photo/amanaimages

民生活を生き生きと描いています。また『東京夢華録』（孟元老著、平凡社・東洋文庫）という書物には、最も華やかだった頃の開封（洛陽から見て東にあったので東京と呼ばれました。長安が西京＝西安です）の繁栄を、町の様子、名勝や年中行事について丁寧に著述しています。

8 唐宋革命の負の遺産、女性の地位の低下

市民にとって良いことの

多かった唐宋革命ですが、割を食ったのが女性ではないでしょうか。唐の時代は武則天に代表されるように、自分で政治を執ったり陰謀をも企む強い女性が多かったのですが、宋代になってGDPが増えると、男性がひとりで2人分を稼げるようになり、もう女性は働かなくてもいいという風潮が強くなりました。そしてこの時代は、男尊女卑の儒教が浸透していく時代でもありました。

生活が豊かになり儒教の教えが広まったことで、男性の権力が増大した結果、女性は家の奥深くで暮らし、男性の支配下に置かれるようになっていきました。極言すれば、男性の愛玩物のような女性観が強まったのです。

女性はなよなよと歩くのがセクシーだからと、子どもの頃から足の指をしばって小さい足にする、纏足という奇習が生まれたのは宋の時代のことでした。

9 唐宋革命と平清盛

唐宋革命の日本への影響については、これまでの話で触れてきました。日本の伝統となっている文化は、この宋の時代に平清盛や、禅宗の五山の僧たちによって持ち込まれたものが源流となっています。「わび・さび」という美意識も、宋の白磁や青磁に見られるシンプルで飾らない美しさと関連しているようです。唐時代の唐三彩にある華やかさとは、あきらかに一線を画しています。

なお平清盛は日宋貿易に着眼し（宋は南宋の時代に入っていました）、海外との交易の重要性を視野に入れていた稀有な政治家です。彼がほんの少しの間ですが、京都から福原（神戸）に遷都したのは、そのような構想があったのでしょう。日本の政治家で、京都から都を変えようとしたのは、清盛と明治政府だけでした。清盛はよく源頼朝と比較されますが、スケールの大きさと先見性（清盛の六波羅幕府が、鎌倉幕府のロールモデルとなったなど）で明らかに清盛がまさっていると僕は思います。

宋の寿命を延ばした王安石の政治改革

宋が建国されて１００年と少しが過ぎ、六代神宗（在位１０６７～８５）の時代になりました。宋はＯＤＡ政策により平和を維持していましたが、国家財政はいくつかの事情で苦しくなっていました。

ひとつは従来のキタイ以外にＯＤＡの相手となる国が増えたことです。現在の内モンゴルの、黄河が北へ湾曲して流れていく地方をオルドスと呼びますが、その地域に登場したチベット系タングート族の強国、西夏（せいか）です。

宋はＯＤＡ政策で平和を購（あがな）っていましたが、もちろん軍備も保有していました。建国の際に節度使たちから引き継いだ禁軍は今や１００万人を超え、財政を圧迫していました。また経済成長は順調でしたが、貧富の差が拡大していました。富裕な農民や新たな支配層となった士大夫が特権階級となっていたのです。貧富の差が拡大すれば、中間層がやせ細って、社会の二極化が進行します。二極化は現代の世界においても、しばしば生じる問題です。そして、安定した社会が厚い中間層を必要とすることは、古今東西みな同じです。

神宗は、王安石（おうあんせき）に国政改革を任せました。彼は以前から国情を憂慮して、政治改革案（万言（ばんげん）の書）を提出していたのですが、神宗はその献策を取り上げ、王安石を宰相に抜擢（ばってき）して改革に当たらせたのです（１０７０～７６）。

王安石の改革の理念は中間層の育成と富国強兵、小さい政府です。その主要な政策をいくつか紹介します。

1 農民を守る青苗法

農民が稲を栽培するためには種もみが必要です。それを地主から借りて収穫時に返すのですが、利息制限法などない時代ですから、地主は平気で10割以上の高利をつける。そして返せない農民の土地を取り上げてしまう。こうして自営農民は没落していったのです。

王安石は種もみを政府が農民に貸し出すようにしました。地主が高い金利を取っていたのを3割以下で貸し出しました。もちろん地主の恨みは買いましたが、こうして中間層の農民たちを守ろうとしたのです。

2 食料品の物価調整を企図した均輸法

宋は食料のほとんどを江南に頼っていました。食料を江南から開封まで運河で運んできて、そこで売るわけですが、その価格に業者たちは高いマージンをつけました。開封の人々は仕方なく高価な食料を買い求めていました。

王安石は、このマージンに上限をつけました。均輸法です。いままでは高い値段をつけていたのに、政府が制限をつけた。これは大商人の怒りを買いました。彼らの儲けが減った分、開封の市民は暮らしやすくなりました。

3 商人にもお金を貸す市易法

小売の商人は仕入れのためにお金が必要です。元手資金は、質屋から借りていましたが、ここでも青苗法と同様に暴利のトラブルがありました。返せないと使用人にされて一生浮かばれなくなります。そこで、ここでも政府が、低金利でお金を貸すようにしたのです。

4 特権階級の職役逃れをなくした募役法

当時、公的な仕事に必要な職役（運搬や会場設営などの労務作業）は市民や農民の義務でしたが、士大夫などの特権階級はこの職役を免除されていました。この職役は非常に重かったので、特権階級を含む全員から銭納させ、そのお金で政府が人夫を雇うことにしました。この銭納システムを募役法といいました。この制度も特権階級の怒りを買いました。

5 保甲法と保馬法

この2つは強兵策でした。保甲法は常備軍を補完する治安維持組織（民兵）の立ち上げを狙った政策で、農民を組織化しようとしたものでした。保馬法は軍馬の不足を補うために、農民に官馬を飼育させたものです。

6 科挙と学校の内容を変えた

それまでの科挙の試験では、上手に書を書き、美文で詩を書くことが最後の決め手になっていました。しかし王安石は、現代風にいえば経済や法律のような実務に直結する科目が中心の試験に切り換えました。さらにその受験参考書を自分で執筆しました。この効果は絶大で、新しく科挙に合格する官僚は自然と王安石のような合理的な思考を身につけるようになりました。

また、学校での教育内容をこれに準じて詩や修辞学に片寄らない、広く実務能力に秀でた人材を登用できる教科中心に変更しました。

7 礼制の改革。国の祭祀は天壇と地壇のみにした

王安石は官制の改革にも努め、官僚組織の簡素化を進めました。その典型が、国の礼制の改革でした。祖先を祀ることを始めとして、多くの礼制があったのですが、これを天を祀る天壇と地を祀る地壇の2つに簡素化しました。これによって祭礼にかかる費用を大幅に節約したのです。

王安石の新法と司馬光の旧法の対立

王安石の政策の目的は、中間層の育成と富国強兵、小さな政府でした。彼のすごいところは、すべての政策がこの目的に対して、みごとに整合する緻密な制度設計がなされてい

たことです。しかし彼の政策が実施されると、その効果がたいへん大きかっただけに、特権階級からの反撥にはすさまじいものがありました。その旗頭が政治家で歴史学者であった司馬光でした。理屈の上ではとても王安石には勝てないので、政府が利子を取ってもいいのか（商売をしてもいいのか）などという論理を持ち出します。孔子は商売しろとは言わなかったというわけです。

この論争は王安石の新法と司馬光の旧法の対立、と言われていますが、司馬光側には強力な理論的根拠はありません。あるのは新法で自由にお金儲けができなくなった大商人や特権階級の人々の、恨み、つらみの声です。

しかし、こういう人々の声に弱いのが、いつの時代も政府という代物です。結局王安石の改革はわずか5年ほどで終わりを告げます。けれども彼の目指したところは、実務官僚たちの支持を得て、王安石退陣後も神宗の在位中はおおむね新法が実行され、着実な成果を残しました。

王安石の思想は、資本主義の理論に修正を求めたケインズの近代経済学を支持する人々（ケインジアン）や、重商主義や富国強兵策を、国による統制を前提として推進したコルベールの考えに近かったと思います。時代を何百年も先取りしていました。

王安石の政策を宋がずっと継続していたら、この時代に中国は近代国家になっていたかもしれないという歴史学者もいます。しかし、あまりにも時代に先んじていたがゆえに挫折しました。

ところで王安石と司馬光は政治では対立していたのですが、2人とも文人として著名で（王安石は唐宋八大家のひとり）、お互いに尊敬し合っていました。司馬光は『資治通鑑』というすぐれた史書を残しています。知を重んじる士大夫たちには、良い時代であったのです。

かくして宋は王安石の改革で持ち直し、神宗の後、七代哲宗（在位1085〜1100）の時代は平安が続きますが、八代徽宗（在位1100〜25）の時代になって、波風が高くなります。

風流天子徽宗の失政と靖康の変

徽宗はすぐれた芸術家の天分を持っていました。彼の描いた「桃鳩図」は日本の国宝になっています。しかし大国宋の皇帝としてはかなり問題がありました。

たとえば花石綱があります。花石綱とは人手と船を徴発して大運河を利用し、江南の

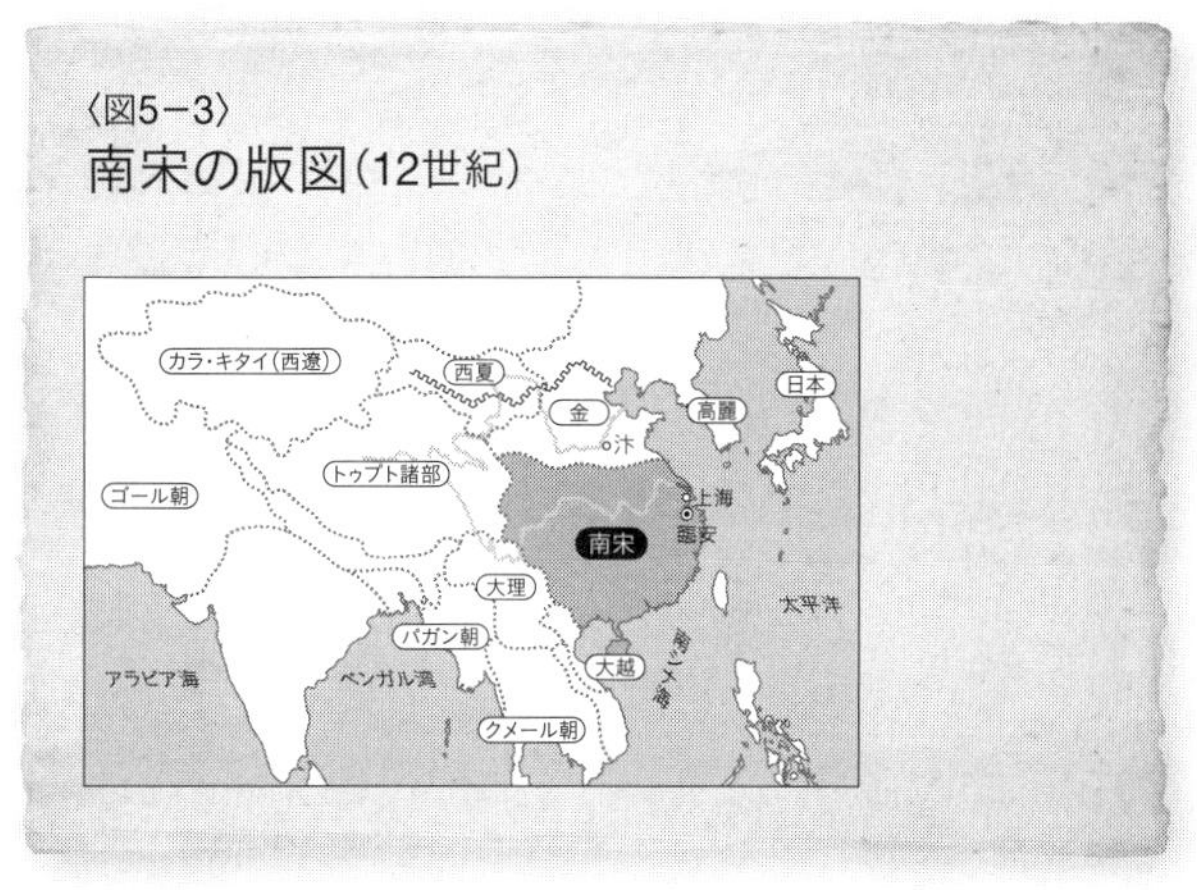

〈図5−3〉
南宋の版図（12世紀）

奇岩や珍木を開封の宮殿まで運ぶ船団のことでした。これらの奇岩や珍木を庭園に配して楽しむためです。これが日本の枯山水と呼ばれる作庭の元になっているそうです。まことに風流で洒落ています。しかし問題は、この運搬を本来は食料を運ぶ大動脈である運河を独占使用して行なったことです。巨岩を通過させるために、水門や橋を破壊することもありました。ここに至って民衆の怒りが爆発し、争乱が起きました。代表的なものが「宋江の乱」です。この史実が『水滸伝』のモデルとなり、宋江以下、１０８名の豪傑が山東省の梁山泊に集まって決起した物語となりました。

しかし風流天子徽宗の失政の最たるもの

は外交でした。

宋は燕雲一六州を占有するキタイと澶淵の盟を結んで、平和を保っていましたが、このキタイの国境の北、満洲の奥地で女真族・完顔部の金が台頭したのです（1115〜1234）。宋の重臣の中から金と手を結んで、キタイを挟み撃ちにしようという案が生まれます。宋は、海路、金に使節を送り、海上の盟を結んでキタイを共に倒すことを誓いました（1122）。

ところが、金の初代皇帝完顔阿骨打（在位1115〜23）の行動は迅速をきわめ、宋が動き出す前に独力でキタイを滅ぼしてしまったのです。しかし完顔阿骨打はキタイ追撃中に死去してしまいました。これを知った宋では、政治のわからない風流天子に、金が大きくなりすぎても困るからキタイの残党と組んで金を叩きましょうと、愚臣たちが献策します。これを伝え聞いた金は激怒して、宋を倒すべく大軍を南下させました。

びっくりした徽宗は退位し、九代欽宗に皇位を譲って責任逃れをしました。しかし金はこれを許さず、開封を占拠すると徽宗、欽宗を含めて宋の皇族や重臣、女官たちをことごとく北方に連れ去ってしまいました。この争乱を靖康の変と呼んでいます（1126）。

ここに宋は、あっけなく倒れます。しかし、靖康の変を逃れた欽宗の弟、高宗が臨安

（現在の杭州）を首都と定め、江南の地に宋を再建しました。この新しい国を南宋（1127～1279）と呼び、それまでの宋を北宋と呼んでいます。

もともと宋の食糧の大半は、江南の地から開封まで運河で運んでいたのですから、金が長江を越えて攻めてこなければ南宋は安泰です。澶淵システムを復活して、仲良くすればいいのです。結局はそのようになるのですが、南宋の政策が平和路線に決定するまでには、激しい政争がありました。

秦檜（しんかい）と岳飛（がくひ）の対立、南宋の終焉（しゅうえん）

いつの世の中でも平和を金で買う政策は、人気がありません。南宋がスタートしたとき、宰相の秦檜は彼我の軍事力を考えて戦争しても金には勝てないと判断しました。金の弟分となって、ODAの関係を結び平和共存する路線を歩もうと考えました。これが文官である秦檜の考え方です。

これに対して岳飛という将軍が猛反撥します。漢民族がいつまで異民族にへいこら頭をさげているんだ。正面からぶつかれ。戦ってみなきゃ勝敗は分からんぞ。これは大衆受けしてカッコいい。けれど主戦論は、いつも市民の命には無頓着です。

現実に眼を閉じた岳飛の強硬論に危険を感じとった秦檜は、岳飛を罠(わな)にはめて殺してしまいます。

こうして秦檜は誕生したばかりの南宋を救いました。岳飛謀殺の是非はあるとしても、当時の状況を冷静に分析してみれば、秦檜のとった行動は、まっとうでした。南宋１５０年の平和を実現したのです。

しかしその後、明の時代に入ると朱子学が中国を席巻(せっけん)します。朱子学は、南宋の時代に朱熹(しゅき)が完成させた新しい儒教の考え方です。論理的で優れた教えなのですが、問題は、漢民族のみが正統な王朝であるというイデオロギーを歴史に持ち込んだ点にあります。この結果、秦檜と岳飛の関係は逆転しました。

杭州に行くと岳飛を祀る岳飛廟があります。岳飛は救国の英雄となったのです。僕も行きましたが、大勢の参拝者が訪れていました。

その廟の前に鎖につながれた秦檜夫妻の像があります。そして岳飛廟にお参りした人々は、秦檜夫妻の像につばを吐きかけていきます。歴史にイデオロギーを持ち込むことの恐ろしさを感じる風景でした。

南宋は１２７９年、大元(だいげん)ウルスのクビライの大軍の前に、ほとんど戦わないまま全面降伏して終焉を迎えます。唐宋革命が生み出した文化の多くは、モンゴル世界帝国の中で花開いていきました。

〈第5章の関連年表〉

唐宋革命をめぐる歴史(7世紀~13世紀)

西暦(年)	
618	唐、建国(～907)
712	玄宗、唐の九代皇帝に就任(～756)
755	安史の乱(～63)。以降、東アジアは分極化へ
763	トゥプト(吐蕃)、長安を一時占拠。安史の乱でウイグルが唐を援助
780	両税法、施行
840	ウイグル、滅亡(キルギスに滅ぼされる)
875	黄巣の乱(～884)
877	トゥプト、滅亡
902	南詔、滅亡
907	唐、滅亡。朱全忠、後梁建国(～23)。五代十国時代(～60)へ
936	後晋、建国(～46)。キタイ(遼)に燕雲一六州を献じ、後唐を滅ぼす。伝国璽、紛失
959	後周の二代世宗、病没
960	趙匡胤(太祖)、宋を建国(～1279)。最後の禅譲
976	趙匡義(太宗)、宋の二代皇帝に就任(～97)
1004	澶淵の盟
67	神宗、宋の六代皇帝に就任(～85)
70	王安石、宰相に就任し(～76)、本格的な改革に着手
1100	徽宗、宋の八代皇帝に就任(～1125)
15	金、台頭(～1234)
26	靖康の変(～27)。徽宗、金に連れ去られる。宋、滅亡
27	高宗、南宋を建国(～1279)
31	秦檜、宰相となる
48	朱熹、科挙に合格。その後、朱子学を大成
1279	南宋、滅亡(大元ウルス、クビライの軍に全面降伏)

第6章

ルネサンスは神の手から人間を取り戻す運動だった

――里帰りの3つのルートとメディチ家

●なぜルネサンスを取り上げるのか

ストレートに言いますと、文化もしくは芸術は一定の経済力がなければ生まれません し、生きるか死ぬかの戦争をやっていたら文化など邪魔にしかなりません。いつの時代であっても経済成長と平和が文化や芸術興隆の母胎となるのです。

逆に、音楽を聞いたり、絵画や彫刻に感動するとき、人はパンのみで生きるものではないと気づかせてくれる側面も芸術にはあります。芸術は人間にとって大切なことを、神や権力によってではなく、人間自身の知と情で教えてくれるものだと思うのです。この章でお話ししたいのは、ルネサンスで起こったことは次のようなものではなかったのか、ということです。

「ほとんどすべての人がローマ教会の信者であった中世西ヨーロッパの世界では、ルネサンスが起こるまでは、芸術は神に仕える紙芝居のようなものだった。つまりキリスト教を布教するための道具だった。教会の壁に描かれた宗教画、宗教音楽（グレゴリオ聖歌）、そしてイエスやマリアの像。芸術がこうした神の世界から離れて、人間に向き合うようになった、人間を描こうと思うようになった。それがルネサンスの最大の成果であったのではないか。そしてその原点となったのが、ヤハウェを奉じるセム的一神教によってヨーロッパを追われたギリシャ・ローマの芸術や学問が、3つのルートによってヨーロッパに里帰りを果たしたこと。そして、その古典・古代の文化を大輪の花に咲かせたメディチ家などが存在したことだった」

第二次世界大戦の終結から70年を過ぎ、もう一度平和について考えるとき、西ヨーロッパの壮大な人間復活のドラマを見直してみたい。それが今回ルネサンスを取り上げた大きな理由です。

■古典・古代の文化は、どのように一神教革命の時代に継承されてきたか

Renaissance（フランス語）再生。この言葉が広く一般的に知られるようになったのは、19世紀の歴史家、スイス生まれのブルクハルトが『イタリア・ルネサンスの文化』を刊行したときからです。

ブルクハルトの本は1860年に発刊されましたが、明治維新が1868年ですから、ルネサンスという言葉は近代までほとんど知られていませんでした。つまり、レオナル

ド・ダ・ヴィンチもミケランジェロも、ルネサンスという言葉を知らなかったのです。

ルネサンスとは、いわゆるギリシャ・ローマの文化に戻るとか、古典・古代の人間が輝いていた時代を再生させるという意味合いなのですが、それではギリシャ・ローマの古典・古代の文化は、多神教否定の一神教革命の時代にどのように継承されてきたのでしょうか。

1 3大大学――アカデメイア、ムセイオン、ジュンディー・シャープール

まず、古典・古代の文化を継承してきた3つの有名大学（知の拠点）を挙げておきます。アカデメイア、ムセイオン、そしてジュンディー・シャープールです。

アカデメイアは、プラトンがギリシャのアテナイに開いた学問の殿堂で、当時の東京大学のような存在でした。BC387年に創設され、AD529年まで存続した、息の長い大学でした。信教の自由を主張したユリアヌス帝（在位361〜363）も、350年前後に時の皇帝コンスタンティウス二世に、アカデメイアに留学することの許可を求めています。

しかし、ユスティニアヌス一世の、非キリスト教的学校の閉鎖政策によって、529年

に閉校になりました。

このアカデメイアという言葉を語源として「アカデミー賞」が生まれたのですが、「ミュージアム」の語源になったのがムセイオンです。ムセイオンはＢＣ３００年頃にプトレマイオス一世がアレクサンドリアに建設した大学で、大図書館を併設していました。

プトレマイオスは、アカイメネス朝を簒奪（さんだつ）してそれを引き継いだアレクサンドロス大王の後継者のひとりでしたから、ムセイオンにはヘレニズムの文化が引き継がれていました。

ところでヘレニズムとは、ギリシャ人を意味するヘレネスという言葉から近代になってつくられた歴史用語です。この用語は、アカイメネス朝の文化とギリシャ文化の融合した状態を指す場合に、よく使用されます。

ムセイオンは5世紀初めに、キリスト教徒の焼き打ちによって灰燼（かいじん）に帰しました。

3つ目の大学、ジュンディー・シャープールは、サーサーン朝ペルシャのシャープール一世（在位２４１～２７２）がイラン南西部に開いた大学と付属図書館の名称です。サーサーン朝は、アカイメネス朝の血を引くと称して、ペルシャ人の大帝国をつくりました。その領域はアカイメネス朝、そして、それを引き継いだアレクサンドロスの王国とほぼ同じ版図です（エジプトを除く）。サーサーン朝には、世界帝国は世界の知を集めるものだというメソポタミアのアッカド帝国以来の伝統がしっかりと受け継がれていました。そのために彼らは、ヘレニズムの文化財や文献もしっかりと受け継ぎました。したがってムセイオンが消滅しても、ヘレニズム文化は守られたのです。

2 マアムーンがバグダードに建てた「知恵の館」

アカデメイアが閉校になったとき、アカデメイアの教授たちはギリシャを捨ててペルシャに向かい、ジュンディー・シャープールに再就職しましたが、サーサーン朝がイスラム勢力によって滅ぼされた後の展開は、本書の第2章「イスラム世界が歩んできた道」の「ギリシャ・ローマの古典を残したのはペルシャ人とアラブ人たちだった」の項で触れました。

イスラム帝国アッバース朝のカリフ、マアムーンが、唐から伝わった製紙技術を活用して大翻訳運動を開始する前後の830年に、バグダードに創設したのが知恵の館（バイト・アルヒクマ）です。あの時代に、バグダードに大学をつくって、どこから先生を連れて来たのだろう、という点ですが、これも第2章で触れたように、どうやら、ジュンディー・シャープールから先生をたくさん引っ張ってきたのではないか、といわれています。職員もジュンディー・シャープールの卒業生を採用していたようです。

こうしてギリシャ・ローマの古典・古代の文化を伝える文献は、そのほとんどがアラビア語へと翻訳されていきます。

3 古典・古代の文化が500年振りに帰ってきて、12世紀ルネサンスが始まった

知恵の館はアッバース朝の首都バグダードに置かれましたが、アッバース朝が衰退するとファーティマ朝（909〜1171）の首都カイロに文化の中心が移りました。また10世紀にスペインで覇を唱えた後ウマイヤ朝は、コルドバを文化の中心地としました。知りたがり屋のアラブ人たちは、知恵の館の伝統を引き継いで、カイロやコルドバをギリシャ・ローマの学問の拠点にしていったのです。

1085年のことです。後ウマイヤ朝が滅んだ隙をついて、キリスト教国カスティージャのアルフォンソ六世が、古都トレドを占拠しました。アルフォンソ六世はトレドでアラビア語に翻訳されたギリシャ・ローマの古典を発見しました。このときアカデメイア閉鎖以来約500年振りに、ギリシャ・ローマの古典はヨーロッパに里帰りしたのです。そし

て12世紀ルネサンスが始まりました。

では、アラビア語からラテン語に翻訳されたプラトンやアリストテレス、プトレマイオスやユークリッドが、ヨーロッパにどのような刺激を与えたかを、次に見ていきたいと思います。

なお12世紀ルネサンスという歴史用語は、20世紀のアメリカの歴史学者、チャールズ・ホーマー・ハスキンズが命名した言葉です。

トレドは、マドリード郊外にある古くから栄えた都市で、BC2世紀にローマ領になり、その後西ゴート王国の首都となりました。一方のマドリードは、後ウマイヤ朝の要塞としてつくられた小さな集落でした。後にカスティージャ王国が奪取し、1561年からその首都になりました。

さて、トレドの翻訳学派と呼ばれた人々の努力によって、これまでは名前だけしか知られていなかったギリシャ・ローマの有名な書物が世の中に出て、ヨーロッパ全体が知の刺激に沸き立ちました。知識人は一斉に古典に興味を持ち始めました。

その初期の代表的学者がアベラールです（1079〜1142）。フランスの神学者であり哲学者でもあった彼は、教会で新しい知識を踏まえた神学を教えました。スコラ学の

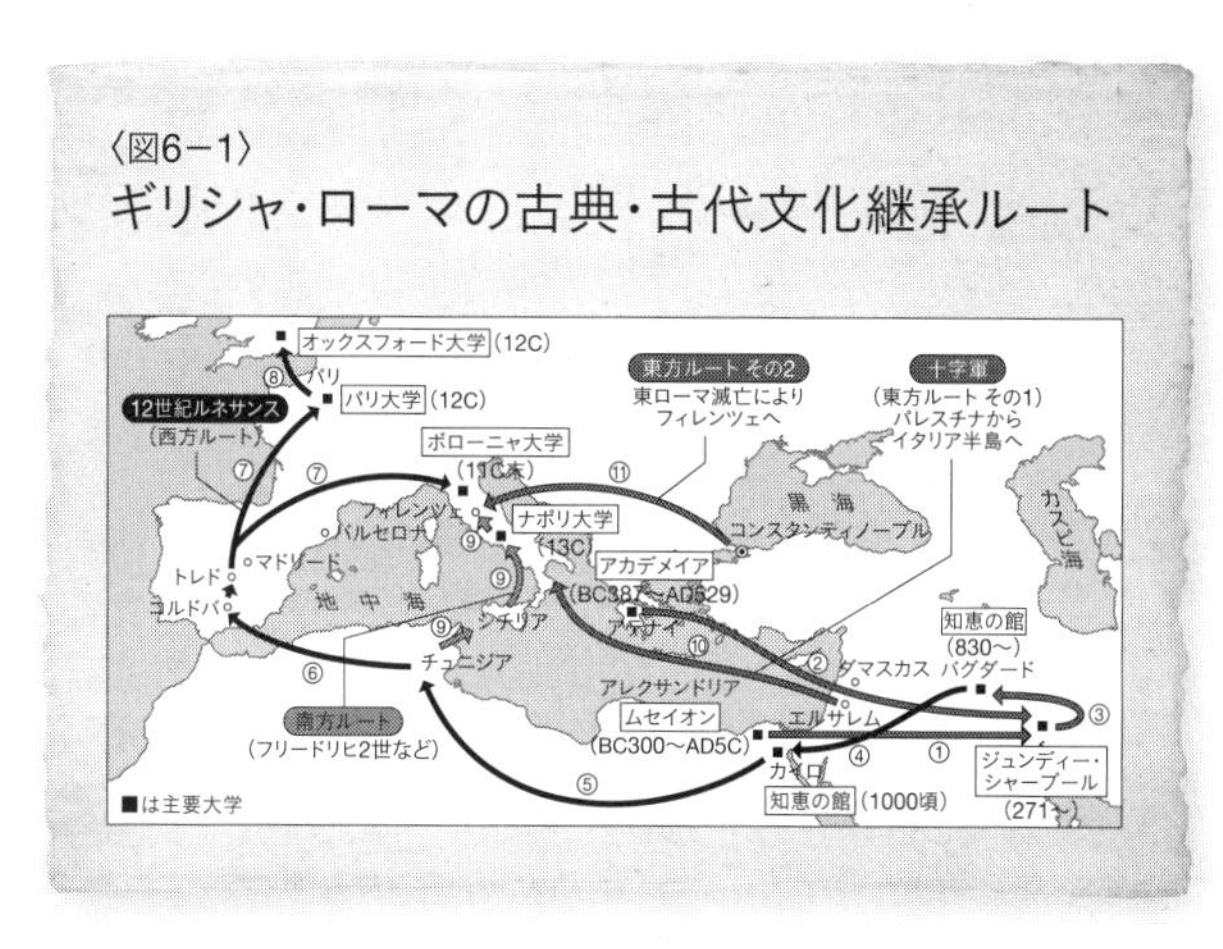
〈図6−1〉
ギリシャ・ローマの古典・古代文化継承ルート

祖といわれています。スコラとはスクールと同義です。当時の教会はインテリの集まる場所でもあったので、みんなが神学を発展させることを中心に、もっと学べる場所、すなわち大学が欲しいと考えるようになりました。こうして、11世紀の末にボローニャ大学、12世紀にパリ大学やオックスフォード大学が開校しました。

　これらの大学は、いずれも国を超えたヨーロッパの大学でした。ヨーロッパ中の向学心に燃える若者が集まってきましたが、基本的には神学を学ぶための大学でした。少し遅れて13世紀にナポリ大学が開校しますが、ここは官僚養成校であって、東大型の大学でした。ナポリ大学については後述します。

◆リベラルアーツの復活

古典・古代の文化を学ぼうとする精神が盛んになると、当然のことですが、神学以外の領域にも好奇心が広がります。たとえばシャルトル学派が登場します。パリ南西部のシャルトル大聖堂附属学校で教えたベルナールを中心とした思想家たちです。彼らは、ギリシャ時代からあったリベラルアーツを勉強しようとしたのです。リベラルアーツを学ぶと、ほぼ必然的に自由人について説いたプラトンを学ぶことになります。こうして、プラトンと彼の教え子であったアリストテレスの学問が、ヨーロッパ中に広がっていきました。

リベラルアーツとは、ギリシャ・ローマ時代の自由学芸（artes liberales）のことです。自由人には次の7つの学問が必要だと考えられていました。文法、論理学、修辞学、算術、幾何、天文、音楽です。これは今日でいえば、教養学科といえるかもしれません。けれどもリベラルアーツには神学とは必ずしも結びつかない側面があり、これらの勉強を深めることが、ルネサンスという新しい文化が芽生える契機となっていったのです。

教会の建築様式も大きく変化しました。それまでのロマネスク様式の、壁が厚くて暗くて重々しい感じの建物から、壁が薄くてステンドグラスの大きい窓がある、明るく神々しいゴシック建築へと移っていきます。これが可能になったのは、古典を学ぶことで、教会の天井の重さを分散させる技術を得たり、薄い壁でも大丈夫な建築技術を習得したからです。ゴシックは12世紀ルネサンスが生んだひとつの技術進化でした。

またヨーロッパの人々はギリシャ・ローマの伝説や神話を勉強するうちに、自分たちにも語り継がれてきた物語があることに気づきます。そして昔からの伝承をまとめておこう、書き留めておこうという運動が起きました。まさに文芸復興です。『アーサー王の物語』やケルト民族の物語に起源を置く『トリスタンとイゾルデ』、ドイツでは少し遅れて『ニーベルンゲンの歌』などです。

こうしてスペインを経由してヨーロッパ中に広がった、ルネサンスの最初の波が12世紀ルネサンスだったのです。

▶シチリア経由で帰ってきた古典・古代の文化とユマニスト

ところで古典・古代の文化がヨーロッパに里帰りしたルートは3つありました。ひとつは、西方のスペインからのルートで12世紀ルネサンスを生み出す原動力となりました。2

つ目が、南方、北アフリカのイスラム世界からシチリアを経由したルート、3つ目が、東方を侵略した十字軍や「東」ローマ帝国を経由したルートです。十字軍についてはすでに何度も触れてきましたので、ここでは、シチリア経由のルートを中心にお話しします。

北アフリカのイスラム文化の中心地は、ファーティマ朝やアイユーブ朝の都カイロでした。10世紀に入るとバグダードが衰えを見せ始め、イスラム文化の中心地はカイロやコルドバに移っていくのですが、シチリアは北アフリカのチュニジアとは目と鼻の先にあり、早くも827年にイスラム勢力に征服されます。さらに11世紀末にはノルマン人がシチリアを征服し、シチリア・ノルマン王国（南イタリアも領有）を建国、1102年にはヨーロッパで最初に紙の製法が伝えられています。そしてシチリア王国は婚姻によって1194年、ドイツのホーエンシュタウフェン朝に継承されました。

13世紀の前半にはフリードリヒ二世（イタリア名フェデリーコ）という近代的な思想と感覚をもったローマ皇帝（在位1215〜50）が、シチリアと南イタリアを支配しました。彼はドイツ王でもありローマ教皇と対峙しつつ、アイユーブ朝のスルタンと話し合ってエルサレムを回復した（第五回十字軍）名君でした。その当時のシチリアは、古くからある伝統文化と新しく進出してきた民族の文化が混じり合っていました。ドイツ人、ノルマン人、アラブ人、イタリア人、ギリシャ人、ユダヤ人などが平和共存していたのです。

フリードリヒ二世は、宗教には自由でかつ無頓着でした。サラセン人（イスラム教徒のアラブ人をこう呼ぶことがある）の親衛隊を持っていたほどです。自ら鷹狩りの本を書き、詩をつくるのが上手な知識人でした。パレルモの宮廷は、当代随一の国際的な文化サロンで、ラテン語に限らず多彩な言語が交わされ、そこで話された俗語がダンテの『神曲』に使用されたトスカーナ地方の言葉とともに、近世イタリア語の基礎を形成したといわれています。

彼はまた大学教育を重視しました。神学教育も大切だがこれからは官僚を養成しないと、近代国家は成立しないと考えて、１２２４年にナポリ大学を開設しました。

イスラム神学はギリシャ哲学を学ぶことで精緻なものになったのですが、同様にキリスト教の神学もプラトンやアリストテレスに学んで、高度に理論化されました。キリスト教神学を一段と高みに押し上げたのは、『神学大全』を著したナポリ大学の卒業生トマス・アクィナスです（１２２５?～７４）。なお、フリードリヒ二世は、中央集権国家を実現させるべく１２３１年に皇帝の書（メルフィ法典）を発布し、ローマ法を復権しました。

シチリアから押し寄せる古典・古代の文化復権の波は、南から北へとイタリア全土に流れました。そして数多くの詩人や思想家が登場しました。ダンテ、ペトラルカ、ボッカッチョに代表されるユマニスト（人文主義者）と呼ばれる人々です。神や人間の本質を考察し、それを大切にする考え方に立ちます。

ダンテ（1265～1321）はフィレンツェの小貴族でしたが、政争に巻き込まれてフィレンツェを追われました。彼は『神曲』の中で、ローマ教皇を地獄に落としています。この発想自体がすでに、神の世界から人間の世界を取り戻す、ルネサンスを準備していると思います。前述したように『神曲』で用いられたトスカーナ地方の言葉が、近世イタリア語の原型になりました。

ペトラルカ（1304～74）とボッカッチョ（1313～75）は親友でした。2人のみずみずしい感情にあふれた往復書簡はとても有名です（『ペトラルカ＝ボッカッチョ往復書簡』岩波文庫）。ボッカッチョの『デカメロン』は、ペストを避けた10人の男女が語り継ぐ世俗的な物語集です。登場人物たちの考え方や行動には、宗教を尊敬するようなところは、ほとんどありません。みんな自分の思うように生きています。14世紀にヨーロッパを襲ったペストは、「死の舞踏」と総称される寓話や絵画などを生み出し、「メメント・モリ」（死を想え）という言葉に象徴されるように敬虔な気持ちを人々に起こさせましたが、一方で「今を楽しめ」(カルペ・ディエム、その日を摘め)という現世肯定的な生き方をも生み出しました。『デカメロン』はその代表例でした。その意味では、ペスト禍もルネサンスを準備したのです。ボッカッチョは、また、ダンテの『神曲』の事実上の命名者でもありました。

こうしてフリードリヒ二世のパレルモの宮廷やイタリアのユマニストの著作が、ルネサンスの大きな花を咲かせるための道を切り開いていきました。その時代より少し遅れて登場する、もうひとりの大切な学者がいます。ロレンツォ・ヴァッラです。

神の手から人間を救い出したロレンツォ・ヴァッラ

彼は世界史の教科書には、ほとんど登場しません。2つの大きな業績を残していますが、いずれもローマ教会から歓迎されることではありませんでした。しかし、それはルネサンスを準備した人間の復活という観点に立てば、すばらしい業績であったと思います。

彼は15世紀の前半を生きたユマニストで(1407~57)、ナポリとローマで活躍しました。

ひとつ目の業績は「コンスタンティヌスの寄進状」が偽物であると喝破(かっぱ)したことです。

この書状は、ローマ帝国の都をローマからコンスタンティノープルへ遷都したコンスタンティヌス一世（在位306〜337）から、ローマ教皇に出されたといわれるものです。その内容は次のようなものでした。

「私は年老いて体力も気力もなくなったのでコンスタンティノープルに引退します。ついては、これからは、ローマを中心とする西方世界はローマ教皇であるあなたに私と同じローマ皇帝の権力を与えますのであなたが支配してください」

平たく言えば、西ヨーロッパの統治権をローマ皇帝がローマ教皇に譲渡した、そのことを示す寄進状です。これを根拠にしてローマ教皇は、堂々と「ピピンの寄進」を受けて領土を持ち、シャルルマーニュを西のローマ皇帝として戴冠しました。しかし冷静に考えれば、コンスタンティヌス一世がそんなことを言うはずはないのです。

もともとコンスタンティヌス一世はガリア（現在のフランス）を根拠とし、そこを支配下においていた皇帝です。ローマの教皇など、まったく格下の存在でした。第一、当時、ローマ教皇が現在のような形で実在していたかどうかも疑しいのです（5世紀のレオ一世が事実上初代のローマ教皇であるという説も有力です）。この寄進状のような世迷いごとを言うわけがない。けれどもローマ教皇は、コンスタンティヌス一世からお墨付きをもらっているのだと言って、西ヨーロッパに君臨してきたのです。

この寄進状が偽書であると完膚なきまでに論証したのが、ロレンツォ・ヴァッラでした。彼は「コンスタンティヌスの寄進状」に使われている単語をひとつひとつ分析しました。その結果、コンスタンティヌス一世が生きていた4世紀には、誰も使っていなかった言葉が寄進状の中にたくさん出てきたのです。そしてロレンツォ・ヴァッラは、自分がローマ教会に仕える身でありながら寄進状は8世紀（ピピンの寄進当時）に作成された偽書であることを論文にして発表したのでした。この行為そのものが、すでにルネサンスの精神を予告していたと思います。

もうひとつ彼は、大きな業績を残しています。それは『快楽について』（岩波文庫）という論文を書いたことです。

この論文で彼は、人間の愛を肯定し、性の歓びを認めました。そして女性の体は美しい、だからこれを賛美し、描くことは認められるべきなのだと言っています。愛と美の問題をロジカルに肯定した『快楽について』が書かれてから50年後に、ボッティチェッリの「ヴィーナスの誕生」が生まれています。

ルネサンスというと、絵画や彫刻に注意が向きがちなのですが、その前段階として文章

（論理学）の世界できちんと神の世界から人間を救い出す、神と人を分離するという大きな運動が存在していたことに留意すべきだと思います。フリードリヒ二世、ダンテ、ペトラルカ、ボッカッチョ、ヴァッラ、そしてフィチーノなどの功績です。

フィチーノ（1433～99）は、15世紀のメディチ家の時代の人ですが、メディチ家に保護されて古典の教養を積みました。そしてほぼ1000年前にユスティニアヌス一世が閉校したプラトンのアカデメイアに因んだ「プラトン・アカデミー」というサークルを創設して、その中心人物となりました。このサークルに多くの哲学者・文学者・芸術家が集まり、ルネサンスの波をイタリア中に広げる拠点になっていきました。

クアトロチェント、イタリアルネサンスの盛期

クアトロチェントは1400年代の世紀を表わすイタリア語で、美術史の世界で多用される用語です。すなわち15世紀に大輪の花を咲かせたイタリアルネサンスのことなのですが、実は15世紀のイタリアは、フィレンツェのメディチ家の世紀でした。メディチ家は銀行業によって得た巨額の富で、多くの芸術家たちのパトロンとなり、彼らの創作活動を助けました。またメディチ家のコジモの音頭でイタリア諸勢力間にローディの和（145

4）という和平協定が結ばれ、それまで争いの絶えなかったイタリアに40年に及ぶ平和が訪れます。こうしてルネサンスの花が開く条件が整ったのです。
ルネサンスという文芸復興の大波が、どのようにして起きたかを、これまで語ってきました。そしてついにピークを迎えたクアトロチェントのルネサンスを語るときが来たのですが、ここではまず、そのパトロンであったメディチ家と、そもそもなぜイタリアで銀行業が盛んになったのか、そこから見ていきたいと思います。

1 メディチ家はいかにして台頭してきたか

フィレンツェの銀行業は、メディチ家の登場より100年以上も前から栄えていました。14世紀のヨーロッパで最強の金融力を誇っていたバルディ、ペルッツィ、アッチャイウォーリのフィレンツェ三大銀行の時代です。

ところでフィレンツェを始めとする北イタリアの都市に富が蓄積されるに至った理由は3つありました。ひとつは東地中海交易です。イタリアには、アマルフィ、ピサ、ジェノヴァ、ヴェネツィア、という4つの海の共和国がありましたが、当時の先進地域であったエジプトのマムルーク朝に代表されるイスラム世界との交易で、巨額の富を得ていました。

もうひとつは十字軍です。十字軍の遠征は、ほとんどが海路を利用しました。そのほうが近いし、危険も少なかったからです。十字軍の輸送を引き受けて大きな利益を得たのも海の共和国でした。

3つ目はコムーネ（自治都市）の発達です。フィレンツェは海港都市ではありません。しかし、いち早くコムーネとして自立し、イタリア北部の中心都市としてローマ教皇庁とものつながりが深く、その金融にも関係していました。また、早くから毛織物産業も盛んでした。こうして北イタリアの富がフィレンツェに集まってきたのです。

フィレンツェに富が集中して、三大銀行が栄えたのですが、十字軍が終わってから70年近くが経って、イングランドとフランスが百年戦争を起こします（1337～1453）。当時の国力を比較すれば、フランスのほうが優位な立場にありましたが、イングランドのエドワード三世が父祖の地であるフランスの領土欲しさに、戦争を仕掛けたのです。なぜエドワード三世は戦争を仕掛けることができたのか。それはフィレンツェの銀行が軍事資金を貸してくれたからです。

フィレンツェの銀行は、世評ではフランス有利となっているこの戦争で、イングランドが勝てると計算したのです。というのは、イングランドにウェールズの長弓という新兵器があることを知っていたからです。この弓は従来の弓より射程距離が長く相手の矢の届かない距離から、相手を射殺できる。これは圧倒的に有利です。

しかし結果はフランスの勝利に終わります。エドワード三世に借金を踏み倒され、フィレンツェの三大銀行は潰れてしまいました。この空白を埋めるべく台頭してきた銀行のひとつが、メディチ家だったのです。メガバンクが揃って潰れたので新興の小さい銀行が急成長してその座を占めた、というプロセスでした。

2 メディチ家が開花させたフィレンツェのルネサンス

メディチ家はフィレンツェ郊外からフィレンツェに進出した新興勢力ですが、14世紀後半、フィレンツェの毛織物工業の下級労働者の暴動がらみの権力闘争（チョンピの乱、1378）に敗れて、一度追放されました。しかし、系統を別にするジョヴァンニが、ローマで教皇庁とつながって銀行業で資産をつくりフィレンツェへ戻ってきます。ジョヴァンニの息子コジモ（1389～1464）は、一度政敵の手で追放されますが、1年で復帰しました（1434）。彼は巨万の富を持っていましたが、政敵との闘争を避けて政治の表舞台には、登場しませんでした。

その代わり、財力を有効に使って、フィレンツェ共和国の指導者の大多数を自分の派閥に組み入れました。選挙をお金で操作したのです。こうしてコジモは、一市民でありながら、フィレンツェの市政を思うがままに動かせる立場になりました。そして、メディチ銀行もかつての三大銀行には及びませんでしたが、隆盛期を迎えました。なお、コジモの息子ピエロも、その後継者のロレンツォもコジモの統治スタイルをそのまま継承します。

コジモの後を継いだピエロ（１４１６〜６９）は、病弱でしたがメディチ家の盛運を守り抜きました。ピエロの息子のロレンツォ（１４４９〜９２）は、命を狙われるような権力闘争も経験しましたが、優れた政治能力と外交能力で、フィレンツェとイタリア全土の実力者となります。そして彼の時代にフィレンツェのルネサンスは最盛期を迎えます。コジモの復帰からロレンツォが死亡するまでの約半世紀が、辻邦生の『春の戴冠』（中公文庫）にあざやかに描かれています。

フィレンツェの大聖堂のクーポラ（ドーム）をつくった建築家のブルネレスキ、画家のフラ・アンジェリコやフィリッポ・リッピ、建築論や絵画論を著わした万能の天才アルベルティ、「ヴィーナスの誕生」や「春」を描いたボッティチェッリ、そしてレオナルド・

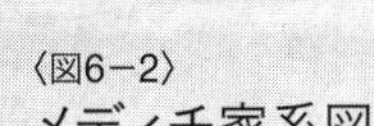
〈図6−2〉
メディチ家系図

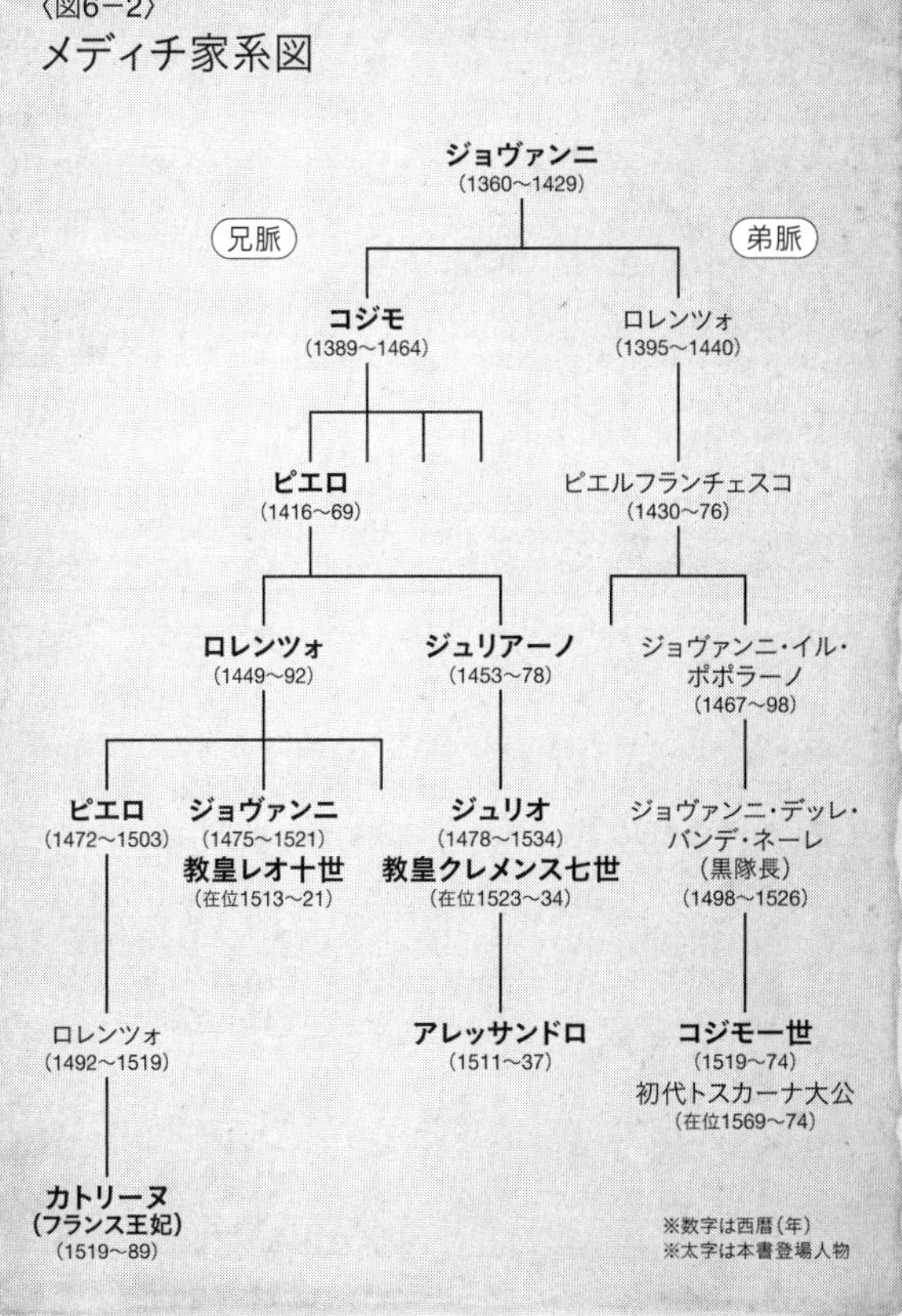
ジョヴァンニ
(1360〜1429)
兄脈
弟脈
コジモ
(1389〜1464)
ロレンツォ
(1395〜1440)
ピエロ
(1416〜69)
ピエルフランチェスコ
(1430〜76)
ロレンツォ
(1449〜92)
ジュリアーノ
(1453〜78)
ジョヴァンニ・イル・ポポラーノ
(1467〜98)
ピエロ
(1472〜1503)
ジョヴァンニ
(1475〜1521)
教皇レオ十世
(在位1513〜21)
ジュリオ
(1478〜1534)
教皇クレメンス七世
(在位1523〜34)
ジョヴァンニ・デッレ・バンデ・ネーレ
(黒隊長)
(1498〜1526)
ロレンツォ
(1492〜1519)
アレッサンドロ
(1511〜37)
コジモ一世
(1519〜74)
初代トスカーナ大公
(在位1569〜74)
カトリーヌ
(フランス王妃)
(1519〜89)
※数字は西暦(年)
※太字は本書登場人物

ダ・ヴィンチやミケランジェロ。これらのすばらしい天才たちが、この時代に生を得てフィレンツェに人間賛歌の芸術を残しました。これはほとんど奇跡に近いことであったと思います。

しかし銀行業としてのメディチ家は、コジモの時代がピークでした。ロレンツォの時代には坂道を転げ落ちるように、銀行業は傾いていきました。彼はメディチ家の権威を守る必要がありました。そのためには、市民の支持を確保し、またパトロンとして、芸術家たちの支援も必要でした。また彼自身がほんとうに芸術を愛していました。彼はフィレンツェの公金にも手をつけ、フィレンツェの祝祭の日々を継続したのです。

ひとつの家系が起業して成功するとき、創業者は必死に働きます。芸術にお金をかけたり、興味を持つ余裕はありません。創業者が一所懸命に働いて成り上がり、お金持ちになると、自分の子どもには教育を充分に受けさせ、教養や芸術を教えます。生活も贅沢になります。そこで初めて文化を愛し、芸術を楽しめる人間が生まれてきます。つまり、パトロンに最もふさわしいのは、二代、三代の人たちです。トーマス・マンが『ブッデンブローク家の人びと』で描いた通りですが、ロレンツォがまさにそうでした。

フィレンツェの文化の最盛期は、コジモの代に経済力のピークを迎え、それが去ったロレンツォの時代にやってきたのでした。ロレンツォにとってはメディチ家の財政よりも、芸術家を育て、すばらしい作品を創作させることに大きな価値があったのかもしれません。

「ロレンツォはフィレンツェの道徳を乱れさせ、男女の関係を堕落させ、教会を腐敗させる者である」と非難しつづけていたドミニコ会の修道士がいました。サヴォナローラです。彼の弾劾とメディチ家の反対勢力によって、メディチ家は１４９４年、ロレンツォの長男ピエロの代にフィレンツェを追放されます。そしてサヴォナローラが、１４９８年までフィレンツェの権力を握ります。彼は神権政治を行ない、「虚栄の焼却」と称して工芸品や美術品を広場に集めて焼却しました。

サヴォナローラの出現によって、フィレンツェのルネサンスは最初の幕を閉じました。

3 ヴェネツィアのルネサンス

イタリアはローマ教皇領という特殊な国家が真ん中にあることもあって、統一国家がなかなか誕生せず、その代わり専制君主もいないので、多くの都市が対抗し合いながら15世紀から16世紀にかけて発展してきた国です。この当時、フィレンツェと対抗していたのはヴェネツィアです。フィレンツェでルネサンスが盛んになると、やはりヴェネツィアでも芸術活動が盛んになります。

ヴェネツィアルネサンスの中心は、絵画にありました。

ベリーニ、ジョルジョーネ、ティツィアーノ、ティントレット、ヴェロネーゼなど、色彩感覚に優れた巨匠が多く生まれました。

4 ローマのルネサンスとメディチ家

フィレンツェでメディチ家が失脚し、サヴォナローラが市政を握った頃のローマ教皇は、ボルジア家出身のアレクサンデル六世でした（在位1492〜1503）。女性を愛し芸術を愛した偉大な教皇で、その子ども（庶子）が、権謀術数に富み、イタリアの統一を考えた教皇軍司令官のチェーザレ・ボルジアでした。アレクサンデル六世はサヴォナローラから人心が離れたのを見ると、すかさず彼を火刑に処します（1498）。フィレンツェは共和制を取り戻しました。

アレクサンデル六世のあと、たて続けに魅力ある教皇が登場します。アレクサンデル六世は女性が好きだったのでウェヌス（愛の神）、次のユリウス二世（在位1503〜13）

は戦さを好んだのでマルス（戦争の神）、その次のレオ十世（在位1513〜21）は文芸を愛したのでミネルヴァ（文芸の神）と、あだ名されました。

この3人のローマ教皇の時代に、ローマでルネサンスの大輪が開花します。まず、統治能力に秀でたアレクサンデル六世の時代に、ローマは活気づきます。続いてユリウス二世はヴァチカンの中心となるサン・ピエトロ大聖堂の改築に着手し、フィレンツェからミケランジェロを招きます。さらに同じ頃に、イタリア北部のウルビーノで生まれフィレンツェで修業していたラファエロも、ローマに呼ばれます。そして、ユリウス二世を引き継いだレオ十世の時代に、この2人の天才が中心となって、ローマ・ルネサンスは全面開花したのです。

レオ十世はロレンツォの二男、ジョヴァンニです。彼は兄のピエロが事故死した後、メディチ家の当主となります。そして1512年、ハプスブルク家と結んだ教皇ユリウス二世の後押しで、メディチ家はフィレンツェに戻ります。さらに1513年、ユリウス二世が死去すると、ジョヴァンニは弱冠37歳で、ローマ教皇に選ばれレオ十世となりました。

レオ十世は、何よりも祝祭を愛したロレンツォの子どもです。彼はラファエロを中心とする芸術家のパトロンとしてローマ・ルネサンスの最盛期を招来しました。しかし彼は自身の派手な浪費とサン・ピエトロ大聖堂の改築費を捻出するために、ドイツで贖宥状を販売してルターの宗教改革運動のきっかけをつくってしまいます（1517）。

レオ十世は45歳で急死しました（1521）。次の教皇も僅か1年で急死します。その後を継いだのはメディチ家の、ロレンツォの弟ジュリアーノの子ども（庶子）でした。クレメンス七世です（在位1523〜34）。

クレメンス七世は、当時の複雑な政治情勢の中でフランス王と同盟を結びました。ところがフランス王と対立する、ハプスブルク家のカール五世はこれをよしとせず、ドイツ傭兵（ランツクネヒト）にローマを襲わせました。この軍団がローマで殺戮と略奪の限りを尽くします（サッコ・ディ・ローマ、ローマ劫掠、1527）。これによってローマはほとんど廃都となり、多くの文化財が失われてローマ・ルネサンスは灰燼に帰しました。

5 メディチ家がもう一度フィレンツェにルネサンスを興す

サッコ・ディ・ローマによって、メディチ家はまたもフィレンツェを追われました。しかしクレメンス七世がカール五世と和解したために、1530年にメディチ家は再びフィレンツェに復帰します。そしてカール五世によってフィレンツェが共和国から公国とされたのに伴い、クレメンス七世の子ども（庶子）アレッサンドロが、フィレンツェ公に任命されました（1532）。また、フランスとのきずなにより、1533年、ロレンツォのひ孫、カトリーヌがフランス王室に嫁ぎます。

しかし5年後にアレッサンドロは暗殺されます（1537）。ここでメディチ家のコジモ以来の家系（兄脈）が断絶しました。そしてコジモの弟の系列（弟脈）のコジモ一世（在位1537～74）がフィレンツェ公を継承しました。コジモ一世はカール五世の庇護を得て、メディチ家の権力を回復し、ついに1569年、フィレンツェを含めたトスカーナ地方全域を治めるトスカーナ大公国の君主になります。

コジモ一世は首都フィレンツェを積極的に改造し、多くの建築物をつくりました。現在のフィレンツェはコジモ一世が整備した景観をとどめています。その先頭にいたのが、建築家で画家のヴァザーリ（1511～74）でした。ヴァザーリの回廊や、現在のウフィツィ美術館の原型となったフィレンツェの行政機関の事務所を建てたほか、『画家・彫刻家・建築家列伝』を著わし、イタリアルネサンス期の芸術家たちの生涯を記録して、後世に伝えました。なお、「ウフィツィ」Uffizio（トスカーナ語）は、office の原語です。

6 ルネサンスの名著『君主論』はいかにして生まれたか

ロレンツォの死後、メディチ家がフィレンツェを追われサヴォナローラの神権政治が崩壊した後（1498）、フィレンツェが共和国に戻った時期がありました。その時期にイタリア各都市の政治家やチェーザレ・ボルジアなどと、共和国書記官として渡り合い、大活躍した人物がマキャヴェッリです（1469～1527）。

しかしメディチ家がフィレンツェに復帰すると（1512）、政敵とみなされて書記官の職を失います。自分の能力を信じていた彼は、その悔しさをバネに、自己の経験も含めて、人間や政治の本質を追究しました。その書物が『君主論』です。彼は後にクレメンス七世の依頼で『フィレンツェ史』を書いています。しかしサッコ・ディ・ローマが起きたときメディチ家とともにフィレンツェを追われ、失意のうちに世を去りました（1527）。

なお『君主論』が刊行されたのは、彼の死後、1532年のことでした。

7 北方ルネサンスとヨーロッパへの広がり

クアトロチェントのイタリアルネサンスとほぼ同時期に、フランドルでも北方ルネサン

ヴァザーリの回廊
コジモ一世の住まいピッティ宮殿から、ヴェッキオ橋の2階部分を通り、行政機関の事務所（現ウフィツィ美術館）へ至る約1キロの通路。回廊の中には700点を超える絵画が架けられている
©MASASHI HAYASAKA/SEBUN PHOTO/amanaimages

スの花が開きました。

15世紀のフランドル地方では、ブルゴーニュ公国が栄えていましたが、その宮廷を中心に北方ルネサンスがスタートします。ファン・エイク兄弟が生み出した新しい技法（油彩技法。これまではテンペラかフレスコが主流）による絵画は、メムリンクなど多くの画家を魅了し、ギリシャ・ローマを理想としたイタリアルネサンスとは異なり、市井（しせい）の人々を等身大で描くようになりました。幻想的な作品を残したヒエロニムス・ボスや、人間性にあふれた宗教画や写実的に描かれた庶民生活の絵を残した16世紀のブリューゲルなどが、代表的な画家です。また音楽の世界では、イタリアではな

くフランドルで近代音楽の基本的な形が生まれたといわれています。ロッテルダムのユマニスト、エラスムス（1466～1536）の『痴愚神礼賛』は、教会や聖職者の堕落を風刺し、人間の愚かさについても語っています。

フランスでは、エラスムスより少し遅れてラブレーが登場します（1494～1553）。彼の『ガルガンチュワとパンタグリュエル』は、架空の巨人親子に神への風刺と人間賛歌を語らせた、ルネサンスらしい物語です。また、近代自我の始まりの書ともいわれる『エセー（随想録）』を著したモンテーニュも登場しました（1533～92）。

ドイツでは、エラスムスとほぼ同時期に画家のデューラーが生まれています（1471～1528）。彼はすぐれた写実性のある銅版画や絵画を残しています。また宗教改革の口火を切ったマルティン・ルターも、デューラーの10年ほど後に登場します（1483～1546）。

イングランドでは、早くも14世紀にボッカッチョの『デカメロン』の影響を受けたチョーサーが登場しています（1343～1400）。彼の『カンタベリー物語』は、イングランド至高のカンタベリー大聖堂へ巡礼に行く男女が、旅の宿で語り合う物語を通して、時代と社会を活写した世俗小説です。チョーサーはイングランド国民文学の開祖と呼ばれています。エラスムスとほぼ同年代のユマニストとしては、トマス・モアがいます（1478～1535）。彼はエラスムスと親交を結んでいました。一種の共産主義社会のような理想郷を描いた『ユートピア』を著しています。

また16世紀半ばには、「知識は力なり」という名言を残した哲学者でもあり政治家でもあるフランシス・ベーコンが生まれています（1561～1626）。シェイクスピアは彼のペンネームではないか、との説もあるほどです。ユートピア物語『ニューアトランティス』が有名です。そしてシェイクスピアが亡くなったとされる1616年には、スペインで『ドン・キホーテ』の著者セルバンテスが死亡しています。このように、イタリアルネサンスや北方ルネサンスの影響を受けて、ほぼヨーロッパ全域においてルネサンスが開花しました。

これには活版印刷の発展が尽力したといわれています。グーテンベルクの聖書が1455年、商業印刷の父と呼ばれるアルド・マヌーツィオがヴェネツィアにアルド印刷所を設立したのが1494年のことでした。

中国と同様に、宗教改革の荒波の中で活版印刷はブレイクします。ローマ教会側もプロテスタント側も大量のアジビラを必要としたがゆえに。こうした印刷術の発達に伴ってユマニストの思想はあっという間にヨーロッパ中に広がっていったのです。そして16世紀をもって、ルネサンスの時代は終わったと世界史の授業では学んだと思います。

僕はルネサンスの完成は、人間が宗教から完全に解き放たれたときであったと思います。そのことに触れて、ルネサンスの章の終わりとします。

ハムレット、ドン・キホーテ、ドン・ファンの3人が登場してルネサンスが完成したのではないか

19世紀のロシアの文豪ツルゲーネフが分類した2つの人物の類型があります。ハムレット型とドン・キホーテ型です。ハムレット型は考え込んでばかりいて決断できない人物、ドン・キホーテ型は現実を見ないで独りよがりの夢や正義感で行動してしまう人物です。このような人間の類型が出てくる、ということは人間の生き方が神の手から離れて自由に動き始めた、ということだと思います。この2つの類型が登場したのが17世紀の初めです。そしてそこに、もうひとつの類型を加えると、近代人の人物類型は出揃うのではないでしょうか。それがドン・ファンです。ひたすら異性を追いかける人。

ドン・ファンはスペインの伝説上の放蕩(ほうとう)児、すなわちプレイボーイです。この伝説をス

ペインのティルソ・デ・モリーナが1630年に戯曲化しました。

悩んで決めないハムレット、夢ばかり追いかけるドン・キホーテ、異性が人生のすべてのドン・ファン。このような人物像は神の意志によってではなく（信仰によって思考を止めるのではなく）、人間の知力によって造形されました。この時点で初めて、人間は神の束縛から本当に自由になったのではないか。

そこに至るまで12世紀ルネサンスから、500年ぐらいの長きにわたって、ヨーロッパでは各地にルネサンスが何回も起こった。その大きい山が、クアトロチェントのイタリアルネサンスとフランドルを中心とした北方ルネサンスの2つであったと思います。

ルネサンスは何かと問われて、すぐにレオナルド・ダ・ヴィンチ、ミケランジェロ、ラファエロなど芸術家の名前を挙げるのではなく、次のように考えたい。キリスト教のくびきから人間が近代的自我を取り戻すまでの500年がルネサンスであったと。そしてその契機となったのが、イスラム世界からヨーロッパに3つのルートで里帰りしてきたギリシャ・ローマの古典・古代の文化であったと。

フィレンツェのルネサンスの契機は、1453年にコンスタンティノープルが陥落して、ローマ帝国が滅亡したとき多くのギリシャ人の学者がフィレンツェに逃げてきたことに始まる、このような俗説が、いかに皮相的で本質を見ていないかは、今さら言うまでもありません。

〈第6章の関連年表〉

ルネサンスの歴史(BC4世紀〜AD17世紀)

西暦(年)	
BC387	アカデメイア開設(アテナイ、〜AD529)
BC300頃	ムセイオン開設(アレクサンドリア、〜AD5世紀初め)
AD271	ジュンディー・シャープール開設(イラン南西部)
830	知恵の館(バイト・アルヒクマ)開設(バグダード)
1000頃	カイロに知恵の館開設
1085	カスティージャ王国のアルフォンソ六世、トレドを占拠(トレド翻訳学派)
11世紀末	ボローニャ大学開設
1215	フリードリヒ二世(フェデリーコ)ローマ皇帝に就任(〜50)
24	ナポリ大学開設
31	フリードリヒ二世(フェデリーコ)、皇帝の書を発布
1321	ダンテ『神曲』完成
1431	ロレンツォ・ヴァッラ『快楽について』発表
55	グーテンベルクの聖書(初の活版印刷の聖書)
69	メディチ家のロレンツォ、フィレンツェを支配(〜92)
92	アレクサンドル六世、ローマ教皇に就任(〜1503)
94	アルド・マヌーツィオ、アルド印刷所を設立
98	サヴォナローラ、刑死
1506	ローマ教皇ユリウス二世(1503〜13)、サン・ピエトロ大聖堂改修に着手
13	レオ十世、ローマ教皇に就任(〜21)。レオ十世、贖宥状を販売
17	ルター「九五カ条の論題」。宗教改革始まる
23	クレメンス七世、ローマ教皇に就任(〜34)
27	サッコ・ディ・ローマ(ローマ劫掠)。マキャヴェッリ死去
30	クレメンス七世とカール五世が和解し、メディチ家、フィレンツェに復帰
32	フィレンツェが共和国から公国に。アレッサンドロ、フィレンツェ公に就任(〜37)。マキャヴェッリ『君主論』刊行
33	メディチ家のカトリーヌ(カトリーヌ・ド・メディシス)、フランス王室(アンリ二世)に嫁ぐ
37	アレッサンドロ、暗殺される。コジモ一世、フィレンツェ公を継承
64	シェイクスピア誕生(〜1616)。『ハムレット』(1600〜02頃)
69	コジモ一世、トスカーナ大公国の君主に
1605	『ドン・キホーテ』刊行
30	ティルソ・デ・モリーナが「ドン・ファン」を戯曲化

COLUMN キリスト教徒の銀行家とパトロンの誕生

ルネサンスの章に登場するフィレンツェの三大銀行やメディチ家は、ローマ教会の信者であって金融業者です。ところがシェイクスピアの「ヴェニスの商人」に登場してくるように、ヨーロッパでは金融業者といえば伝統的にユダヤ人の職業でした。何故か。

セム的一神教の神様は、お金を貸して利子を取ることを原則として認めません。今日でもイスラム教では、建て前としては利子の存在を認めていません。上手に対応策は取っていますが。このためもあってヨーロッパにおける金融業の担い手は、利子を取ることについては、戒律がゆるやかだったユダヤ教徒の専売特許となりました。

またユダヤ人は「バビロン捕囚」以来、他民族の土地で暮らすことが多く、なかなか自分の土地が持てなかったため、農業ではなく商業に活路を見出さざるを得ませんでした。つまり、交易の仲介（今でいう商社機能）や金融業によって、生計を立てざるを得なかったという面がありました。

しかし商業の発展とともに、お金を扱うことが大きな利益につながることが次第に明らかになってきます。自然とキリスト教徒の中にも、金融業に手を染める人が出てきたことでしょう。ローマ教会が金融業につくことを公式に認めれば、お布施も増えるでしょう。しかし利子を取ることを、なかなか正式に認めることはできませんでした。そこでローマ教皇は、上手な理屈をひとつ考えつきました。

「利子を取ることは神の喜ぶところではない。しかしその利益が神のために使われたり、貧しき者たちを救うために使われるのであれば、許されるであろう。喜捨をしなさい」

こうしてキリスト教徒の金融業者や銀行家は、大手を振ってビジネスに専念し、同時に貧困者や才能ある人を経済的に援助するパトロンの役割をも担うようになりました。フィレンツェの捨て子養育院やアウグスブルクのフッガーライ（貧者の家、集合住宅）が生まれたのです。アメリカの大富豪が莫大な寄付を行なうのもこの延長線上にあるのです。

第7章

知られざるラテン・アメリカの歴史

——スペインの支配、独立運動、キューバ危機

■この章の最初に

歴史に新しい視点をもたらしたブローデルやウォーラーステインは、その理論形成の基礎となる世紀として16世紀を選びました。この世紀の口火を切ったのは、１４９２年にコロンのサンタ・マリア号が新大陸に到達した出来事でした。しかし17世紀以降、メキシコや南アメリカの歴史は、世界史の裏舞台的存在に終始してきたように思われます。僕たちが学んだ世界史の授業でも、あまり登場してこなかったので、中南米諸国の歴史的展開についてては、知るところが少なすぎるのではないか。そのように考えたことが、本章にラテン・アメリカを取り上げた最も大きな理由です。アメリカ大陸の歴史を知れば、リオ・デ・ジャネイロで開かれた２０１６年のオリンピック・パラリンピックも一層身近なものとして理解できるのではないでしょうか。

■縦に長いアメリカ大陸では文明間の交流が難しかった

アメリカ大陸では、北緯約19度、メキシコのベラクルス州の付近に、ＢＣ１２００年頃から紀元前後にかけて栄えたオルメカ文化の遺跡が残っています。また、ペルーの北部ア

〈図7−1〉
本章の舞台
コロンの新大陸到達後のアメリカ大陸(16世紀)

※現代の地図に主な古代文明エリアと16世紀の領地を記す

ンデス山中、南緯約9度の地点に、ほぼ同時期に栄えたチャビン文化の遺跡が残っています。しかしこの2つの文化圏の間にはなんの交流もありませんでした。オルメカ文化のあった場所もチャビン文化のあった場所も、高原地帯で気候は似通っています。しかしメキシコからペルーに行こうと思ったら、パナマ運河地帯を通過しなければなりません。そこは低地で熱帯です。この地帯には多くの病原菌が生息し、今日でも生水を飲むのは危険な地域です。昔から人間が移動しにくい、死亡する旅人の多かった地域でした。要するに縦移動は難しいのです。気候の変化が少ない北緯45度から30度以内に存在し、横移動によってお互いに影響し合って発達したメソポタミア、エジプト、インド、中国という4つの文明圏を生んだユーラシアと、アメリカ大陸の地理的条件は異なっていたのです。

その後も、アメリカ大陸の諸文明は、メキシコ中央部とペルーのアンデス山脈の高原地帯で孤立して発展し、ユーラシアのような交流はありませんでした。

新大陸を「発見」したと思い込んでいたコロンは終生、その地をインドであると信じていました。コロンはスペイン王に、新大陸の総督職を要求するなど、自分の権益を守ることには熱心でしたが、自分の偉業をPRする才覚には欠けていたようです。そのためにフィレンツェ生まれのアメリゴ・ヴェスプッチに、新大陸の名前を取られてしまいました。

アメリゴ・ヴェスプッチは、コロンの後に新大陸を何度か訪れ、そこがインドではなく未知の4つ目の大陸であるという確証を得ると、そのことを「新世界」という論文で公表しました（1503）。1507年、ドイツのヴァルトゼーミュラーが「新世界」を収録した『世界誌入門』を出版しその中の世界地図で新大陸をアメリカと名付けます。このことから、新大陸はアメリカと呼ばれるようになりました。アメリカは、アメリゴのラテン語名であるアメリクス・ウェスプキウスの女性形であるそうです。

また、現在、中南米諸国では、ポルトガル語を話すブラジル以外の国はスペイン語を話しています。こうなった由来は、次のような事情によります。コロンが新大陸を「発見」した後、ポルトガルの船が、ブラジルに到着します。スペインは自分たちの発見した大陸をインドだと思っている、ポルトガルはブラジルがコロンの発見した大陸とつながっていることに気づいていない。アメリカ大陸の全体像が把握されていない以上、当然なのですが。そこでスペインとポルトガルは時のローマ教皇に、新世界山分けの基準作りを依頼します。

そのときの教皇は、ボルジア家出身のアレクサンデル六世でした。彼にも無論、アメリカ大陸の全体像はわかっていません。彼は当時、二国が現実に占有している地域を考慮して、基準線を引いたのです。その線は、現在のサンパウロのやや東から真っすぐ南北へ延びる、西経46度37分の線です。その東側をポルトガル領、西側をスペイン領とすることが定められました。いまこの線で区分して南アメリカ大陸の地図を見ると、90%がスペイン領になってしまいます。この新世界分割交渉はスペイン北部の都市トルデシリャスで決められたので、トルデシリャス条約と呼んでいます（1494）。

アメリカ大陸が南北ひとつであることや、太平洋の存在を肉眼で確かめたのは、スペイン人のバルボアでした。彼は1513年にパナマ地峡を横断して、初めて太平洋に到達しています。

メキシコのアステカ帝国とアンデスのインカ帝国がスペインに滅ぼされるまで

本章の冒頭で触れたように、BC1200年頃から、メキシコ湾側の地で栄えていたオルメカ文化は、巨大な人間頭部の石彫やヒスイの彫刻を残して紀元前後に滅びました。その次にメキシコの中央高原地帯に、テオティワカン文明が興ります（BC2世紀～AD7世紀）。今日でも、巨大な太陽のピラミッドや月のピラミッドが残されています。ほぼ同じ頃に、南部のユカタン半島では、マヤ文明が栄えました。

マヤ文明は独自の文字と暦を持ち、文字は解読されています。マヤ文明は同じ宗教を信じる多くの都市国家の連合体のようでした。テオティワカンとマヤの交渉もあったと思われます。神殿建築で有名なマヤ文明は8世紀にピークを迎えますが、9世紀に入ると衰え始めます。

12世紀に入るとアステカが登場します。彼らは、1325年、メキシコ中央高原のテスココ湖に浮かぶ小島に首都テノチティトランを建設しました。そして1400年代になると、三都市同盟を結び大国化（アステカ帝国）への道を歩み始めます。

アステカ人は、テオティワカンやマヤの人々と同じように、太陽を崇拝する宗教を持ち、高度な石彫技術を持っていました。しかし鉄は利用していませんでした。主食はトウモロコシでした。

一方ペルーのアンデス山脈の高原地帯では、アンデス全域に栄えたチャビン文化が紀元前200年前後に滅びると、地上絵で有名なナスカ文化（南海岸、紀元前後～600頃）、北海岸のモチェ文化（100～700頃）、アンデス全域のワリ文化（800～1000頃）、北海岸のチムー王国（1000頃～1470年頃）などが次々に登場しました。特にチムー王国はモチェ文化の流れを汲み、高度な工芸技術を持っていました。このチムー王国を滅ぼしたのが12世紀に登場したインカです。インカは現在のコロンビア南部からチリ中部まで、南北4000㎞にわたって、言語の異なる諸民族を支配し、大帝国として発展します。その全盛期はアステカ帝国とほぼ同じ頃、1400年代でした。

インカは石造建築にすぐれ、また金、銀、青銅細工にも秀でていました。主食はジャガイモなどの根茎類で、太陽神を信仰していました。文字はありませんでしたが、キープと呼ばれた縄の結び目によって、十進法による計数のシステムを完成しています。しかしアステカ帝国と同様に、鉄は利用していませんでした。彼らの高度な文明の遺跡が、アンデス山中のマチュピチュで発見されています（1911）。

アステカ帝国とインカ帝国が、共に全盛期を迎え始めて、ほぼ100年後の1492年、コロンがバハマ諸島に到着しました。この新大陸到達によって、アステカとインカの運命は暗転します。なお、この到達を契機とした新旧両大陸間のヒトや動植物、病原菌、鉱物などの移動（交易）を一般に「コロン（コロンブス）交換」と呼んでいます（アメリカの歴史学者、アルフレッド・クロスビーが半世紀ほど前に提唱した概念です）。コロン交換は双方におそらく史上にその例を見ない多大の影響を及ぼしました。西欧の産業革命は、化石燃料と鉄とゴムの3つが揃って初めて成し遂げられたものですが、ゴムは新大陸からもたらされたのです。

スペインは新大陸に向かって、馬と鉄砲で武装した開拓者たちを送り込み、苛烈な植民地政策を採りました。このとき、先住民にとって最大の疫病神となったのは、前著『仕事に効く 教養としての「世界史」』のコラム「モンゴル、ペスト、新大陸」で取り上げたように、旧大陸の人々が持ち込んだ病原菌でした。またスペインがエンコミエンダ制という非人道的な政策によって、先住民を酷使したことは、本書の第1章で指摘したとおりです。

アステカ帝国は征服者コルテスによって1521年に、インカ帝国はピサロによって1533年に、それぞれ滅ぼされました。当時の世界でおそらく最大の人口を持ち、最も高度に洗練された美しい都市、テノチティトランは廃墟と化しその上にメキシコシティが建設されました。馬と銃が威力を発揮したのです。この後スペインは、この新大陸の植民地をヌエバ・エスパーニャ（新スペイン）と名付けました。インカ帝国を滅ぼしたピサロは征服地支配のいざこざで協力者であったアルマグロを処刑し、その残党に暗殺されました。

●スペインの非情な銀山経営

スペイン人は1536年にブエノスアイレスを建設します。この頃になるとスペイン本国も、ようやく北アメリカや南アメリカが広大な大陸であることに気がつきます。それでペルーとメキシコに副王を置いて、別々に統治するようになります。1542年のことでした。メキシコ副王領の都はメキシコシティ、ペルー副王領の都はリマに置かれました。

この頃、トルデシリャス条約でブラジルの保有しか認められなかったポルトガルは、インドで入手したサトウキビをブラジルに移植しました。これが成功して、ブラジルはポルトガルに大きな利益をもたらしました。その後サトウキビ栽培と砂糖の製造は、キューバを始めとするカリブ海の島々に中心が移ります。すると今度は、現在のブラジリアに近いミナス・ジェライス州に金鉱が発見され、ゴールドラッシュが訪れました。ポルトガルにとってブラジルは、誠にありがたい植民地になったわけです。ブラジルの砂糖の時代は1549年から1640年、金の時代が1693年から1750年といわれています。

スペインの植民地にも幸運が訪れます。1545年、ペルーのポトシに、1546年、メキシコのサカテカスに、それぞれ銀山が発見されました。当時の世界通貨は銀ですから、スペインは豊かになりました。2つの銀山は豊富な埋蔵量を誇っていましたが、ポトシ銀山はアンデス山中の海抜4000メートルの地点にありました。スペイン人は銀採掘のためにインディオを徹底的に酷使しました。

空気の薄い4000メートルの高地で山肌を掘ることは重労働の極致です。すぐに疲労が襲います。そこでスペイン人は先住民のインディオたちに、コカの葉を噛ませました。ペルー原産の植物コカの葉には覚醒作用があります。コカインの原料です。麻薬ですから、一時的に元気になります。けれどもそうやって重労働を続けていれば、結果として死者が続出します。ここで数百万人のインディオが死亡したと推測されています。またコカの効用が注目され始めたのも、ポトシからでした。

1569年、ペルー副王にトレドが就任します。彼の統治はピサロやアルマグロなどの気まま勝手な暴政とは異なり、合理的で無駄のない搾取システムを導入し、完璧な労働徴発の体制をつくりあげました。こうしてインディオたちの置かれた環境は、文字通り悲惨なものになっていきました。

ところでインディオはスペイン語です。英語ならインディアンです。大陸の名前はアメリカなのに先住民をアメリカンと呼ばなかったのは、コロンが「ここはインドだ」と言ったことがずっと残ったからです。

新大陸のインディオたちはスペイン人を始めとする旧大陸の人々の酷使と虐待、そしてなによりも病原菌によって、バタバタと死んでいきました。少なく見積もっても4分の3、中には90%が死滅したという説もあるぐらいです。広範囲に焼畑を行なっていた先住民が死に絶えたため、新大陸では森林が再生して地球は寒冷化の方向に向かいました。アマゾンの熱帯雨林も原生林ではなくこの時代の再生林です。現代の温室効果ガスを原因とする地球温暖化とは逆の現象が生じたのです。人材不足に困った旧大陸の人たちは、代わりの労働力をアフリカに求めます。1610年から1870年まで、1000万人近いアフリカ人が新大陸に連れてこられました。

この1000万人は労働力ですから、もちろん赤ちゃんや高齢者ではありません。働き盛りの生産年齢人口です。これだけ大量の働く人を奪い取られたアフリカ大陸がどうなったか、このことは次の章で触れますが、暗黒大陸になるのは目に見えていたのです。

ガレオン船貿易とペルーの日本人たち

スペインは東南アジアへも進出を始めます。1521年にマゼランが太平洋を横断して、フィリピンに到達しました。スペインは、メキシコから兵士を送って、1571年からマニラを根拠地にフィリピンの植民地化に着手します。スペイン人はフィリピンでチーク材に出合います。そして、材質が硬くて伸縮率が小さく虫害に強いチーク材が、船舶用材として最適であることを知りました。チーク材はガレオン船という帆船の用材として積極的に用いられました。

ガレオン船の大船団が出来上がると、スペインはガレオン船貿易を始めます。まずポトシやメキシコの銀をメキシコ太平洋側のアカプルコに運び、そこからガレオン船に積んでマニラに送ります。その銀で、中国のお茶・絹・陶磁器を買って、南アメリカやメキシコに運んだのでした。

このガレオン船による太平洋交易は、たいへん栄えていました。そのエピソードとして、ペルー副王領の首都リマに日本人が住んでいたという話があります。

リマでは1614年に人口調査を行ないましたが、20人の日本人が住んでいたのです。マニラが建設されスペインのガレオン船貿易が開始されてから（1571）、まだ40年と少ししか経っていません。関ヶ原の決戦が終わって、世は徳川の時代、海外渡航は制限され始めていましたが、まだ鎖国令は出ていません。ですから、倭寇の後裔や堺の豪商納屋助左衛門のように、海外に船出していく日本人は、まだ多く存在していました。

彼らの目的地はマニラで、納屋助左衛門などは、呂宋助左衛門とも呼ばれています。鎖国前の日本人はたくましくアクティブだったので、マニラの銀の出所を探ろうと、ガレオン船に同乗して、おそらくアカプルコまで行ってみたのでしょう。アカプルコにも日本人町があったはずです。でも、アカプルコに行ってみると、銀はペルーから来ていることがわかった。とすれば、ペルーまで行けばもっと大きなビジネスチャンスがあるかもしれない、そう思った日本人たちがリマまで辿り着いたのです。

ポトシの銀をリマに運び、そこからアカプルコへ、そしてマニラへ、さらに中国や日本へ。太平洋交易というグローバリゼーションの大波が、日本人をも巻き込んで存在していたことを、記憶に留めておきたいと思います。

スペイン継承戦争が南アメリカにも飛火して、カリブ海の海賊が登場した

日本人がリマに現われてから100年ほど経った頃、ヨーロッパでスペイン継承戦争が始まります(1701〜13)。

スペインのハプスブルク家は、同族結婚を続けているうちに健康な子どもが生まれなくなり、病弱なカルロス二世の代になると、後継ぎを残すことができませんでした。ここにスペイン・ハプスブルク家の血統は絶えます（1700）。ところがカルロス二世の姉マリー・テレーズは、フランス王ルイ十四世の正妃だったのです。スペインは、この2人の孫に当たるフェリペ五世を、スペイン王の後継者に指名したのです。

しかし、この継承にはヨーロッパの各国が猛反対します。フランスとスペインが手を結ぶと、ヨーロッパ最大の勢力になります。特にフランスのルイ十四世というヨーロッパ中をかき回している強大な王様が、何を始めるかわからんぞということで、全ヨーロッパ対フランス・スペインという形で、スペイン継承戦争が始まりました。

この戦争は新大陸にも飛び火します（アン女王戦争）。イングランドはエリザベス一世の時代のアルマダの海戦以来お家芸となった私掠船に免許状を与えました。新大陸とヨーロッパを往来するフランスやスペインの船舶から自由に略奪しても、分捕ってしまっても、それはイングランド政府が認めた行為であって犯罪とはならない。むちゃくちゃな話ですが、明らかにイングランドの国益には資するのです。

この私掠船免許状は、スペイン継承戦争が終わると、当然のこととして無効になりました。しかもイングランドは、戦争が終わると軍縮を実行しました。海軍の人員も三分の一ぐらいに減らしました。ここに、いままで海賊行為をやっていた人々や海軍を失業した人々が、大量に出現したのです。彼らはカリブ海を中心として略奪行為を行なうバッカニアと呼ばれる海賊になりました。世にいう「パイレーツ・オブ・カリビアン」の登場です。彼らの活躍は19世紀前半まで続きましたが、やがて列強海軍の手で退治されました。

スペイン継承戦争は1713年のユトレヒト条約で終結しました。フェリペ五世のスペイン王位は認められましたが、この戦争の最大の受益者となったのはイングランドです。地中海の入り口ジブラルタルや北米のハドソン湾地方などを獲得し、アメリカ大陸のスペイン植民地への奴隷供給権（アフリカの黒人奴隷を新大陸へ輸送して販売する権利）も得ました。

スペインを支配するようになったブルボン家は、スペインの南アメリカ支配に手を入れました。このとき、広大なペルー副王領は3分割され、そこではコレヒドールと呼ばれた地方官の汚職や搾取が激しかったので、ブルボン家はこの制度を中止しました。また植民地の利益が、ローマ教会と商人ギルドに流れすぎていたのを、王室に取り戻そうとしました。ブルボン改革と呼ばれています（1714）。しかし根本的にスペインの植民地に対する暴政が是正されたわけではありません。圧政に対する怨嗟の声は高まっており、1780年、ペルーのクスコ地方で大規模なインディオの叛乱がありました。最後のインカ王トゥパク・アマルの血を引くと自称するコンドルカンキがリーダーでしたが、1年で鎮圧されました。

イングランドの三角貿易と新大陸でのスペイン人人口の増加

18世紀中頃からイングランドは、三角貿易で栄えます。イングランドを出航する船に、いまで言えばボールペンやビー玉のような雑貨品、繊維製品、銃などを山ほど積んで、アフリカに行くのです。こういう雑貨は安価ですが工業製品ですから、当時のアフリカにはありません。ビー玉はきらきら光ってきれいです。また銃は部族間の争いに重宝されます。これらを仲介業者に販売して、その代わりに奴隷を貰い受けます。奴隷を新大陸に運んで売り、その代金で砂糖やラム酒を大量に仕入れます。ちょうどイングランドは産業革命が始まったばかりです。工場では労働者たちが、十数時間酷使されていました。彼らの気付け薬として、ペルーのコカの葉と同様、砂糖と紅茶が必要だったのです。

この三角貿易でイングランド経済は成長しました。ネーデルランドも同様でした。ひどい話ですが、これがうまくワークしたのです。

ところで18世紀末のスペイン人の人口について、興味深いデータが残っています。メキシコ副王領が580万人、ペルーの副王領に503万人、そして本国のスペインが600万人でした。現地で生まれたスペイン人をクリオーリョと呼んでいますが（本国生まれはペニンスラール、半島人）、本国人口よりもクリオーリョの人口のほうが多くなってしまった。本国の2倍ほどの人口が新大陸にいる。となれば、極端な話、喧嘩をしても勝算が立つわけです。こうなると都合の悪い本国の命令など聞きたくない、こっちのほうが多勢なんだぞ、といった気分が芽生えてきます。

1789年にフランス革命が起こり、やがてナポレオン一世がイベリア半島を征服します。スペインとポルトガルはナポレオンの属国となりました（1808）。つまり新大陸から見れば本国が消えたのです。そしてスペイン王には、ナポレオンの実兄ジョセフ・ボナパルトが即位し、それまでの国王フェルナンド七世は退位させられました。

ナポレオンのスペイン制圧を契機として、アメリカ大陸では、現地のクリオーリョを中心に独立運動が胎動を開始します。

アメリカ大陸での独立運動の展開

1 メキシコ――「ドロレスの叫び」

イベリア半島がナポレオンによって属国化された2年後の1810年、メキシコの小さな町ドロレスで、教会の司祭、ミゲル・イダルゴが演説をしました。「祖国スペインはナポレオンによって占領され失われた。偽王（ジョセフ）になぜ忠誠を誓わねばならないのか、さあ独立しよう。メキシコ万歳！」そう叫んで仲間たちと銃を取り立ち上がりました。

ドロレスには、スペイン語で「痛み」という意味もあるそうです。この「ドロレスの叫び」は独立運動の記念行事として今日まで伝えられています。演説した日にイダルゴが打ち鳴らした鐘が国立宮殿に残されており、大統領がそれを打ち鳴らし、「我々に祖国を与えてくれた英雄たちよ万歳！」と叫ぶのだそうです。

イダルゴの蜂起は失敗し、彼は銃殺されますが、この事件によってメキシコの独立運動に火がつきました。

2 ブラジル帝国の誕生

一方、ポルトガルの植民地ブラジルでは対照的な展開が見られました。ポルトガル本国にナポレオンの軍隊が進入してくると、イングランド海軍がポルトガル王室の人々を救出して、ブラジルまで護送したのです（１８０８）。ポルトガル王室はブラジルに緊急避難したのですが、ナポレオンが没落すると王太子ドン・ペドロを摂政としてブラジルに残し、王室の人々は１８２１年にはリスボンに帰還を果たします。ところが、現地の人々がドン・ペドロを擁立して１８２２年にブラジル帝国を樹立し、本国からの独立を宣言します。この帝国は１８８９年軍部のクーデター（ブラジル共和制革命）によって倒されるまで続きました。

3 アルゼンチン、そしてアンデス山脈を越えてチリ、ペルーを解放したホセ・デ・サン＝マルティン

ホセ・デ・サン＝マルティン（１７７８～１８５０）は軍人の子としてアルゼンチンで生まれ、７歳の時に家族とともにスペインに渡りました。職業軍人となって二十数年働き、その間に侵略してきたナポレオン軍と直接刃を交えて戦っています。白兵戦（はくへいせん）が勝ち負

けを分ける当時の戦争では、敵軍の考えや行動がよくわかります。ナポレオンと戦うということは、国民国家（ネーション・ステイト）と民族独立の理念、そしてフランス革命の遺伝子「自由・平等・友愛」のスローガンがひしひしと伝わってくる、ということでもありました。サン＝マルティンは祖国の独立を考えて1812年に帰国します。そしてアルゼンチンの独立運動に参加し、軍略家として、めきめき頭角を現わします。

当時のアルゼンチンはブエノスアイレスを中心に独立を目指す勢力が強く、ラプラタ連合州として自立宣言を出しますが、ペルーに本拠を置くスペインの硬軟両戦術による、独立運動を切り崩す行動には激しいものがありました。それでもアルゼンチンは1816年に独立宣言を行ないます。しかしサン＝マルティンは、アルゼンチンが真の独立を勝ち取るためにはペルーのスペイン副王の打倒が不可欠であると、考えていました。

サン＝マルティン
南アメリカ解放の英雄。アンデス山脈を越えてチリに入り、さらに北上してリマを解放するという壮大な作戦を実行

当時のペルーの版図(はんと)は、アルゼンチ

ンの北西部に位置する現在のボリビア全域をも含んでいました。その地域のことをアルト・ペルー（高地ペルー）と呼んでいました。スペイン軍はこのあたりの、長い国境線からアルゼンチンに侵入します。アルゼンチン軍が追撃すると、アンデス山脈の厳しい地形に逃げ込んでしまうのでした。

アルト・ペルーのスペインの本拠地を叩くことが、アルゼンチンの真の独立に直結することはみんなが知っていましたが、アンデス山脈が邪魔をしていました。

サン＝マルティンは、アルゼンチンの独立を願っていましたが、それだけにとどまらず南米諸国の独立をも願っていました。彼は、軍隊丸ごとアンデスを越えてチリに入り、チリを解放した上で、北上してペルーの首都リマを落とすという気宇壮大な作戦を考えます。

アルプスを象とともに越え、ローマに進撃したカルタゴの名将ハンニバルや、同じく厳寒のアルプスを馬上で越えたナポレオンの行動をサン＝マルティンはおそらく知っていたのでしょう。そして彼は、この壮大な戦術を実行しました。

そして、ついにサン＝マルティンは１８１７年にチリのサンティアゴに入城しました。翌１８１８年チリは独立します。サン＝マルティンはチリでペルーに向かう艦隊の準備と兵力の涵養に努め、1821年にペルーに上陸すると、リマに入城しました。この年にペルーは独立を果たしたのですが、その地域はリマを含む海岸地帯だけでした。この独立国をペルー第一共和国と呼んでいます。しかし、フランス革命の影響を受けた奴隷解放政策など、クリオーリョの既得権を認めないサン＝マルティンに対する支配層の反対は根強く、彼らはペルー副王を中心にアルト・ペルー地域に勢力圏をつくり、頑強に抵抗しました。サン＝マルティンは、苦境に立つことになったのです。そこでサン＝マルティンは、当時、エクアドルの解放を目指して戦っていたシモン・ボリバルに支援を求めようとします。

4 南アメリカ統一を考えていたもうひとりの英雄、シモン・ボリバル

シモン・ボリバルはベネズエラのカラカスの富豪で名門貴族の家に生まれました（1783〜1830）。

彼はフランス革命からナポレオンの時代、激動期のヨーロッパに遊学していました。ナポレオンに仕えたこともあります。彼もまた、フランス革命の「自由・平等・友愛」のスローガンに多くの影響を受け、1807年の帰国以降、スペイン支配下のベネズエラの独

立運動に積極的に参加していきます。資産を持ち、革命家の情熱にも恵まれていた彼は、南アメリカ大陸北部のベネズエラと隣国のコロンビアの独立に、多くの情熱を注ぎこみました。

しかしスペインの抵抗も激しく、革命は一朝一夕（いっちょういっせき）には達成できませんでした。独立勢力が結集して、独立を宣言し、新体制をつくり始めると崩される、その連続でした（１８１１年にベネズエラ独立宣言、１８１３年ベネズエラ第二共和国独立宣言、１８１７年ベネズエラ第三共和国独立宣言）。

彼は戦いに敗れるたびに、ジャマイカやハイチに亡命し、再起を図ります。ハイチはボリバルを助けました。そしてついに１８１９年、ボリバルは、スペインの牙城（がじょう）であったコロンビアのボゴタを制圧しました。

ボリバルはボゴタを制圧すると、ベネズエラ、コロンビア、パナマ、エクアドルを合邦した新しい国家の創設を提案しました。そしてここにコロンビア共和国、後世に大コロンビアと呼ばれる大国の独立が宣言されました。ボリバルは「大コロンビア」を独立させた後、さらに南アメリカ統一の輪を広げるべく南下します。最終的な目的地は、ペルーです。彼がキトを落とし、エクアドルの港町グアヤキルに進駐してきたのは、１８２２年７

月のことでした。

サン＝マルティンはボリバルがグアヤキルに入ったことを知ると、会いに行きました。ボリバルも南から来た英雄を喜んで迎えました。7月26日、運命のグアヤキル会談が行なわれました。

南アメリカ独立の父ともいえるこの2人の会談で意思統一がなされていたら、南アメリカの歴史は大きく変わったことでしょう。けれど不幸なことに2人の意見は一致しませんでした。ボリバルは南アメリカの統一国家を共和国にしようと考え、サン＝マルティンは立憲君主国にしようと考えていたと言われています。この他の問題でも意見の一致を得られなかった2人は、統一戦線を組むことができず、決別しました。

2人とも自由・平等・友愛という、フランス革命の理念に打たれて独立運動を目指しました。ボリ

シモン・ボリバル
南アメリカ解放のもうひとりの英雄。大コロンビアを独立させる。ナポレオンの戴冠式に出席したことが、後年彼に大きな影響を与えたといわれる
©www.bridgemanimages.com/amanaimages

バルは自分の眼でナポレオンの戴冠式を見ていますが、ナポレオンが皇帝になったことで、君主制を打倒したフランス革命の理念は崩れたと考えていたようです。それゆえに南アメリカは共和制にしようと考えていました。サン＝マルティンは自分がスペインで優秀な生粋の軍人としてナポレオンと戦い、彼が最強の軍人であることを熟知していました。それだけに政治の長としては、別に立憲君主を置くほうが良いと考えていたようです。しかし会談が不成立に終わった本当の理由は、資料が残っていないこともあって明らかにはなっていません。

5 2人はいまでも南アメリカの英雄

サン＝マルティンはグアヤキル会談の不成立に落胆し、軍事面でもペルーでの劣勢を挽回できず、失意のうちにアルゼンチンに帰国しました。後にヨーロッパに渡り、フランスで寂しく死亡しました。けれども彼の名誉は後に回復されました。彼の命日は、アルゼンチンの祝日となっています。また彼の柩はフランスから帰国して、ブエノスアイレスの五月広場に面した教会にアルゼンチン、チリ、ペルーを象徴する3人の聖女像に守られて眠っています。

一方のボリバルは、アルト・ペルー地域のペルー副王を中心とする勢力を屈服させました。しかしリマを中心とする海岸地域に、サン＝マルティンが建国したペルーにこの地域を併合するのではなく、新たな共和国を建国しました。ボリバルの偉業を称えて、国名はボリビアとなりました（1825）。また彼が進駐したエクアドルのグアヤキルには、シモン・ボリバル空港があります。

ボリバルは文字通り我が身を削るようにして資金を捻出し、多くの国々をスペインから解放しました。しかし彼の理想とする大コロンビアのような統一国家は結局実現しませんでした。各国は少しずつ自国のエゴを主張し始めます。結局1827年から1830年に至る間にベネズエラ、コロンビア、パナマ、エクアドルが、すべて独立してしまいました。

また彼が南アメリカ解放のために、農園や鉱山など私財のすべてを売却した結果、ボリバルの死後、一家は没落しました。彼の部下であった多くの将軍は、解放戦争で得た名声を利用して各国の支配者層に成り上がっていきました。

ボリバルは1826年に、パナマで国際会議を開催し、南北アメリカ諸国の旧大陸に対する共同防衛組織の結成を提案しましたが、不調に終わっています。彼は情熱的な天性の革命家で、ルソーやモンテスキューの思想にも大きな影響を受けていました。激しい恋もしています。彼の人気は今日でも南米では圧倒的なものがあり、この地域で「解放者」と言えば、彼を指します。またベネズエラの正式国名は「ベネズエラ・ボリバル共和国」です（1999年に反米とボリバル主義を掲げるチャベス政権が改称）。ボリバルは1830年、失意の中でヨーロッパ行きを決意しましたが、カリブ海を航行中に腸チフスを発病し、コロンビアの港町サンタ・マルタで死去しました。

6「ドロレスの叫び」後、メキシコが歩んだ独立への道

メキシコは、ドロレスの蜂起からほぼ10年後に、独立宣言を行ないます。経緯は次のようでした。

ナポレオン一世が失脚した後、元スペイン王であったフェルナンド七世が復位し、反動的な絶対君主制を布きます。これに対してリエゴ・ヌニェス大佐率いる叛乱軍が、スペイン独立戦争下のカディス議会で制定された民主的な「1812年憲法」の復活を求めてクーデターを起こします（1820。リエゴ革命）。リエゴ革命を受けたメキシコでは、富と権力を握るクリオーリョたちが反自由主義の立場から1821年に独立を宣言し、アグ

スティン・デ・イトゥルビデという保守的な軍人が皇帝となって、メキシコ第一帝政が生まれます。

ところが、この皇帝は無能で反動的であったために、1年で失脚します。結局、メキシコは共和政となり、1824年に憲法を制定しました。しかし、農業や鉱山の生産力が低下し、政治的にも統率力を欠く状況の中で、それまでメキシコの統治下にあったグアテマラ、ホンジュラス、エルサルバドル、ニカラグア、コスタリカなどの中央アメリカ諸国は次々とメキシコを離れていきました。かつてのメキシコ副王領が分裂したのです。

メキシコを率いた2人 ――軍人政治家サンタ・アナと先住民出身のベニート・ファレス

独立間もないメキシコ共和国を導いたのは、1833年から55年までの間に11回も大統領を務めたサンタ・アナです。サンタ・アナは、1824年憲法を廃止して中央集権化を進めましたが、これに反発したテキサス州は独立を宣言し、テキサス独立戦争(1835~36)が始まります。

有名な西部劇「アラモの砦(とりで)」はこの戦争を象徴する事件でした。テキサスは独立しますが、その後1845年にアメリカ領となりました。これをきっかけにアメリカ・メキシコ戦争（1846〜48）が始まります。しかし、サンタ・アナは再び敗れて、カリフォルニア、ネバダ、ユタ、アリゾナとニューメキシコなどの広大な土地をアメリカに奪われました。この2つの戦争の結果、メキシコの版図は約二分の一に縮小しました。

この保守派のサンタ・アナ政権を倒したのが、リベラル派を率いたベニート・ファレスです。

彼は先住民族の出身です。自由主義者の弁護士として頭角を現わし知事を務めますが、サンタ・アナの腐敗に反対したため投獄されアメリカに亡命します。帰国して1855年に法相に就任すると軍人や僧侶の特権廃止法案を提出し、ローマ教皇ピウス九世に破門されます。リベラル派は1857年に、ローマ教会の特権を認めず信教の自由を保証した1857年憲法を制定しました。1857年憲法に反撥する保守派との間で内戦が始まります。後にレフォルマ（改革）戦争と呼ばれるこの戦いはアメリカの支援を受けたリベラル派の勝利に終わり、1861年、ファレスは大統領に選ばれます。ファレスは疲弊した国土を建て直すべく国債の利息支払いの2年間停止を宣言します。

この利息支払い停止に対して、債権国のイングランド、フランス、スペインは共同でメキシコ出兵を決議して恫喝(どうかつ)します(1861年10月)。多勢に無勢です。泣く泣くメキシコは、債権国と交渉を始めます。イングランドとスペインは納得して兵を引いたのですが、フランスはいろいろと屁理屈を並べて居座りました。ときのフランス皇帝は第二帝政のナポレオン三世です。機を見るに敏なナポレオン三世は、ファレスを支援するアメリカで南北戦争(1861〜65)が始まり、アメリカが動けないのを見越していました。

ナポレオン三世の傀儡(かいらい)政権と戦ったメキシコ建国の父

ナポレオン三世が兵を引かなかった理由のひとつに名誉欲があったのではないかと推測されます。伯父に当たるナポレオン一世は、全ヨーロッパを制覇した実績があります。しかしナポレオン三世には、こうした輝かしい実績はありません。メキシコを支配することで、名を上げアメリカ大陸に再びフランスの橋頭堡(きょうとうほ)を築こうとしたのでしょう。

またメキシコ国内の保守派も呼応しました。民主制より君主制のほうが、自分たちの利権に有利なのはわかっています。できればベニート・ファレスを失脚させて、ものわかりがいい君主を飾りにしたかったのでしょう。彼らはナポレオン三世に味方しました。

ナポレオン三世は、積極的に増兵します。ついにベニート・ファレスを武力で追放して、メキシコ皇帝を擁立しました（第二帝政。１８６４～６７）。メキシコ皇帝になったのはハプスブルク家のマクシミリアンです。彼はオーストリア皇帝フランツ・ヨーゼフ一世の弟です。部屋住みの身で、暇を持て余していた彼は、喜んでこの就職先に飛びつきました。

しかし、メキシコの人々がフランスに保護されたオーストリア人の皇帝を、喜ぶはずがありません。ベニート・ファレスを中心に激しい反対闘争が巻き起こりました。おりしも１８６５年に南北戦争が終わったアメリカも、激烈な調子でナポレオン三世に抗議しました。

結局、フランス軍はマクシミリアンを置き去りにしてフランスへ引き揚げてしまいます。孤立無援で残されたマクシミリアンは、１８６７年に銃殺されました。

晴れて再び大統領になったベニート・ファレスは、積極的にレフォルマを推進しますが、惜しくも１８７２年、心臓発作で死亡しました。ファレスは建国の父と慕われ、首都メキシコシティの国際空港はベニート・ファレス空港と名づけられています。また、ファレスは「他者の権利の尊重こそが平和である」という名言を残しています。１８８３年にイタリアの社会主義者の家に男児が誕生しました。父親はファレスに因んでベニートと名

〈図7－2〉
ラテン・アメリカ諸国の独立（19世紀〜20世紀）

※国名のあとの〔　〕内は、宗主国を示す（スペインを除く）

づけました。後のムッソリーニです。

その後、ファレスの下で活躍していた将軍ディアスが1876年にクーデターを起こして、政権を奪取すると、1911年までメキシコを独裁的に支配します。ディアスは近代化を成功させましたが特権階級を優遇したため、メキシコ革命(1910~20)が起こります。革命の指導者は、自由主義者マデーロや農民出身の革命家サパタでした。彼らは「土地・地下資源・水」を国家管理することなどを定めた民主的憲法を制定して、国の再建を進めました(1917年憲法)。その後、いくつかの政治的勢力が争いつつ、ローマ教会の権限縮小、米英石油資本への規制強化、労働組合の育成などを目指します。しかし政情不安は収まりませんでした。

やがてカルデナス大統領(在任1934~40)が登場し、労働条件の刷新、農地改革、米英が握る石油資本の国有化を実行しました。この政策で彼は広範な支持層を獲得します。そして彼の育てた制度的革命党が2000年まで一党支配を続け、今日でも勢力を保っています。

◆モンロー宣言とアメリカ各国の独立運動との関係

アメリカ合衆国の第五代大統領モンローは、1823年にモンロー宣言を発表しました。モンロー宣言は、今日ではアメリカ合衆国が世界のことには干渉しない孤立主義の主張と取られがちですが、当時の本当の意味は「アメリカのことはアメリカに任せてくれ」ということでした。いまの中国が主張する「内政干渉するな」とほぼ同じで、アメリカ大陸のことにヨーロッパは口を出すな、アメリカ合衆国はヨーロッパの干渉を決して容認しない、その代わり自分たちもヨーロッパには口を出さない、という主張です。

現実問題としてモンロー宣言当時のアメリカ合衆国に、ヨーロッパの政情や戦争に口や手を出す余裕はなかったと思います。しかし、アメリカ大陸の独立運動には、陰になり日向(ひなた)になり応援や介入を繰り返していました。そして主要な国々が独立した頃を見計(みはか)らって、モンロー宣言を出した、そんな感じがします。

別表を見ると、モンロー宣言のタイミングの良さがわかります。またアメリカ合衆国の、メキシコに対するあざといまでの領土的野心や、ナポレオン三世への強烈な抗議を見ていると、アメリカ合衆国の真意は次のあたりにあったのではないかと思われます。

「アメリカ大陸のことはヨーロッパに干渉させない。この大陸の盟主はアメリカ合衆国である。各国の独立と平和は、アメリカ合衆国の認める範囲において初めて可能である」と。この（善意ではあるのかもしれないが）お節介ぶりがカストロやチャベスに代表される反撥を買うのでしょう。

南アメリカの解放に全身全霊と全財産を捧げた革命家ボリバルは、晩年に次のように語っていました。

「アメリカ合衆国は自由の名において、アメリカ大陸を災難だらけにしようとしているように思える」と。

大国ブラジル、パラグアイとウルグアイ。そして太平洋戦争とピノチェトの汚点

1889年のクーデター（共和制革命）によって共和国に移行したブラジルは、その後、大コーヒー農園主たちによる寡頭政治の時代に入ります。世界恐慌によって1930年代にコーヒー経済が危機を迎えたとき、ヴァルガスのクーデターによって政権が替わりました（ヴァルガス時代）。ブラジルはコーヒー一本槍であった経済体制から基幹産業を

〈図7−3〉

ラテン・アメリカ諸国独立とアメリカ合衆国の動き

(☆はアメリカ合衆国の新大陸での動向)

西暦(年)	
1804	ナポレオンのフランス帝国(～14)
1808	ナポレオン、スペインとポルトガルを属国化(～14)
1810	ドロレスの叫び(メキシコ)
1811	パラグアイ共和国、第一次ベネズエラ共和国(13 第二次、17 第三次)
1816	アルゼンチン共和国
1818	チリ共和国
1819	大コロンビア(ベネズエラ、コロンビア、パナマ、エクアドル)成立(～30)
1821	ペルー第一共和国、メキシコ独立(22 第一帝政、24 共和政)。グアテマラ、ホンジュラス、エルサルバドル、ニカラグア、コスタリカなど独立
1822	ブラジル帝国(～89)。グアヤキル会談
1823	**☆アメリカ合衆国モンロー宣言**
1825	ボリビア共和国
1827～30	ベネズエラ、コロンビア、パナマ、エクアドル独立
1828	ウルグアイ共和国
1836	☆テキサス州がメキシコから独立(45 アメリカに合併)
1846	☆アメリカ・メキシコ戦争(～48)
1848	☆アメリカがメキシコよりカリフォルニアなどを獲得
1857	メキシコ内戦(レフォルマ戦争 ～61)
1861	☆南北戦争始まる(～65)。メキシコ出兵
1862	アルゼンチン国家統一
1864	メキシコ第二帝政(～67)

整備し労働者保護政策などを充実させて、危機を脱しました。

1964年からこの国は長い間、軍政下に置かれていましたが（この軍政の時代に、ブラジルの奇跡と呼ばれた高度成長が実現しました）、1985年に民政に移管されました。なお、ブラジルには20世紀初頭以来、約25万人の日本人が入植しています。ペルーと並んで、日本となじみの深い国です。南アメリカの47％の広さを占め、その半ばはアマゾン源流の熱帯雨林地帯ですが人口も多く、これからの発展が期待される未知の魅力を持つ大国です。2016年には、リオ・デ・ジャネイロで南米大陸で初めてとなるオリンピック・パラリンピックが開催されました。

ブラジルの西南にパラグアイという国があります。小さい国ですが、歴史は古く16世紀にはスペインのイエズス会の大規模な伝道区が建設されています。それ以降、イエズス会の修道士が大きな権限を持つようになりました。イエズス会はインディオの権利を擁護し、奴隷制に反対したため、植民地経営を推し進めるスペインやポルトガルの国益と衝突します。1768年、スペイン王室の決定によりイエズス会は追放されました（1773年、ローマ教皇クレメンス十四世はイエズス会を禁止。しかしロシアのエカチェリーナ二世は教皇の決定を拒否。1814年、教皇ピウス七世によってイエズス会の復興が許可されました。現在のローマ教皇フランシスコは、史上初のイエズス会出身の教皇です)。パラグアイは1811年、南アメリカで最初に独立を宣言しましたが、1814年から1840年まで、フランシアという独裁者が政権を握り、外国人の入国と対外貿易を禁止する鎖国政策をとりました。その後はフランシアの甥のカルロス・ロペスが初代大統領に就き、鎖国を解いて近代化を進め、パラグアイを豊かな国に発展させます。死後長男のソラーノ・ロペスが跡を継ぎますが、彼は無謀な三国同盟戦争(ウルグアイ・アルゼンチン・ブラジル対パラグアイ。1864〜70)を引き起こし、人口の半分と国土の四分の一を失うという手痛い打撃を受けました。

さらに20世紀に入るとボリビアとチャコ戦争(1932〜38)を戦い辛くも勝利を収めますが、その後も政情不安と経済不況は長く尾を引き、今日に至っています。

ウルグアイ(正式名はウルグアイ東方共和国)は大西洋に面して、ブラジルとアルゼンチンの間に、二大国の緩衝地帯のように存在している国です。

ウルグアイ川の東岸に位置するので、バンダ・オリエンタル(東岸地帯)と呼ばれていました。1516年にスペイン人が探検し、その経度的位置から、トルデシリャス条約の取り決めによりスペイン領となりました。しかしスペインは、この地には貴金属の鉱脈がないので放置したままにしていました。ところがポルトガルは、ブエノスアイレスの対岸に当たるこの地にコロニア・デル・サクラメントを商業都市として建設し、交易の利潤を上げました(1680)。このことからウルグアイの地は両国の争いの場となります。

ウルグアイは一度、1814年に独立を試みますが、ブラジルやアルゼンチンの介入と、連邦制か中央集権国家かの対立をめぐって紛争が長引きます。そしてアルゼンチン・ブラジル戦争(1825~28)が起こります。

この状況に対して仲介の労を執ったのが、この地域に商圏を持つイングランドでした。イングランドはフランスとともに調停に乗り出し、その結果、バンダ・オリエンタルが独立国となり、ウルグアイとして独立しました(1828)。まさにこの国はアルゼンチンとブラジルの緩衝地帯として、独立したのです。

この国は国土の約80%が牧草地であり、気候も温暖で南アメリカ有数のリゾートが存在しています。識字率も高く中間層も発達していて、南米ではチリと並ぶ豊かな国として知られています。

サン＝マルティンによって解放されたチリは、１８３３年にポルターレスが憲法を制定して国政を安定させました。ところで、チリの北部にアタカマ砂漠という広大な地域があります。この地域は、以前は一部ボリビアの領土でした。そして古来、長い太平洋の海岸線を南北に移動する、膨大な渡り鳥たちの集結地だったのです。彼らの排泄物（糞（ふん））が積もりつもって、大硝石鉱床（しょうせきこうしょう）になっていました。硝石は火薬の原料です。この硝石が発見されたのは19世紀後半のことでした。

この硝石床を採掘するチリとイングランドの企業にボリビアが多額の課税をしたことで、１８７９年、チリはペルー、ボリビア両国に宣戦布告しました。この戦争は１８８４年まで続きますが、イングランドの支援を受けたチリが勝利を収めます。この結果、ボリビアは太平洋へ向かって開いていた地域を奪われ、海のない国となりました。この戦争は、太平洋戦争と呼ばれています。民主化の進んでいたチリでは、世界恐慌後の１９３２年に百日社会主義共和国が成立するなど、人民戦線の勢力があなどれない力を持っていました。こうした伝統の上に、１９７０年の大統領選挙で人民連合のアジェンデ大統領が当選しました。これは、世界初の民主的選挙によって成立した社会主義政権です。アジェンデは鉱山などの国有化や農地改革などに精力的に取り組みましたが、西半球に第2のキューバが生まれることを恐れたアメリカがピノチェト将軍の軍事クーデターを支援し、1973年にアジェンデ政権は倒されました。ピノチェト時代は1990年まで続きましたが、反体制派に対する弾圧は苛烈を極め、殺害された市民が3万人以上、数十万人が強制収容所に送られ、実に国民の1割に相当する100万人以上が国外に亡命しました。1990年の民政移管以降は、軍政期の人権侵害問題の後始末に追われながらも、民主的な政権交代が行なわれ、2006年にはチリ初の女性大統領が誕生しています。

アルゼンチンのペロニスタ

サン＝マルティンの活躍によって独立を確かなものとしたアルゼンチンは、19世紀半ばから国家を統一して安定させ、外国からの移民と資本の誘致によって、大規模農牧業を発展させました。そして20世紀初頭にはGDPにおいて、世界の五指に入る大国に成長しました。

しかしこのGDP大国の内実は、穀物と食肉の輸出で大儲けをした大地主と、大多数の貧しい労働者の顕著な二極対立にありました。すなわち、中間層の没落が激しかったのです。そのために、1929年の世界大恐慌によって大きな打撃を受け、1930年の軍事クーデターを起点として、政情が不安定になります。そして、軍人のファン・ペロン（大統領在任1946〜55、1973〜74）が台頭します。

ペロンはファシズムに好意を寄せ、反対派を徹底的に弾圧する一方で、労働者保護と基幹産業の国有化を進めましたが、その政策はペロニスモ（ペロン主義）、支援者はペロニスタと呼ばれ、貧困層の圧倒的人気を博するようになります。しかし、ペロンの政策はポピュリズム（大衆迎合主義）の最たるもので、経済も国政も好転しませんでした。

しかし貧富の二極化が極端な状況で、ペロンの人気は衰えず、薄幸の美少女からペロンの妻となり、白血病で亡くなったエバ・ペロン（愛称エビータ）は、大衆から聖女のごとく愛されました。

1955年、一向に改善しない経済・国政にしびれを切らした軍部のクーデターでペロンは亡命を余儀なくされます。その後のアルゼンチンの政局は軍部とペロニスタが互いに争い混迷を深めるばかりでした。1973年、ペロンは帰国を認められ大統領に三度選ばれますが1年後に死去します。その後は再婚した妻イサベルが継ぎますが、指導力を欠き1976年に軍部のクーデターで解任されました（1983年に民政に移管）。しかし、ペロニスタの力は衰えず、１９８９年以降三代の大統領を誕生させ、今日に至っています。

アメリカ合衆国とパナマ運河。キューバ革命とキューバ危機

パナマ運河の歴史は、スエズ運河の建設者であったフランス人のレセップスが開削（かいさく）を始めたことから始まります。彼は残念ながら開削に失敗しました。その後アメリカ合衆国が、パナマ共和国をコロンビアから独立させてパナマ運河条約（１９０３）を結び、アメリカの事業として開削し、１９１４年に開通させました。

この運河はアメリカに大きな力を与えました。アメリカの東西が海路で結ばれたからです。ニューヨークとロスアンゼルスを船で往復できるということは、交易上たいへん有利でした。また大西洋と太平洋を結ぶルートをアメリカが握ったことでもあり、このことも大きな利点となりました。

アメリカ合衆国はパナマ運河を守る観点からカリブ海と西インド諸島を、自国の内海として支配下に置くことを一貫して考えていました。

フロリダ半島の南側、アメリカの目と鼻の先にキューバがあります。この島は長い間ス

ペイン領でしたが、アメリカ資本が大量に投入されていました。1868年以来キューバの独立運動が高まるなかで、1898年、この島の支配権をめぐって、スペインとアメリカが戦争を起こします（スペイン・アメリカ・キューバ戦争）。この戦争はアメリカが勝利し、キューバはアメリカの保護国のような形で独立します（1902）。植民地的な状態を嫌うキューバの市民は反抗を続けていましたが、ついに1959年カストロとゲバラが、時のバティスタ政権を打倒し、キューバ革命を成功させました。以後のキューバはアメリカが冷たくしたこともあり、社会主義国家としてソ連圏に入ります。アメリカは1961年に国交を断絶し、同年ピッグス湾事件（在米亡命キューバ人部隊をカストロ政権打倒のためにキューバのコチノス湾［アメリカ側の呼称がピッグス湾］に上陸させたが失敗）を起こします。

アメリカの武力介入を恐れたカストロ政権は、1962年にキューバにソ連のミサイル基地を建設しました。このことを探知したケネディ大統領が、ミサイルの撤去をソ連に求め、ミサイル基地の使用はソ連への全面報復を招くと警告しました。こうして世界が、一触即発の危機に直面しました。後に言うキューバ危機です。危機はフルシチョフ首相が基地を撤去したことで、事なきを得ました。

その後冷戦が続いていたアメリカとキューバは、オバマ大統領の決断により2015年7月、54年ぶりに国交回復に踏み切りました（後にトランプ大統領がぶち壊した）。

この章の最後に

ここまで、コロン交換により先住民がほとんど死滅してしまったこと、スペイン人を中心に多くのヨーロッパ人がこの大陸を第二の祖国としてきたこと、フランス革命とナポレオンの影響が新大陸にも及び、広範に独立運動が展開され、劇的なヒーローが多数登場したことなど、中南米諸国の歴史を概観してきました。独立後の各国では、フランス革命――ナポレオンの遺伝子を引き継いだ自由主義・リベラル派とクリオーリョ以来の既得権を引き継いだ保守派との争いが基軸となり、それに連邦派と中央集権派が絡んだ形でそれぞれの国の歴史が展開してきたと考えられます。

アメリカ合衆国に典型的に見られるようにアメリカ大陸では連邦派（地方自治体＝州の権限を重視する考え方）の勢いがとても強いからです。それに加えてアメリカ大陸の盟主を自任するアメリカ合衆国の思惑が大きな影響を与えてきました。

ところで、この大陸と大西洋を隔てた東側には、アフリカというアメリカとよく似た名前の大陸があります。実は、この2つの大陸には浅からぬ因縁があります。次章では、アフリカについてお話しします。

〈第7章の関連年表〉

ラテン・アメリカをめぐる歴史(BC13世紀〜AD20世紀)

※1804〜1864のメキシコ第二帝政までの動きは〈図7−3〉に

西暦(年)		西暦(年)	
	【メキシコ】		【ペルー】
BC1200	オルメカ文化(〜紀元前後)	BC1000頃?	チャビン文化(〜BC200前後)
BC3世紀頃	マヤ文明(〜AD17世紀)		
BC2世紀	テオティワカン文明(〜AD7世紀)	紀元前後	ナスカ文化(〜600頃)
		AD100頃	モチェ文化(〜700頃)
		800頃	ワリ文化(〜1000頃)
		1000頃	チムー王国(〜1470頃)
AD12世紀	アステカ(14世紀〜アステカ帝国、〜1521)	12世紀	インカ帝国(〜1533)

西暦(年)	【新大陸到達後】
1492	コロン、バハマ諸島に到達
94	トルデシリャス条約、締結
1503	アメリゴ・ヴェスプッチ、論文「新世界」を発表
21	アステカ帝国、滅亡(コルテスが征服)。マゼラン、フィリピン到着
33	インカ帝国、滅亡(ピサロが征服)
42	スペインが、メキシコとペルーそれぞれに副王を置く
45	スペインの植民地ペルーのポトシで銀山発見
49	ポルトガル植民地ブラジルの砂糖の時代(〜1640)
71	スペイン、フィリピンの植民地化に着手。スペインのガレオン船貿易始まる
1693	ポルトガル植民地ブラジルの金の時代(〜1750)
1701	スペイン継承戦争始まる(1702 アン女王戦争〜13)
14	ブルボン改革(ブルボン家、スペインの南アメリカ支配に手を入れる)
※1804	ナポレオンのフランス帝国〜ラテン・アメリカ諸国の独立〜1864メキシコ第二帝政⇒p327参照
1864	パラグアイ、三国同盟戦争(〜70)
72	メキシコ大統領、ベニート・ファレス死去(1876〜1911ディアス政権)
79	チリとペルー・ボリビア間の太平洋戦争(〜84)
89	ブラジル共和国成立(1964〜軍事政権、85〜民政)
1902	キューバ独立(1898 スペイン・アメリカ・キューバ戦争)
10	メキシコ革命(〜20。ディアス失脚)
14	パナマ運河開通
30	アルゼンチンに軍事政権誕生(46 フアン・ペロン大統領就任)
32	パラグアイ、ボリビアとチャコ戦争(〜38)
34	メキシコ、カルデナス大統領就任(〜40)
59	キューバ革命
61	アメリカとキューバ国交断絶(62 キューバ危機、2015 アメリカとキューバ国交回復)
73	チリ、軍事クーデター。社会主義のアジェンデ政権倒れる(ピノチェト時代〜90、90〜民政)
74	アルゼンチン、ペロン大統領死去(76 軍部クーデターでイサベル大統領解任、83〜民政)

第8章

母なる大地 アフリカの数奇な運命

——暗転していく歴史と奴隷貿易

◆ヴェーゲナーの大陸移動説

アルフレート・ヴェーゲナー（1880〜1930）は、ドイツの気象学者でした。気球に乗って高層気象観測を行なった先駆者としても有名です。

1910年のある日、彼はぼんやりと世界地図を見ていました。

僕たちが日本で見る世界地図は、太平洋が中心になっています。しかしヨーロッパでふつうに使用されている地図では大西洋が真ん中になります。その大西洋中心の地図を眺めていたヴェーゲナーは、アフリカ大陸の西海岸線と南アメリカ大陸の東海岸線が、うまく合うのではないかと気づきました。ジグソーパズルのパーツのように。南アフリカの最西端ダカールを、中央アメリカのカリブ海まで持ってきてみると、2つの大陸は凹凸が合ってしまうのです。

この気づきから有名な大陸移動説が生まれました。アフリカと南アメリカはもとはひとつの大陸であったものが、2つに分かれたのではないか。しかしこの当時、大陸が移動するなどと考える人はいませんでした。彼の学説はまったく無視されました。しかし彼はめげることなく、『大陸と海洋の起源』を著わして、自らの主張を理論化しました。この本

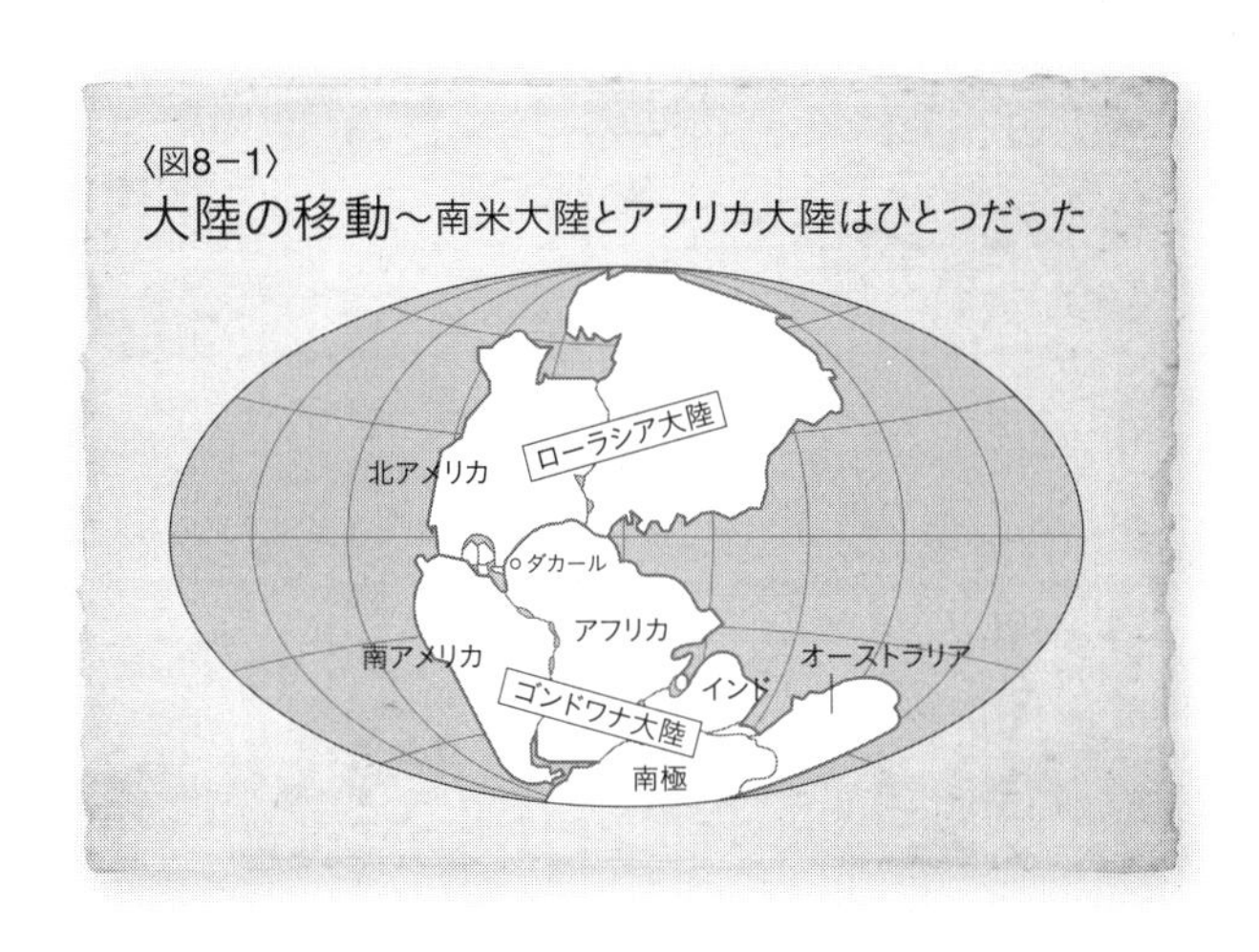

〈図8−1〉
大陸の移動〜南米大陸とアフリカ大陸はひとつだった

は、未発表に終わった第五版まで書き続けられましたが、そのなかで、地球には北方にローラシア（ただしヴェーゲナー自身はローラシアという名前は挙げていない）、南方にゴンドワナという2つの巨大大陸があって、それが北アメリカとユーラシア、南アメリカとアフリカの4つの大陸に分かれたのだと主張しました。それでも、学界からは「アホか」ぐらいにしか扱われませんでした。

　しかし、もしも4つの大陸で同じ植物や動物の化石が発見されたら、そのことは証明されるはずだとヴェーゲナーは考えて、極北のグリーンランド探検に何度も出かけました。けれども5回目の探検のとき、行方不明となりました。彼の遺体は、翌年になって氷の中から発見されました。昔、『大陸と海洋の起源』（岩波文庫）を読んで、ものごとの先駆者になることのロマンチシズムのようなものが、強く胸を打ったことを記憶しています。

◆大地は寄せ鍋の灰汁のようなもの

ヴェーゲナーの大陸移動説は、20世紀半ばにプレートテクトニクス理論が生まれてから、正しい学説であることが認められました。

プレートテクトニクス理論については、ある人が面白いことを話していました。僕たちの住む大地は寄せ鍋がグツグツと煮え立ってきたときに出てくる灰汁のようなものである、と。寄せ鍋をすると表面に、白い泡状の灰汁が浮いてきますね。寄せ鍋の煮汁が地球内部の対流するマントルで、その上に乗って動いているプレートは目に見えませんが、プレート上にある大陸が灰汁であると。要するに人間の文明は、寄せ鍋の灰汁の上に築かれているわけですが、その大陸という灰汁は、数億年近い時間をかけて1年に数センチずつゆっくりゆっくり動いているのです。

そういう長い時間をかけて、ゴンドワナという超大陸からアフリカ大陸と南アメリカ大陸が分かれた、このことはいまや常識となっています。

アフリカの歴史を話すのに、このようなことをお話ししたのは、この大陸の運命がアメリカ大陸と深く関係しているためです。それでは本論に入ります。

古代から中世、すでにサブサハラに文明が芽生えていた

1 ナイル川上流に起きた文明

サハラ砂漠から南のアフリカを一般にサブサハラと呼びますが、本章の中心はこの地域になります。サハラ砂漠の北、地中海沿岸地帯はエジプト文明が興り、ローマ帝国がからみ、さらにイスラム文化圏となりました。したがってこの地域のおおまかな歴史は、本書の第2章と第4章で取り上げたことになります。本章での話はエジプトやサハラ砂漠の南の地域からスタートします。

さて、アフリカ大陸の文明は他の大陸より遅れていると思われがちですが、それは近代に形づくられた印象論です。世界の四大文明が次々とピークを迎えている頃、たとえばヨーロッパにはほとんど何もありませんでしたが、アフリカにはすでに文明が存在していました。BC10世紀後半、エジプト新王国の影響を受けてナイル川上流のスーダンのナパタ

あたりにクシュ王国が興っています。

クシュ王国は、紅海ルートを手中にしてアフリカ奥地やインド洋とエジプトを結ぶ交易の中継地として繁栄し、エジプトから学んだ製鉄技術をアフリカ奥地に伝えました。また全盛期には（BC8世紀）、エジプトを制圧し、エジプト全域を100年近く支配しました（第25王朝）。アッシリアの侵攻によってエジプトを追われたクシュ王国は、首都をナパタからさらに上流のメロエに移します。メロエでは、小型のピラミッドが多く作られ、その数はエジプト以上です。それはナイル川下流地帯ほど土地が豊かではなく、経済的に余裕がなかったので大規模なピラミッド建設が不可能だったからです。またメロエ文字も作られました。メロエのクシュ王国は4世紀半ば、アクスム王国によって滅ぼされました。


アクスム王国は、現在のエチオピアとエリトリア、そしてジブチを勢力圏として、紅海に近いアクスムを都としていました。建国は紀元1世紀前後、そして10世紀の中頃に滅びました。

この国の最盛期（4世紀半ば）のエザナ王は、キリスト教（コプト教）に改宗し、メロ

〈図8−2〉

アフリカ文明の発祥地(古代〜中世)

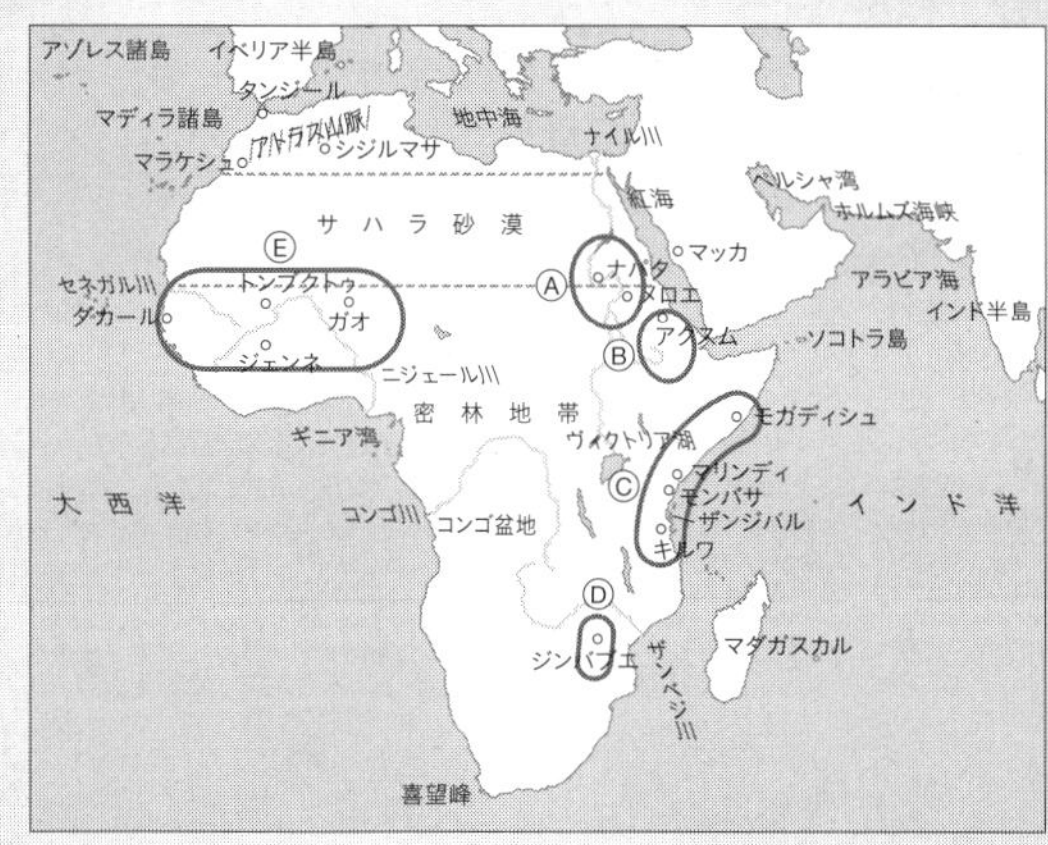

Ⓐ **クシュ王国**
(BC10C後半〜AD350頃)
都市:ナパタ、メロエ
特色:製鉄・交易・メロエ文字

Ⓑ **アクスム王国**
(AD1C前後〜10C中頃)
都市:アクスム
特色:キリスト教国、後のエチオピア

Ⓒ **東アフリカ都市国家群**
(10C後半〜 15Cがピーク)
特色:インド洋交易、イスラム文化

Ⓓ **グレート・ジンバブエ、モノモタパ王国**
(11C〜 15Cがピーク)
特色:金と象牙、ジンバブエの巨石遺跡

Ⓔ **ガーナ王国**
(8C頃〜1076)
都市:トンブクトゥ、ジェンネ
特色:金と塩の交易、ムラービト朝に滅ぼされる

↓

マリ帝国
(1230年代〜15C後半)
都市:ガオ、トンブクトゥ
特色:「黄金の国」、イスラム教を受容、マンサ・ムーサ王のマッカ巡礼

↓

ソンガイ帝国(ガオ帝国)
(1464〜1590)
都市:ガオ
特色:内陸アフリカのイスラム学問の中心
奴隷貿易に手を染める

エに戦勝してオベリスクを建てました。さらに対岸のアラビア半島の一部をも制圧し、紅海の出口を押さえて、インド洋交易に活躍しました。しかし7世紀以降になると、イスラム勢力に押されて、衰退していきました。

2 サブサハラのニジェール川流域に発達した文明

8世紀頃、西アフリカのサブサハラを流れるニジェール川の流域に、ガーナ王国が生まれます。ニジェール川は大河で、その恵みが大きいばかりではなく、砂金(さきん)も採れましたからガーナ王国は11世紀ぐらいになると、たいへん大きな国になります。イスラムの商人たちは、この金(きん)に着目し、サハラ砂漠の塩床(えんしょう)から切り出してきた岩塩をもってガーナの金と交易しました。この交易でガーナ王国は繁栄したのです。そしてガーナの金はサハラ砂漠をラクダの背に乗ってエジプトに行き、そこからイタリアへと流れるようになっていきます。

ところが1076年、ガーナ王国はモロッコから南下してきたムラービト朝に滅ぼされました。ムラービト朝についてお話しします。

11世紀の初め、サハラ西部に住んでいたイスラム教徒の遊牧民たち(ベルベル人)が、マッカに巡礼に行きました。その帰途にカイラワーンの町で、とあるイスラムの神秘主義を奉じるスーフィーに出会います。スーフィーとはアラビア語で羊毛のことで、羊毛のぼろを身につけ清貧に甘んじ、ムハンマドの言葉通りに厳しく身を律する修行者をスーフィーと呼んでいました。

さて、スーフィーに出会ったベルベル人たちは、その考え方に共鳴し弟子を連れて帰りました。彼らの村もイスラム教を信じています。けれど、彼らが連れて帰ったスーフィーの教えは、村では受け入れられませんでした。そこで彼らは、そのスーフィーとともに西アフリカのセネガル川の川中島（かわなかじま）に城塞（じょうさい）を築くと、そこに住むようになりました。その場所で、イスラム教の修行をし、体を鍛えて教えを広めるため戦うようになります。その生き方はキリスト教における騎士団と相似します。闘う修道院のような存在です。

城塞のことをラバートと呼びます。そこで彼らのことを「城塞に住む人々」という意味の「ムラービトゥーン」と呼ぶようになりました。ムラービト朝という名前は、ここから生まれます。

ムラービトゥーンたちの集団はだんだん大きくなり、やがて自分たちの信ずる正しいイスラム教を広めるために、川中島を出ます。そして北アフリカのモロッコとサハラ砂漠を分けるアトラス山脈にあった重要な隊商都市シジルマサを制圧しました。そしてここを拠点として、モロッコ全体に勢力を拡大していきます。

こうして成立したムラービトゥーン集団がムラービト朝と呼ばれるようになるのは、アブー・バクル・イブン・ウマル（在位１０５６～６１）がリーダーとなったときからです。モロッコの制圧は眼前に迫っていましたが、アブー・バクルはモロッコを、従弟のすぐれた指導力を持つユースフ（在位１０６１～１１０６）に委ねます。

普通のリーダーであれば、モロッコという地の利が良く文明的な地域を支配して王朝を固めようとするでしょう。しかしアブー・バクルはそうではなかった。

アブー・バクルはサハラ砂漠の南を流れるニジェール川の流域に、とてつもなく金が採れる豊かな国がある、と聞いていました。彼は次はサハラ砂漠を越えて、その国を制圧し、富を得るとともにイスラム教を広めようと考えたのです。苦節15年、アブー・バクルはついにガーナ王国を滅ぼしました（１０７６）。このときからサブサハラはイスラム世界になりました。

3 アフリカにイスラム教が浸透していった11世紀、12世紀

ガーナ王国が滅んだ後、しばらくして、東アフリカ海岸の小島にある都市ザンジバルにシラツィ・モスクという有名なモスクが建設されています（1107）。この当時、ザンジバルを始めとして、アフリカの東海岸のモガディシュ、マリンディ、モンバサ、キルワなどの港湾都市には、イスラム文化が深く浸透していました。

8世紀にアッバース朝のカリフ、マンスールがバグダードを建設した話をしましたが、このときに東アフリカから大量の木材などを仕入れた。アフリカの人々にしてみれば、アラブ人が大勢やってきて、木をたくさん買ってくれる。儲かってうれしい。あの人たちはどういう人たちかと、興味を持ったと思います。すると彼らは1日に何回か、一定の方向に礼拝をする。それは彼らの神に祈ることだとわかる。それでイスラム教を知り、シンプルな教えで、何よりもアラブ人が豊かなこともあって、俺たちも信じてみようということで、イスラム教が広まっていったのでしょう。

もとよりイスラム教には専従の宣教師はいません。交易のあいまにアラブの船乗りたちが東アフリカの人々にイスラム教を教えたのでしょう。こうしてついに大規模なモスク（礼拝堂）がつくられるようになったのです。

結局、11世紀から12世紀にかけては、サブサハラからも東海岸からもイスラム教がアフリカに広まっていく時代となりました。

4 サハラの黄金伝説が生まれ、ポルトガル・スペインの時代へ

ムラービト朝のその後ですが、モロッコの支配を任せられたユースフは、たちどころにモロッコを制圧し、マラケシュを整備して首都に定めました。さらに北上してタンジールを落とし、地中海を越えてやがてイベリア半島の大半をも支配することになります。一方、ガーナ王国を支配したアブー・バクルは、10年ほど後の1087年に、貢納をとっていたサラコレ族の叛乱の鎮定に向かいましたが、そこで死亡しました。

さて、アブー・バクル亡きあとのニジェール川流域では、1230年代にスンジャータ王がマリ帝国を建国しました。この国はガーナ王国と同様、黄金によって栄えました。1324年に、この国の王マンサ・ムーサが、ラクダに黄金を積んでマッカ巡礼に向かう途上、カイロで豪遊をして大金をばらまき、カイロの金相場が暴落した、という話をしましたが（第4章）、このエピソードから、マリ帝国の交易都市トンブクトゥの「黄金伝説」が生まれます。

ちょうどマンサ・ムーサがマッカに向かう前後に、モロッコ生まれのアラブ人の旅行家イブン・バットゥータがマリ帝国を訪れています。その有名な旅行記の中で彼は、マリ帝国の治安の良さと人々のもてなしを称賛しています。

なおイブン・バットゥータは、北アフリカからイラク、イラン、東アフリカを旅して、インドではトゥグルク朝のムハンマド・ビン・トゥグルクに6年間仕えました。さらにスマトラ島から大元ウルス時代（1271～1368）の杭州や大都（北京）まで訪れたとされています。その体験を口述筆記した『三大陸周遊記』（『大旅行記』平凡社・東洋文庫）が残っており、貴重な歴史資料となっています。

マリ帝国は15世紀後半に、トンブクトゥの東にあるガオを都として建国されたソンガイ帝国（1464～1590）に滅ぼされました。また、西海岸ギニア湾から少し南下したコンゴ川の流域地帯には、14世紀の末にコンゴ王国が誕生します。やがてこの国はポルトガルの奴隷貿易の中心地となり、16世紀の後半にはポルトガルの属国となりました。

ところで、マンサ・ムーサの「黄金伝説」はヨーロッパの人々を刺激しました。ポルトガルの航海王子と呼ばれたエンリケ（1394～1460）は、海路からサブサハラに到達しようと試みます。彼はマディラ諸島に始まって、アゾレス諸島を征服し、ついにダカールがあるヴェルデ岬にまで到達しました（１４４５）。ポルトガルは、サハラ砂漠のキャラバンに頼ることなく金取引に成功したのです。このことは、ポルトガルがイスラム勢力下の黄金伝説の地帯に実力で介入したことを意味しています。

この頃からポルトガルのアフリカ南下政策は進展します。１４８８年にはバルトロメウ・ディアスがアフリカの南端に達し、その岬を国王のジョアン二世が喜望峰（きぼうほう）と名づけました。そして１４９７年、ヴァスコ・ダ・ガマはリスボン港を出発し、３隻の１５０トン前後の船に１６８人の船員を乗せて喜望峰を回り、ついにインドのカリカットに至りました（１４９８）。ここから、海洋国家ポルトガルとスペインの時代が始まるのですが、考えてみると、このきっかけのひとつはトンブクトゥの黄金伝説であったように思われます。人はお金のためなら、どこへでも出かけて行く。そんな気もします。

ポルトガルは名総督アルブケルケが１５０６年から１５１１年の間に紅海入り口のソコトラ島、ペルシャ湾入り口のホルムズ島を占領し、インドのゴアとマラッカをも占領してインド洋の制海権を確保しました。ポルトガルの艦隊が、前述したように（第４章）、現地グジャラート政府・マムルーク朝・オスマン朝の連合艦隊を撃破したディーウ沖の海戦は、１５０９年のことでした。

古代イスラエルのソロモン王を訪ねるシバの女王
シバの女王は、香料、金、宝石をらくだに負わせ、多くの従者を連れ、はるばるソロモン王を訪れる（中央２人が王と女王）。旧約聖書「列王記上」の一場面（〈ソロモン王とシバの女王の邂逅〉 ピエロ・デッラ・フランチェスカ）

5 東アフリカではエチオピアにソロモン朝が興る

少し時代を遡（さかのぼ）ります。ナイル川上流のアクスム王国が、アラビア半島から進出してきたイスラム勢力によって衰退した後、ザグウェ朝が継ぎますが、１２７０年になって、現在のエチオピアの地にソロモン朝が興ります。この王朝は、自分たちはイスラエルのソロモン王とシバの女王から生まれたメネリク一世の子孫である、というアクスム王国以来の伝説を完成させました。つまり、わが国の古事記や日本書紀に相当する「ケブラ・ナガスト」を作って、この伝説を史実と表記したのです。

アクスム王国が滅びた後、もう一度エチオピアの地に再興されたのがソロモン朝エチオピア帝国であると考えられています。そしてこのときから、１９７４年に最後の皇帝ハイレ・セラシエ一世が、軍事革命によって倒されるまで、ソロモン伝説はエチオピア帝国の正統性を担保してきたのです。

ソロモンはダビデの子で、古代イスラエル王国の君主でした。ということは、エチオピア人はユダヤ人の子孫となります。このために現代でもイスラエルは、エチオピアの難民を受け入れています。余談ですが、オリンピックのマラソンで二連勝（ローマと東京）したアベベは、ハイレ・セラシエの宮廷の近衛兵でした。

ソロモン朝が興った頃、東アフリカ西南部の内陸地にはグレート・ジンバブエという王国が栄えていました。ジンバブエとは現地の言葉で「石の家」の意味です。巨大な石壁に囲まれた遺跡からは、インドのガラス玉や中国の陶磁器が発掘されています。かなり大規模な交易を行なう国が、ここにもあったのです。15世紀に入るとジンバブエに代わってモノモタパ王国が栄えましたが、やがてポルトガル人の侵入によって、国は四分五裂（しぶんごれつ）していきました。

■暗転していくアフリカの歴史と奴隷貿易の仕組み

ヴァスコ・ダ・ガマが150トン前後の小船でインド洋を渡り無事にインドに到達できたのは、インド洋が安全な海だったからです。明の大船団、鄭和艦隊が海賊を根こそぎ退治していたのです。1000~2000トンクラスの巨船（宝船）と2万7000~8000人の乗組員が、インド洋から東アフリカ沿岸までを支配した時代が、15世紀の前半約30年にわたって続いていました。この話は前著でも紹介しましたが、この鄭和艦隊が万里の長城に化けてインド洋から消え去ったのが、1433年のことでした。インド洋には権力の空白が突然に訪れたのです。ラッキーの一語に尽きます。見方を変えれば、中国（明）が鎖国政策に舵を切り替えたこのあたりからアジアの勢力がヨーロッパに押され始めたとも言えます。

一方アフリカにとって最大の不幸は、1492年にジェノヴァの船乗りコロンが、スペインの資金援助を得てアメリカ大陸に到達したことでした。このことによって、コロン交換とスペインのアメリカ侵略が始まり、銃と病原菌と酷使によって数千万人ともいわれる先住民（インディオ）が死滅したことは、前述した通りです。

そして、死滅した先住民（労働力）の代わりに、アフリカから奴隷として黒人たちが新大陸に運ばれました。

では、どのような過程を経て、この奴隷貿易と呼ばれる仕組みが成立したのか、そのことを見ていきたいと思います。

新大陸に到達したスペインはいち早く植民地経営に乗り出しました。しかし何度も触れたように、インディオが旧大陸の病原菌で激減して、深刻な労働力不足に陥っていきます。ちょうどその頃、ポルトガルはエンリケ航海王子の遺志を継ぎ、アフリカ西海岸の探検と交易に力を注いでいました。その当時のアフリカの西海岸地域では、黒人部族国家が互いに勢力争いを繰り広げ、勝った部族は敗けた部族の男たちを、奴隷のような形で労働に使役していました。

ポルトガルは、この黒人たちを交易商品として購入し、新大陸に販売するようになりました。アフリカの黒人は労働力が不足していた新大陸のスペイン人に歓迎され、残酷な話ですがとても高く売れたのです。

15世紀末から16世紀前半にかけて、このような形で黒人奴隷を新大陸へ販売する貿易が始まりました。やがてポルトガルはスペインのフェリペ二世の時代の１５８０年からおよそ60年間、同君連合の形でスペインの支配下に入ったため、奴隷貿易はスペイン自らが行なうようになります。

奴隷貿易の中心となった地域は、西アフリカのニジェール川流域から、ギニア湾岸を経てコンゴ川流域に至るあたりが中心でした。さきにニジェール川流域のマリ帝国の話をしましたが、マリ帝国の後にソンガイ帝国が生まれます。この国は首都をガオに置いたので、ガオ帝国とも呼ばれましたが、奴隷貿易によって栄えました。

最初のうちは部族間抗争の敗者の成人男女を奴隷として売っていたのですが、この商品の需要が多く、たまたま戦争して負けた相手を商品にしていただけでは、供給不足になります。そこで、ガオ帝国の役人が人買いになって、アフリカの奥地に行き純朴な青年たちを誘うようになりました。

「ギニアの海岸に、いい仕事があるぞ」

といって連れて来て、そこで捕えて白人に売り渡したのです。こうしてガオ帝国は大儲けをしました。よく考えてみれば、若くて元気のある若者を、たとえほかの部族だからといって外国に売却してしまったら、将来の自分たちの国が人手不足に陥ることはわかるように思うのですが、当時の支配者はそれほど長期的には国のことを考えていませんでした。いま、自分が支配している時期が豊かであればそれでいいと考えてしまったのです。もちろんこれはいつの時代の支配者にも見られることですが。

白人たちが鉄砲を持って海岸線から奥地に入り込み、先住民を脅して無理矢理連れてくる、そのようなアフリカの奴隷狩りは実はあまりなかったのです。仲介人となる黒人たちが存在したのでした。

このような形の奴隷貿易は、スペインの独占で行なわれていました。その間、イングランド、ネーデルランドやフランスは、奴隷貿易への参入を試みますが、なかなか思い通りにはいきませんでした。しかし18世紀初めのスペイン継承戦争の結果、参入が認められ、このときから、奴隷貿易の主役は、イングランド、ネーデルランドやフランスに移ります。

イングランド、ネーデルランドやフランスからアフリカへ雑貨・小火器・綿布を、アフリカから新大陸へ黒人奴隷を、新大陸からヨーロッパへ砂糖・タバコ・コーヒー・綿花・ラム酒を。この三角貿易によって黒人たちは、家畜のように船底に積まれて売られていきました。その仲介人となった国々には、ガオ帝国の他、アシャンティ王国（現在のガーナ）、ダホメ王国（現在のベナン海岸部）、ベニン王国（現在のナイジェリアの海岸部）、コンゴ王国などがありました。こうして、アフリカの健康な労働力が16世紀から18世紀にかけて、1000万人以上が流出していきました。働き盛りの青年男女がいなくなったら、畑を耕したりもの作りをする人口が激減します。人影が消えてアフリカの産業は停滞し、資源と自然だけが残ることになります。アフリカが暗黒大陸と呼ばれる歴史は、ここから始まりました。加えて、1887年にイタリアがエリトリアに持ち込んだ牛疫ウイルスが10年でアフリカ全域に拡がり、ウシが全滅しました。アフリカの経済基盤だったウシがいなくなり人口も激減して、牧草地が消え、野生動物の楽園（今日の国立公園や国立動物保護区）が蘇ったのです。

アメリカで不足した労働力をアフリカに求めたことは、非情な表現になりますが、西欧列強にとっては合理的でした。緯度が同じくらいで、両大陸に寒暖の差はあまりない。最も移動に負担のかからない横移動で、労働力が得られたからです。

奴隷貿易が始まって200年ぐらいあとに、アメリカ合衆国が独立します（1776）。このときの独立宣言で人間の平等を宣言し、1783年にはマサチューセッツ州が奴隷制度廃止宣言を行ないます。続いてイングランドは1807年に大英帝国内での奴隷貿易廃止、フランスは1848年に奴隷制度廃止を宣言しました。ここに至ってようやく非人道的な大西洋における奴隷貿易は終わりを告げましたが、代わってアフリカ大陸東海岸のザンジバルを中心とするインド洋の奴隷貿易が栄えるようになります（リヴィングストンの建策によりザンジバルの奴隷市場が閉鎖されたのは1871年のことでした）。なお、1883年、スペインが最後にスペイン植民地での奴隷制度を廃止しました。

南アフリカをイングランドが勝ち取るまで

アフリカ南端、現在の南アフリカの地域を植民地とし、ケープタウンを建設したのはネーデルランドの東インド会社です。それは1652年のことで、ポルトガル船が喜望峰を通過してからおよそ150年ほど後のことでした。ここに植民地を得たことで、ネーデルランドはインド洋交易の主導権を握りました。ケープタウンを建設したネーデルランドの人々は、地元民との混血によって世代を重ね、ボーア人と呼ばれるようになります。Boerはブールとも発音され、後に新しいアフリカ人という意味合いでアフリカーナーとも呼ばれるようになります。

ナポレオン戦争が起こったとき（ネーデルランド王はナポレオンの弟ルイ）、ケープタウンがフランス領になったら大変だと考えたイングランドは、ケープタウンに狙いを定めました。アフリカ南端の地を確保すれば、インドから中国につながる交易路の重要な中継地点を確保できるからです。スエズ運河はまだありません。

イングランドは、口実を設けて攻撃を仕掛け、ケープタウンを占領します（１７９５）。しかし、１８０３年にナポレオン戦争の力関係で、イングランドは一旦ネーデルランドにケープタウンを返還します。その後もケープタウンをめぐる争奪戦が続き、ようやく１８０６年に、ケープタウン周辺はイングランドのものになります。ただし、ボーア人があきらめたわけではなく、現地ではずっと緊張状態が続いていました。ところがナポレオンが敗れた後開催されたウィーン会議によって、ケープタウンはイングランド領として公式に認められます。

ボーア人は怒りましたが、ウィーン会議の決定を覆すことはできず、ケープタウンを捨てて、北へ、アフリカの奥地に新天地を求めて旅立ちました（１８３５）。彼らは牛に引かせた幌馬車で移動しました。その旅はグレートトレックと呼ばれました。

しかし奥地には、ズールー人が王国をつくっていました。彼らはボーア人の行く手を阻み、両者は激しい戦闘に入ります。流れる川の水を血に染めた血の川の戦い（１８３８）を鉄砲の火力で勝利したボーア人は、さらに奥地へ進みました。そしてその地にオレンジ自由国とトランスヴァール共和国を建設しました。

ケープタウンを手中に収めた大英帝国（１８７７年のインド帝国成立以降、帝国主義化を強めたこの国は大英帝国と呼ぶのがふさわしいと思います）は、アフリカの中でも地味が豊かで、気候的にも暮らしやすいこの地を重視しました。領土を拡大すべく、さらに北へ進出します。そしてズールー王国と衝突し、これを滅ぼしました。このズールー戦争でナポレオン三世の遺児が戦死しています（１８７９）。１８８５年末には、ボーア人の国トランスヴァール共和国で大金鉱が発見されました。大英帝国が、これを見逃すはずがありません。ただちにズールー王国の北にあるトランスヴァールへ進入しました。

トランスヴァール共和国は同じボーア人の国オレンジ自由国と結んで大英帝国と１８９９年から１９０２年まで激しく戦いましたが、多勢に無勢で敗れます。この戦いに50万人もの大兵力を動員せざるを得なかった大英帝国は、当時、ロシアとユーラシアの覇権をめぐってグレートゲームを戦っている最中でした。こうして手薄になった極東地域の兵力を補充するため日英同盟が結ばれたのです（１９０２）。

大英帝国は、この戦いを指揮した政治家セシル・ローズに金鉱の採掘権を与えました。

セシル・ローズは後に、世界のダイヤモンド市場をリードするデ・ビアス社の創業者になります。また彼はケープ植民地首相にもなり、そのときに、アパルトヘイト（人種差別隔離体制）の原型となるような法律を制定しています。

戦いに敗れたオレンジ自由国とトランスヴァール共和国は、後に南アフリカ連邦の自治領となりました（1910）。

大英帝国が南アフリカで勢力を拡大している同時期に、スコットランドの宣教師のリヴィングストンは、現在のザンビア共和国のザンベジ川流域を探検して大きな滝を発見し（1855）、これを女王に因んでヴィクトリア滝と名づけました。リヴィングストンは、何回もの探検を通じて正確なアフリカの地図を作成し、また奴隷解放にも尽力したことで知られています。

アフリカ植民地支配にインド人を投入した大英帝国

ケープタウンを獲得した頃から、大英帝国はアフリカの植民地経営の人手不足に悩み始めました。ボーア人は、大英帝国の支配を嫌ってほとんど北へ去りました。近郊のズールー人も抵抗します。そして大英帝国は1807年に奴隷制度を廃止しています。

そのときひらめいたのがインドの存在です。暑いといえばインドも暑い。俺たちはインドを持っている、ということでインド人をアフリカに大量に連れてきたのです。１８６０年、南アフリカのインド洋沿岸の、もともとズールー人の住んでいたナタールに、初めてインド人が入植しました。彼らは商売が上手で数字にも強く、大英帝国支配下の中級官僚としても、たいへん有能でした。この後、東アフリカにもインド人は投入されるようになります。

こうして大英帝国のアフリカ経営は、インド人の投入によって順調に進み始めました。このあたり、大英帝国の植民地支配は実に巧みです。これぐらいの知恵が働かないと、大英帝国はあれほど大きくはならなかったでしょう。インドはあらゆる面で大英帝国の宝庫となりました。

インド人がたくさん南アフリカにやってきたので、インドにおけるインド人たちの独立運動の火花が南アフリカにも飛火しました。ガンディーは１８９３年から１９１４年まで、弁護士として南アフリカの地でインド人の人権擁護のために活動しました。彼の非暴力を武器とする抵抗運動の原型は、南アフリカで始まったのです。

19世紀後半からヨーロッパ列強は、バターを切り取るようにアフリカを切り取った

1875年にエジプトは、大英帝国にスエズ運河の株式を売却しましたが、その後財政破綻して大英帝国の事実上の保護国となりました（1882）。さらに1899年、大英帝国はエジプトの南方のスーダンを征服しました。またスーダンの南東、ケニアも1885年に植民地とし、その南西のザンビアもリヴィングストンの探検を契機に獲得していきます。

この段階で、大英帝国の世界戦略となった3C政策が実現しました。エジプトのカイロCairo、南アフリカのケープタウンCape Town、インドのカルカッタCalcuttaを結ぶ域内が大英帝国の生命線であるとする構想です。この3C政策はインド支配と結びついた、アフリカ縦断政策でもありました。

大英帝国に次いでアフリカの植民地政策を推し進めたのはフランスです。

フランスはネーデルランドがケープ植民地を開拓した直後の1659年（ルイ十四世の時代です）、西アフリカのセネガル川河口に植民都市サン・ルイを建設しました。フラン

スはこのサン・ルイをアフリカ植民地政策の橋頭堡に位置づけ、西アフリカを横断する植民地戦略を採り、1895年にはフランス領西アフリカ（モーリタニア、セネガル、マリ、ギニア、コートジボワール、ニジェール、ブルキナファソ、ベナン）を成立させました。そして、中央アフリカやチャドに触手を伸ばします。その総督府は最初はサン・ルイでしたが1902年からはダカールになります。有名なダカール・ラリー（かつてのパリ・ダカ）の基点となる都市です（なお、2009年からは会場が南米に移されています）。

大英帝国とフランスが先に手を伸ばしたアフリカでしたが、広大な大陸ですから、まだ未征服の土地はたくさんありました。そこへ、産業革命で力をつけてきたドイツやベルギーも植民地分捕り合戦に参入してきます。牛疫に打ち砕かれたアフリカにはもはや抵抗する力は残っていませんでした。ドイツは南西アフリカ（ナミビア）、東アフリカ（タンガニーカ）、ギニア湾のカメルーンやトーゴを手に入れました。またベルギーは中央アフリカのコンゴを押さえます。

かくしてアフリカ大陸は20世紀の初めになると、ヨーロッパ7カ国（大英帝国、フランス、スペイン、ポルトガル、ドイツ、イタリア、ベルギー）の植民地が入り乱れ、独立国

〈図8−3〉
20世紀初頭のアフリカの植民地

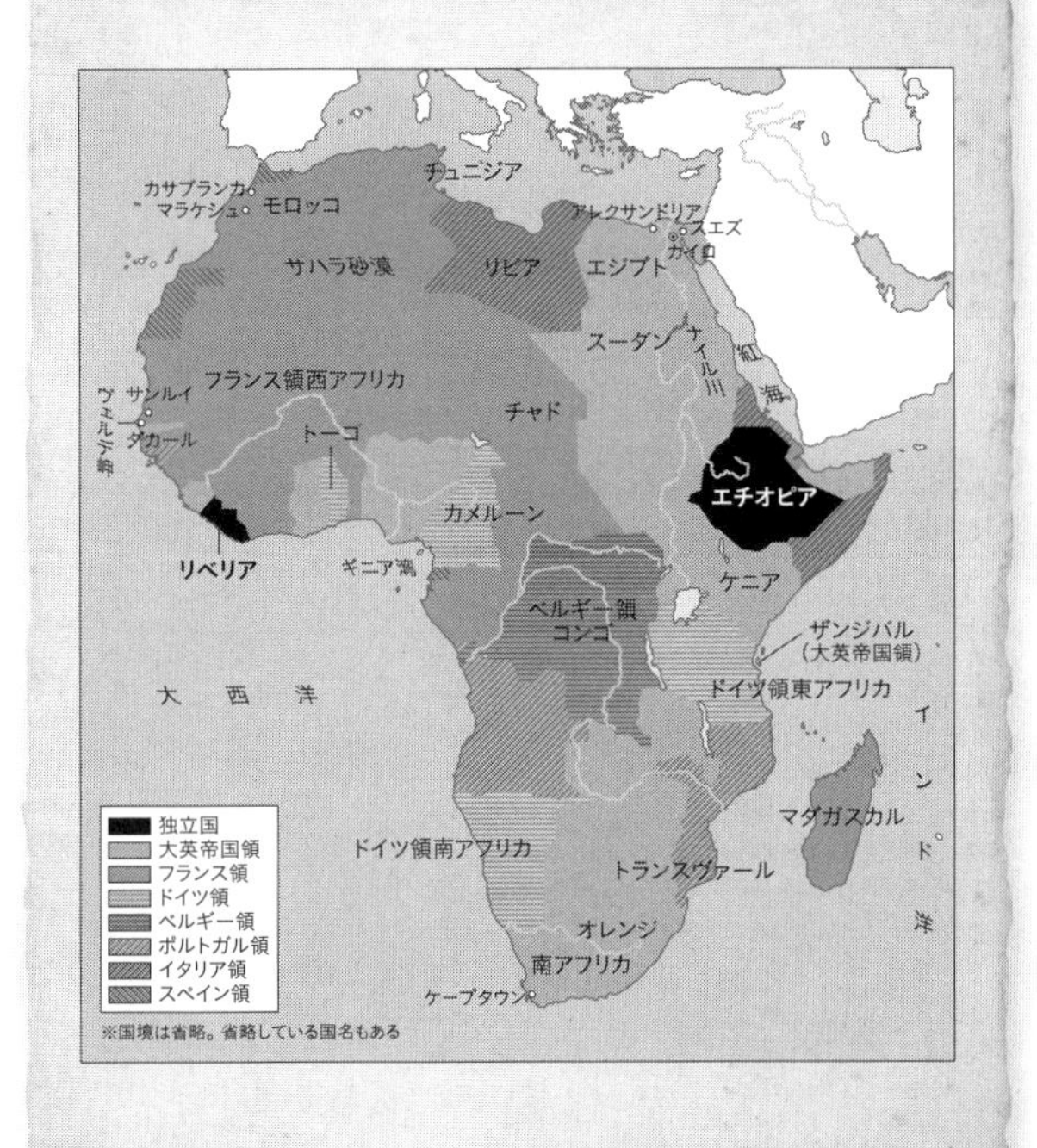

はエチオピアとリベリアのたった2カ国しかありませんでした。

帝国主義国家間の利害の対立を大きな要因として、1914年に第一次世界大戦が勃発し、1918年に終結します。パリ講和会議の後に結ばれたヴェルサイユ条約によって、アフリカのドイツ植民地はすべて消滅し、英仏などに山分けされました。また、最後になって連合国側についたイタリアは、エチオピアの東にある海岸地帯のソマリアを獲得します。

そのあと1939年にはナチス・ドイツのポーランド侵攻を引き金として、第二次世界大戦が起こります。ドイツは北アフリカ戦線にロンメル将軍率いる機甲部隊を派遣し、リビアからエジプトを目指しますが敗れます。ロンメル将軍はドイツに戻った後、ヒトラー暗殺事件への関与を疑われ自殺しました。

アフリカ独立へ――冷戦、バンドン会議、ガーナ独立

第二次世界大戦後の世界は、米ソ対立を軸とした東西両陣営による「冷戦」の時代に入ります。その中でアジア・アフリカ諸国は、米ソの両陣営に属さない第三勢力として発言権を確保しようとします。その中心人物はインドのネルー首相、エジプトのナーセル大統

領、インドネシアのスカルノ大統領、中国の周恩来首相などでした。１９５５年に、ネルー、スカルノ、周恩来の３名を中心にインドネシアのバンドンで、バンドン会議が開催されます。この会議は、第三勢力の立場から世界に向けて「平和十原則」をアピールし、存在感を示しました。

また、第一次世界大戦末期に、アメリカ大統領のウィルソンが提唱した「民族自決」の理念が、アフリカに浸透してくるのが第二次世界大戦後のことでした。

英仏は本国と植民地の対等をはかることで植民地経営の再編を目指しますが、独立運動の波には抗しきれなくなっていきます。ついに１９５７年、英国領ガーナがエンクルマというリーダーによって、黒人アフリカとして初めて自由と解放を勝ち取り、独立共和国となりました。そして堰(せき)を切ったように、アフリカの独立が続きます。１９６０年には17カ国が独立し、この年はアフリカの年と呼ばれました。さらに１９６３年、エチオピアのアジスアベバでアフリカ独立諸国首脳会議が開催され、各国の独立支持とアフリカの連帯が強調されました。この会議からアフリカ統一機構ＯＡＵが創設されます。ＯＡＵは、アフリカの独立、植民地主義の根絶を掲げました。

この段階に至って、ついにアフリカも長い暗黒時代から抜け出すのか、と期待が持たれました。

●なかなか自力でテイクオフできないアフリカの事情

しかし、アフリカの独立は、順調には進みませんでした。独立直後から内乱が起こり始めます。

たとえばコンゴは、ダイヤモンドや銅などの資源が豊富な国です。ここでルムンバ首相が黒人による初めての民主共和国を樹立しました（1960）。しかし資源の利権がからんでモブツという軍人がクーデターを起こし、ルムンバは殺害されます。コンゴ問題を解決すべく、国連の事務総長ハマーショルドは現地に向かうのですが、その飛行機が墜落し、ハマーショルドも死亡しました（『道しるべ』〔みすず書房〕というすばらしい日記が残されました）。コンゴ動乱は1963年まで続きました。

アフリカで最大の人口を擁するナイジェリアでは石油の利権争いと民族対立からビアフラ戦争（1967～70）が始まり、終結時には200万人の餓死者を含む犠牲者と、それを上回る数の難民を出しました。現在では、ボコ・ハラムと呼ばれる過激なテロ集団が北東部を根城にテロを繰り返しています。またソマリアでは1988年から内戦が始まり、部族間の深刻な殺戮（さつりく）戦となりました。国連軍（米軍）が介入するも効果なく、これまでに１００万人以上の死者を出しています。またアフリカ中央部にあるルワンダでも、部族対立から内戦が始まり、１００万人を超える死者が出ています（１９９０〜９５）。国連はソマリア介入の失敗もあって有効な手が打てませんでした。またスーダンでは北のイスラム勢力と南の非アラブ系住民との間で１９８３年から南北内戦が始まり、２０１１年に住民投票によって南スーダンが独立しました。しかし、政情は不安定なままです。

ただ南アフリカだけは、白人から黒人への民主的な政権交代が行なわれました。生涯をアパルトヘイト反対運動にささげたネルソン・マンデラが、１９９４年に大統領に就任し、アパルトヘイトは解体されます。そして現地人による民主的国家として歩き始めました。しかしなぜアフリカでは内乱が頻発し、新興国が自力ではなかなかテイクオフできないのでしょうか。

一般論として、新興国や、戦乱や内戦で疲弊（ひへい）した国がテイクオフするとき、すなわち自力で歩き始めるときに、一番大切なことは中間層を育てることです。そして中間層が育つためには、国内産業の振興が不可欠です。それにはお金が必要です。たとえば第二次世界大戦が終わったときの西ヨーロッパ諸国は、アメリカのマーシャル・プランで資金援助を得て、インフラを整備し産業を再興し、中間層を育てて、国力を回復させたのでした。

アフリカの場合は、どうだったのでしょう。この大陸の場合、300年近くも働き盛りの労働力をアメリカに持っていかれました。産業振興の中核となる人材を欠いたアフリカは、モノカルチャーを維持するだけになりました。特定の第一次産業や鉱産物、要するに原料の供給しかできなくなったのです。

そういうアフリカをヨーロッパ列強が植民地にしたのですが、資源は豊かでも酷暑のアフリカにヨーロッパ人は住みつきませんでした。このアフリカの地理的条件が、高原地帯が多くて暮らしやすい土地がたくさんあったラテンアメリカと大きく異なる点でした。

また、植民地経営のベテランである大英帝国は、植民地の先住民を上手に活用して、支配体制に組み入れました。そのことが結果的に、先住民の中から官僚を育て、中間層を育ててきたのでした。ところがアフリカでは、大英帝国はインドから人材を移入してしまった。現地人を支配者側に組み込まなかったのです。またフランスやドイツは、現地人を活用するなどの知恵をほとんど使いませんでした。資源を収奪することが中心だったのです。

第二次世界大戦が終わって、独立の風がアフリカに吹いたとき、アフリカには一部の族長や貧しい第一次産業従事者は存在しましたが、官僚になる人材や中間層が貧弱でした。そしてその族長や少数の先進的エリートが独立運動のリーダーになり、大統領や首相になっていったのです。

彼らが、援助資金として国際機関や先進国から受け取ったお金を有効活用して、橋を架け道路をつくり、教育を行ない、産業を立ち上げるインフラづくりをしたら、そこに有効需要が生まれますから、中間層も育ち、国づくりも進みます。けれどアフリカの場合、ほとんどの指導者たちは、そのお金を自分たちのポケットに入れてしまったのです。あるいは、私欲におぼれてクーデターを起こし、清廉な指導者を殺して金と地位を奪ってしまうケースもありました。コンゴのモブツ元大統領は、不正蓄財5000億円、ヨーロッパに別荘が何軒もあったと言われています。

乱暴な言い方ですが、アフリカの指導者たちと資金援助の関係は、ベンチャーとベンチャーキャピタルの関係に似ています。ベンチャーキャピタルが投資をしても、ベンチャーがそのお金で私腹を肥やしたり飲み食いに使ってしまった。なぜそうなってしまったのか。

アフリカの多くの部族には、列強の支配を脱して独立したい欲求がありました。しかし独立国家に必要な統治システムや、それを担保する中間層が存在しない状態では、族長に多額の資金を渡しても、結局お金の誘惑に負けてしまい、橋をつくるよりお酒を飲むほうに使ってしまうことになる。生産年齢人口を奴隷に取られ続けて300年、さらにそのあとはヨーロッパ列強に切り取り放題をされた結果、アフリカの精神風土は、眼前の大金を自分の欲望に使うことしか、考えられないものになっていたのではないか。その結果、新興独立国はテイクオフできなかったのではないか。それが20世紀後半の独立後のアフリカの姿ではなかったのか、と思います。アフリカ人が劣っていたからでもなければ、いわんや「暗黒大陸」だったからでもなく、そこには歴史的な必然性、つまり原因と結果があったのだと考えます。

アフリカは必ずもう一度飛び立つ

アフリカ大陸は約7000万年昔に南アメリカ大陸と分かれました。そして約20万年前に、北方からアフリカに移住した北方真獣類の祖先の中からホモ・サピエンス・サピエンス（現生人類の祖先）が誕生し、彼らはアフリカから世界へと旅立っていきました。その人類の母なる大地アフリカは、あまりにも不幸な歴史のせいで、今日ではとうとう地球最後の辺境となってしまいました。

しかし、あまりにも苦かった歴史から学んで、21世紀にはアフリカも立ち直っていくのではないかと思います。たとえば、民主国家として南アフリカ共和国がテイクオフしたように。人類が旅立っていった大陸に、20万年の歳月をかけて、もう一度かつてのような「文明の時代」が戻ってくるのではないか。歴史を長い尺度で見るとき、僕はそのように考えたいと思います。

なお、アフリカとアメリカは似た名前ですが、それは偶然の一致です。残念ながら同じ大陸（ゴンドワナ大陸）だったからではありません。アメリカはアメリゴ・ヴェスプッチの名前に由来しています。アフリカは北アフリカのカルタゴ（現チュニジア）の南に居住していた人々をアフリ Afri と呼んだことに起因し、アフリ人の住む土地なので、ラテン語でアフリカとなったそうです。ちなみにヨーロッパの語源はフェニキアの王女エウローペ、アジアの語源はアッシリア語の日の出、アス asu だそうです。

〈第8章の関連年表〉

アフリカの歴史（BC10世紀後半〜AD20世紀）

西暦（年）	
BC10世紀後半	クシュ王国、興る（〜AD350頃）
AD1世紀前後	アクスム王国、興る（〜10世紀中頃）
1076	ガーナ王国（8世紀〜）、ムラービト朝に滅ぼされる
11C	グレート・ジンバブエ、のちモノモタパ王国興る（15Cがピーク）
1230年代	マリ帝国（〜15世紀後半）、興る
1270	ソロモン朝エチオピア、興る（〜1974）
14世紀末	コンゴ王国（16世紀にポルトガルの属国に）、興る
1433	鄭和艦隊、派遣終了
45	ポルトガルの航海王子エンリケ、ヴェルデ岬に到達
64	ソンガイ帝国（ガオ帝国）、成立（〜1590）
88	ポルトガルのバルトロメウ・ディアス、アフリカ南端（喜望峰）に到達
92	コロン、新大陸に到達。15世紀末からポルトガルによる奴隷貿易始まる
1580	スペイン、ポルトガルを併合（同君連合）。奴隷貿易、ポルトガルからスペインに移る
1652	ネーデルランドの東インド会社、ケープ植民地建設
59	フランス、植民都市サン・ルイを建設
1713	スペイン継承戦争終結。ユトレヒト条約で、イングランド、ネーデルランド、フランスが奴隷貿易権を得る
95	イングランド、ケープタウン占領（第一次、1803返還、06再占領）
1807	イングランド、大英帝国内での奴隷貿易廃止を宣言
14	ウィーン会議にて、イングランド領ケープタウンが承認（ケープ植民地）
35	ボーア人、ケープ植民地より奥地に移動開始（グレートトレック）
38	血の川の戦い（ボーア人とズールー人の戦闘）
48	フランス、奴隷制度廃止を宣言
52	ボーア人のトランスヴァール共和国成立（〜1902）
54	ボーア人のオレンジ自由国成立（〜1902）
60	アフリカに初めてインド人が入植（大英帝国、アフリカの植民地経営にインド人を投入）
71	リヴィングストンの建議により、ザンジバルの奴隷市場閉鎖
75	エジプト、スエズ運河の株式を大英帝国に売却
83	スペイン、スペイン植民地での奴隷制度を廃止
85	トランスヴァール共和国で大金鉱発見
90	セシル・ローズ、ケープ植民地首相就任（〜96）
93	ガンディー、南アフリカでのインド人の人権擁護活動開始(〜1914)
99	南アフリカ（ボーア）戦争（〜1902）
1955	バンドン会議開催
57	英国領ガーナ独立
60	17カ国が独立。アフリカの年。コンゴ民主主義共和国樹立。コンゴ動乱（〜63）
63	アフリカ独立諸国首脳会議開催、アフリカ統一機構(OAU)憲章採択
83	スーダン南北内戦（〜2011、2011南スーダン共和国独立）
88	ソマリア内戦始まる
90	ルワンダ内戦（〜95）
91	南アフリカ、アパルトヘイト終結宣言
94	ネルソン・マンデラ、南アフリカ大統領に就任

第9章

ドイツを統一したプロイセンと第一次世界大戦

——フランク王国からヒトラー登場まで

■プロイセンはどのようにして歴史に登場してきたか

プロイセンを学校の授業では「プロシャ」と習った人もいると思いますが、これはプロイセンの英語名です。わが国の大日本帝国憲法のお手本となったのが、君主に強力な権限を持たせたプロイセンの憲法でした。また、日本陸軍もプロイセンの陸軍に倣(なら)っています。森鷗外(もりおうがい)が留学したのはプロイセンの首都、ベルリンでした。このように近代日本の黎明(れいめい)期に、アメリカや大英帝国と並んでわが国に大きな影響を与えたプロイセンですが、では「プロイセンってどんな国?」と問われると、意外にあいまいなイメージしか浮かばないのではないかと思います。たとえば、ドイツという名称とどうかかわるのか?

この章ではプロイセンについてお話しします。

最初にドイツという呼称について触れておきますと、この言葉は古い時代にはtheudisk といって「民衆本来の(言葉を話す)」という意味でした。すなわちローマ帝国の時代に、ローマの国境線(リーメス)であったライン川、ドナウ川から北方に広がる広大な森林地域に住んでいた、ローマの公式言語であるラテン語を話さなかった人々のことを、theudisk と言い慣わしていました。8世紀頃から theudisk が deutsche と表現され、

「民衆本来の言葉を話す人々の国、地方」の意味となりました。

したがって「ドイツ」という概念には、国境は含まれていませんでした。特定の民族や国家を表現する言葉ではなかったのです。

中世のドイツ王国（＝神聖ローマ帝国）も、もちろん単一の国境で区分された国家ではありませんでした。それは現在のドイツだけではなく、時によってはオーストリア、ハンガリー、スイス、さらにはローマ教皇領のあるイタリアまでをも含む概念でした。言い方を変えれば、フランク族の大国フランク王国が東西に分裂したとき、東フランク王国の各地を治めていた族長が諸侯と呼ばれる貴族となり、彼らの中からドイツ王が選ばれ、ドイツ王はローマ教会とローマ教皇領を庇護する代償としてローマ皇帝（１５１２年以降、神聖ローマ皇帝）に戴冠されていたのです。そのような諸侯の、緩い統合によって形成された連邦国家全体の王をドイツ王と呼んでいたのです。当時はドイツという特定の国はなかった。

それではプロイセンとは、そのような諸侯のひとつとして登場してきたのでしょうか。そうではありませんでした。

北の地中海と呼ばれるバルト海に面して、ポーランドとリトアニアの間に、現代の世界地図ではロシアの飛び地となっている三角形のせまい土地があります。この辺り一帯には13世紀の初めまで、プルーセン人と呼ばれる人々が住んでいました。プルーセン人が住んでいたので、この地方はプロイセンと呼ばれるようになったのです。この人たちは文字を残していません。そのため、どういう民族なのかは、判然としていません。

プロイセンの中心都市は現在のカリーニングラード、昔はケーニヒスベルクと呼ばれた町です。近代になるとドイツ観念論哲学の基礎を築いたカント（1724～1804）が、この町で生まれて生涯を過ごしました。そしてこのバルト海に近い地に住んでいたプルーセン人が滅ぼされたときから、プロイセンという国の歴史が始まるのですが、話の続きはベルリンのあるブランデンブルク地方に飛びます。

ドイツ王国の東端ブランデンブルク地方にブランデンブルク辺境伯領が生まれた

シャルルマーニュがフランク王国を現代の西ヨーロッパ全体を呑み込むほどの大国に発展させて、ローマ皇帝を戴冠したのは８００年のことでした。その後東西フランク王国に分かれて、西フランク王国はフランスとなり、東フランク王国ではシャルルマーニュに一敗地に塗（まみ）れたザクセン族が抜け出して諸侯の上に立ち、ドイツ王に選ばれました。ザクセン朝二代オットー一世は962年に、ローマ皇帝を戴冠しました。

彼の時代にドイツは大きくなりますが、その栄えた地域はライン川沿いのところです。東方のエルベ川周辺から東は、ほとんど放置されていました。そこまで手が廻らなかったのです。

1150年のことです。アスカーニエン家のアルブレヒト熊公が、当時のドイツ王だったホーエンシュタウフェン家のコンラート三世に、次のような請願をしました。

「私をブランデンブルクの辺境伯にしてください」

辺境伯はシャルルマーニュの時代に、王国の中心から遠く離れた地域を守る地方長官に名づけられた役職です。ブランデンブルクは、現在のポーランド国境に近いベルリンから西に60㎞ほど離れた小さな町です。後にこの地方全体の名前にもなりました。12世紀の頃はまだベルリンも建設されていなくて、ドイツ王国の中枢のライン川からは遠く離れた、辺境の地でした。バッハ(1685~1750)は「ブランデンブルク協奏曲」を辺境伯に献呈しています。アルブレヒトは、この未開に近いブランデンブルクの地で、一旗あげようとしたのでしょう。1157年にドイツ王フリードリヒ一世が、この請願を許可しました。

こうしてブランデンブルク辺境伯領が成立しました。ブランデンブルク辺境伯は、13世紀に入るとベルリンを建設します。ベルリンという地名は、1244年に初めて文書に登場します。

ブランデンブルク辺境伯の領地が、新しくドイツ圏内に入ってきたことで、ポーランドの東にあるプロイセンの地が、ドイツ諸侯の視野に入ってきました。

■プロイセンに目をつけたドイツ騎士団

第一回十字軍（1096〜99）の後、教皇の許可を得てエルサレムに巡礼者を守る騎士団（騎士修道会）が成立しました。実際に騎士となったのは、貴族の二、三男で職と土地にあぶれた男たちでした。その代表がフランス人のヨハネ騎士団とテンプル騎士団、そしてやや遅れて結成されたドイツ人のドイツ騎士団（チュートン騎士団）です。

ホーエンシュタウフェン朝の賢帝フリードリヒ二世（イタリア名フェデリーコ）の時代（ローマ皇帝在位1215〜50）、ドイツ騎士団の総長はヘルマン・フォン・ザルツァでした。彼は先見性のある男で、エルサレムの十字軍国家に未来はないと見越していました。

第一回十字軍が勝利を収めたのは、たまたまイスラム勢力が内部分裂し、弱体化していたからです。しかしその後エジプトに強力なマムルーク朝が成立してからの十字軍国家は敗北を重ね、第一回十字軍で勝ち取ったエルサレムなどいくつかの都市を奪還されて、残るは海岸沿いのアッコンほか数都市でした。それもヴェネツィアやジェノヴァの海運による海からの補給ルートでどうにか持ちこたえている状況です。いつ命脈が尽きても不思議ではないと、ヘルマンは考えました。そしてシリア・パレスチナの地に見切りをつけました。

彼はドイツ騎士団を率いてハンガリーを攻めてみましたが、うまく行きません。そこで後に「世界の驚異」とまで呼ばれた、開明的な名君フリードリヒ二世の幕僚として働きながら、ドイツ騎士団の将来を模索します。

そして1226年、ちょうどベルリンが誕生した頃ですが、ヘルマンはフリードリヒ二世にリミニ金印勅書を出させます。その主旨は次のようなことでした。

「北東の地でプルーセンという異教徒たちが、キリスト教を受け入れずにいる。ドイツ騎士団は彼らを教化せよ。その土地をキリストの土地にせよ。従わぬ者は倒せ」

この金印を押された勅書によって、ドイツ騎士団はプロイセンを攻略するお墨付きを入手したのです。この勅書は、ほんとうにフリードリヒ二世が書いたのか疑わしいという説もあります。偽書ではないかと。しかしドイツ騎士団にしてみれば、偽書であってもなくても、自分たちのプロイセン攻略の口実さえあれば良かったのです。哀れを止めたのはプルーセン人です。自分たちの神様を信じて、耕作をし、馬や羊を飼い、幸せな生活をしていたのに、突然戦争のプロである騎士団がやってきて村落を破壊したのです。反抗したプルーセン人は殺され、あるいはドイツ騎士団の支配下に従属しました。こうしてプロイセンの歴史も伝統も、言語も不明なまま地名だけを残してプルーセン人は消滅してしまいました。そしてプロイセンの地はドイツ人の支配する国家、ドイツ騎士団領となります。

ドイツ騎士団領はなぜプロイセン公国となったのか

プロイセンを支配したドイツ騎士団は自分たちの国として経営を始めました。まず1255年にケーニヒスベルクを建設して、ここを首都としました。さらに14世紀に入ると、ケーニヒスベルクと湾を隔てた西側のダンツィヒ（現在名グダンスク）に近いマルボルクに大きな城を築きます。マルはは聖母マリアを意味し、ボルクはブルク、すなわち町の意味

〈図9−1〉

ホーエンツォレルン家がプロイセン国王になるまで

●ブランデンブルク辺境伯となったドイツ貴族(諸侯)

西暦(年)	
1157～1320	**アスカーニエン家アルブレヒト熊公の一族**
	↓
1320～73	**ヴィッテルスバッハ家** (後にハプスブルク家と並ぶ豪族となり、バイエルン国王となる)
	↓
1373～1415	**ルクセンブルク家** (現在のルクセンブルク大公国につながる一族。当時はチェコを根城にローマ皇帝となっていた一族)
	↓
1415～1918	**ホーエンツォレルン家** (後にプロイセン国王となり、ドイツ皇帝となる一族)

●プロイセン王国の成立まで

西暦(年)	
1200後半	ドイツ騎士団がプルーセン人を制圧。ドイツ騎士団領プロイセンの誕生
1410	ドイツ騎士団がポーランド・リトアニア王国に敗れて臣従しプロイセン公国となる
1618	プロイセン公家が断絶してホーエンツォレルン家が後継者となり、ブランデンブルク＝プロイセンの同君連合となる
1660	プロイセン公国がポーランドの宗主権(政治・外交の支配権)から独立
1701	神聖ローマ皇帝レオポルト一世、ホーエンツォレルン家にプロイセンの王位を与える

です。プロイセンの地にマリアの町をつくり、ローマ教会を信ずるドイツ騎士団のシンボルとしたのです。このお城は現在世界遺産となっています。

この頃ドイツ騎士団はハンザ同盟に加盟します。この北ドイツの都市同盟は、リューベックの近くで産出する岩塩で北海のタラやニシンを塩漬けにする、当時としては画期的なアイデア商品を売り捌(さば)き、広くイングランドやフランスまでを交易圏としました。このハンザ同盟にドイツ騎士団の都市ダンツィヒが加盟し、プロイセン地方の麦に代表される穀物で交易を行ない、騎士団領は東ヨーロッパの強国となり始めました。

ところが１３８６年、ポーランドの女王とリトアニアの大公が結婚して、ポーランド・リトアニア王国が誕生しました。ヤギェウォ朝です。ということはドイツ騎士団領のあるプロイセンの地は、まさにクルミ割り人形に挟まれたクルミ状態となります。

ついに１４１０年、ポーランド・リトアニア連合軍とドイツ騎士団は、ポーランド領のタンネンベルクの戦いで激突しました。ドイツ騎士団は大敗します。

この敗戦の結果、ドイツ王の支配下にあったドイツ騎士団領は、ポーランド・リトアニア王に臣従(しんじゅう)して、ポーランド・リトアニア王国内のプロイセン公領となってしまいました。しかしドイツ騎士団そのものが消滅したわけではありません。

プロイセン王国が成立するまで

1 ブランデンブルク辺境伯が選帝侯となる

時計の針を半世紀ほど戻します。1356年、ローマ皇帝カール四世が金印勅書を出しました。カール四世は現代のルクセンブルク大公国につながるルクセンブルク家の出身です。当時はボヘミア（現在のチェコ共和国）王を兼ねていました。カール四世は金印勅書で、ドイツ王の選び方を決めました。

ローマ皇帝になるにはドイツの有力な諸侯によって、まずドイツ王に選ばれることが第一条件でしたが、カール四世は金印勅書によって、そのドイツ王を選ぶ諸侯を7人と定めたのです。具体的には、マインツ、ケルン、トリーアの3人の大司教（聖職諸侯）と、4人の貴族（世俗諸侯）、ボヘミア王、ライン宮中伯、ザクセン公、そしてブランデンブルク辺境伯の7人でした。

選帝侯を限定した目的は、ルクセンブルク家のライバルとなる2つの強力な家系、オーストリアのハプスブルク家とバイエルン（ミュンヘンが中心都市）のヴィッテルスバッハ家を外したところにありました（但し、1356年当時のブランデンブルク辺境伯はヴィッテルスバッハ家)。

この選帝侯にブランデンブルク辺境伯が選ばれたのは、ドイツの東北の片田舎に所領を構えてから二百数年を経過して、ベルリンを中心にめざましく開拓され始めた新興国であることが、大きな理由であったと思います。

2 ホーエンツォレルン家がブランデンブルク辺境伯に

カール四世の後、ローマ皇帝となったのは、子どものジギスムントです(在位1411〜37)。

彼の妻はハンガリーの王女だったので、彼はハンガリー王でもありました。そのハンガリーに、14世紀後半、オスマン軍がたびたび侵略してきました。ジギスムントは出陣して戦い、大敗します(ニコポリスの戦い。1396)。またローマ皇帝(兼ボヘミア王)となってからは、地元で人望のあったプラハ大学(カレル大学)の宗教学教授フスを異端の徒として火刑に処しました(1415)。このことでチェコの人々が憤激し、やがてフス戦争と呼ばれる大争乱が起こります(1419〜36)。

ジギスムントは、フスを処刑した1415年に、ルクセンブルク家の所領であったブラ

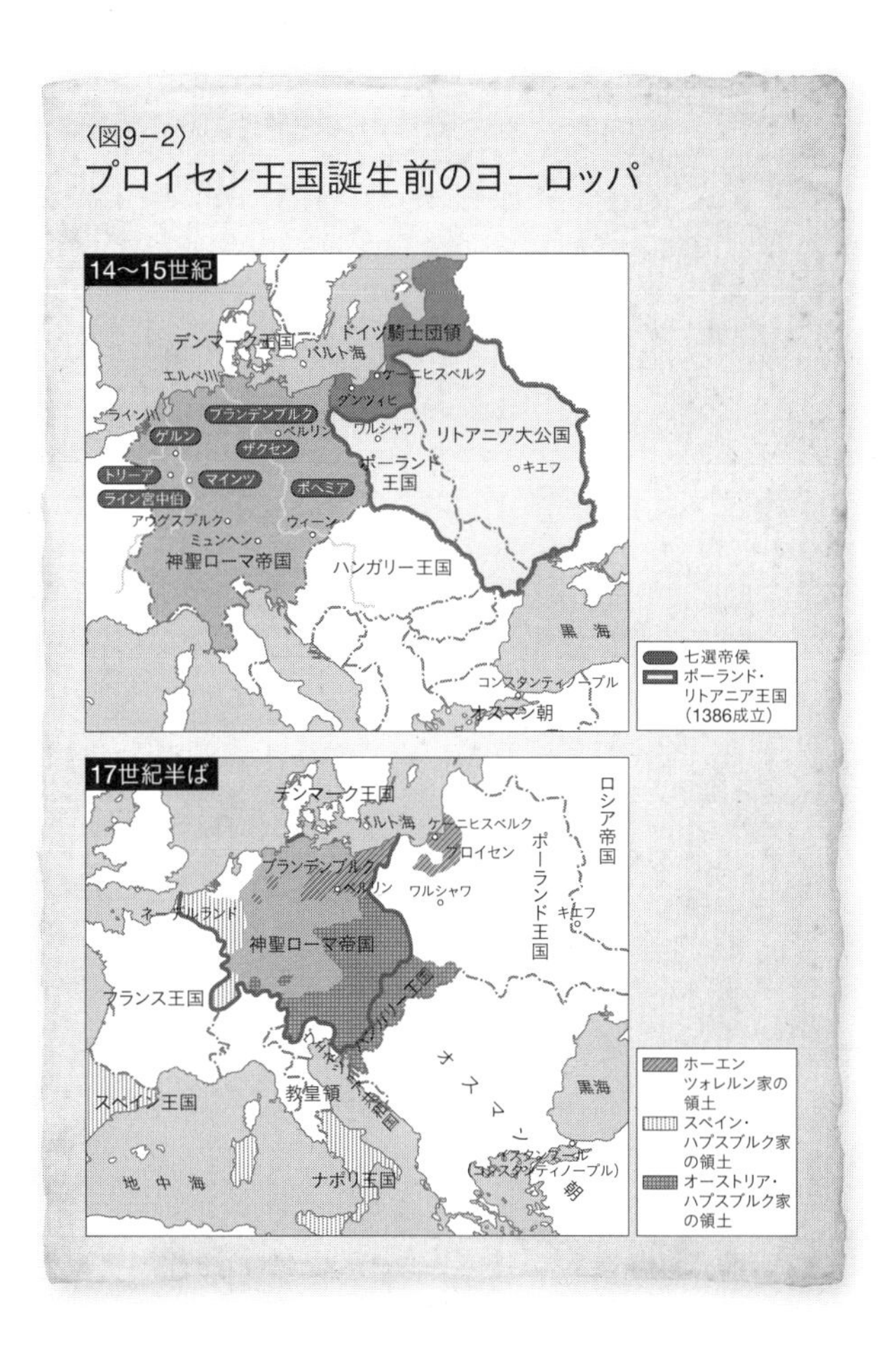

〈図9−2〉
プロイセン王国誕生前のヨーロッパ

ンデンブルク辺境伯領をホーエンツォレルン家に下賜(かし)しました。下賜した理由は、ホーエンツォレルン家が献身的に働いたからだと思われます(借財の見返り)。

ホーエンツォレルン家は、南ドイツのシュヴァーベン地方の名門で、フリードリヒ二世を輩出したホーエンシュタウフェン家に仕えていた一族でした。このニュルンベルクの城主でしかなかった家系が、ブランデンブルク辺境伯を賜ったのです。こうしてホーエンツォレルン家は、初めて大きな領土を持つことになりました。

3 プロイセン公国がポーランドから独立

1618年、ボヘミアのプロテスタント貴族とローマ教会を信仰するカトリック諸侯の争いに端を発して、ドイツ全土を巻き込む三十年戦争が始まります。ちょうどこの年、プロイセン公であるドイツ騎士団の一族が断絶し、後継者がいなくなりました。このときプロイセン公国は後継者を、ブランデンブルク辺境伯であるホーエンツォレルン家に求めました。この一族は、ホーエンシュタウフェン家につながる一族でした。そのこともあって、ゆかりのあるホーエンツォレルン家に後継ぎを求めたのでしょう。

この結果、選帝侯・ブランデンブルク辺境伯は、プロイセン公国の君主を兼ね、ブランデンブルクとプロイセンは同君連合の形になりました。しかしポーランドのプロイセン公国に対する宗主権（政治・外交の支配権）はそのままでしたから、いまだプロイセン公はポーランドに臣従する関係にありました。ところで、1640年からブランデンブルク辺境伯となったフリードリヒ・ヴィルヘルムは、大選帝侯と称された有能な人物でした。彼は三十年戦争に参加してブランデンブルク辺境伯領を拡大し、国力を強化しました。

フリードリヒ・ヴィルヘルムはその軍事力を背景に1660年、ロシアやスウェーデンなどとの相次ぐ戦争で（大洪水時代）疲弊したポーランドに戦争を仕掛け、プロイセン公国に対する宗主権を返上させました。こうしてプロイセンは、ポーランドから完全に独立した公国となりました。ホーエンツォレルン家は、ポーランドを挟んで、ケーニヒスベルクとベルリンの両首都を支配するようになったのです。

4 プロイセン王国の誕生

1701年、スペイン継承戦争が始まりました。この戦争は断絶したスペイン・ハプスブルク家の後継者に、ルイ十四世の孫が指名されたことに対して、オーストリアのハプスブルク家が猛反対して始まった戦争です。フランスの勢力が大きくなることを警戒して、イングランド＝ネーデルランド（同君連合）もオーストリアに味方しました。しかし中心はハプスブルク家とブルボン家の争いでした。

この戦争が始まったとき、神聖ローマ皇帝はハプスブルク家のレオポルト一世でした。彼はホーエンツォレルン家にも軍隊の出動を要請しました。しかし、選帝侯フリードリヒ三世は言（げん）を左右にしてなかなか出兵しません。フランスまで出かけていくほど、自分たちにはメリットはないと計算したのでしょう。そこで皇帝レオポルト一世は一計を案じました。

「出兵すれば、プロイセン王にしてやるが、それでどうだ」

この申し出をベルリンで受けたフリードリヒ三世は、早馬を飛ばしてケーニヒスベルクに駆け込みました。そして自ら戴冠式をやって、プロイセン王、フリードリヒ一世となりました。

こうしてホーエンツォレルン家は、ついに王位を得たのです。首都はベルリンで、2つの飛び地から成る王国でした。この王国には、2つの飛び地を結ぼうという力学が自ずと働きます。そして、飛び地の間にあったのはポーランドでした。

プロイセン王フリードリヒ二世とオーストリア女王マリア・テレジアの闘争

新しく誕生したプロイセン王国は、フリードリヒ一世の後を、子どものフリードリヒ・ヴィルヘルム一世（在位1713～40）が継承しました。彼は兵隊王の異名もあるほど、プロイセンの軍事力増強に注力しました。その人材源の中心となったのは、ユンカーです。ユンカーとはエルベ川以東の地の伝統的な大地主貴族のことで、騎士団の末裔（まつえい）です。

そして第三代の王がフリードリヒ二世です（在位1740～86）。彼の時代にプロイセンは領土を倍増させました。彼が狙いを定めたのはオーストリアのハプスブルク家のマリア・テレジアです。

フリードリヒ二世が王位を継承したのと同じ1740年、神聖ローマ皇帝カール六世が死去して長女のマリア・テレジアが家督（かとく）を継承することになりました。当時のハプスブルク家の領土はオーストリア一国に止（とど）まらず、現在のハンガリー全土からポーランドの南西までを含んでいました。

このハプスブルク家の後継ぎ問題に反対する人々がいました。バイエルン選帝侯(ライン宮中伯を継承)やザクセン公などです。それぞれハプスブルク家に縁があるか、領土が隣接している諸侯です。反対理由は、「女性は君主には向かない」ということです。真意は、「あの広大な土地を女性ひとりにはまかせられないから、援助をしてやろう。ついては少し領土をよこせ」ということだったのでしょう。この様子を見ていたフリードリヒ二世は、すぐに行動に出るとハプスブルク家の領土であったポーランド南西部のシュレージエンに軍隊を侵入させ、占領してしまいました。

シュレージエンは石炭も鉄鉱石も採れる豊かな土地です。マリア・テレジアは激怒しました。そしてただちに兵を出しました。こうしてオーストリア継承戦争が始まりました。この戦争ではハプスブルク家の宿敵のフランスがプロイセン側に、フランスに敵対するイングランドがオーストリア側につき、国際的な争いとなりました。8年で戦いは終結し、継承問題は解決しましたが、シュレージエンはオーストリアには戻りませんでした。

マリア・テレジアは継承問題にかこつけた火事場泥棒のようなフリードリヒ二世の行動を許しがたく思い、彼を倒すために思い切った行動に出ます。長い歳月、不倶戴天(ふぐたいてん)の敵であったフランスのブルボン家と、同盟を結んだのです(1756)。そして娘のマリー・

アントワネットをフランスの王太子（後のルイ十六世）と婚約させました。この彼女の行動は外交革命と呼ばれました。

この同盟を背景にして、マリア・テレジアは再びプロイセンと戦います（七年戦争）。この戦争ではオーストリアとフランスにロシアが加わり、プロイセンにはイングランドが味方しました。ロシア軍にベルリンを占拠されたフリードリヒ二世の命運は風前の灯となります。しかしロシアの女帝エリザヴェータが急逝したことで、からくも生き延びます。女帝を継いだピョートル三世はフリードリヒ二世の崇拝者だったからでした。マリア・テレジアは、またしてもシュレージエンを取り戻すことはできませんでした。フリードリヒ二世は、その後、第一次ポーランド分割を行ない、プロイセンの領土を倍増させて他界しました。彼はプロイセンの強国化を実現したので、「大王」と尊称されました。

第四代、フリードリヒ・ヴィルヘルム二世の時代にフランス革命が起こり（1789）、続いてナポレオンが登場します。ナポレオン率いるフランス軍は、圧倒的な強さでヨーロッパの国々を攻め取り、プロイセンも敗れます。そして1807年に結ばれたティルジット条約によって、エルベ川以西の領土とポーランドを失ったプロイセンの領土は半減しました。

しかし、ナポレオンがロシア遠征に失敗し、ライプチヒの戦いで完敗し、エルバ島に流刑になった後のウィーン会議で、失われたプロイセンの領土はほぼ回復されました。

この歴史的な推移の中で重要なことは、プロイセンを占領したナポレオンとフランス軍がプロイセンに与えた精神的影響に大きな意味があったことです。そのことについてお話しします。

ナポレオンによって目覚めたプロイセンは関税同盟を結成

プロイセンはナポレオンの占領下に入ったことで亡国の危機に見舞われましたが、一方ではナポレオンによってもたらされた、フランス革命の精神とネーション・ステイト（国民国家）の思想に深く共鳴します。ナポレオンに対抗しつつ、その影響でドイツの民族意識が高揚しました。そして、さまざまな自由主義的な改革が起こります。首相のシュタインやハルデンベルクによる農奴解放や自治制度の改革、政治家で言語学者のフンボルトによる教育制度改革とベルリン大学の創設などが代表的な事例です。

ベルリン大学総長で著名なカント哲学者であったフィヒテは、この時期に14回にわたってプロイセンの人々の志気を鼓舞する大演説を行ないました。その題名は「ドイツ国民に

〈図9－3〉
プロイセン王国からドイツ帝国へ

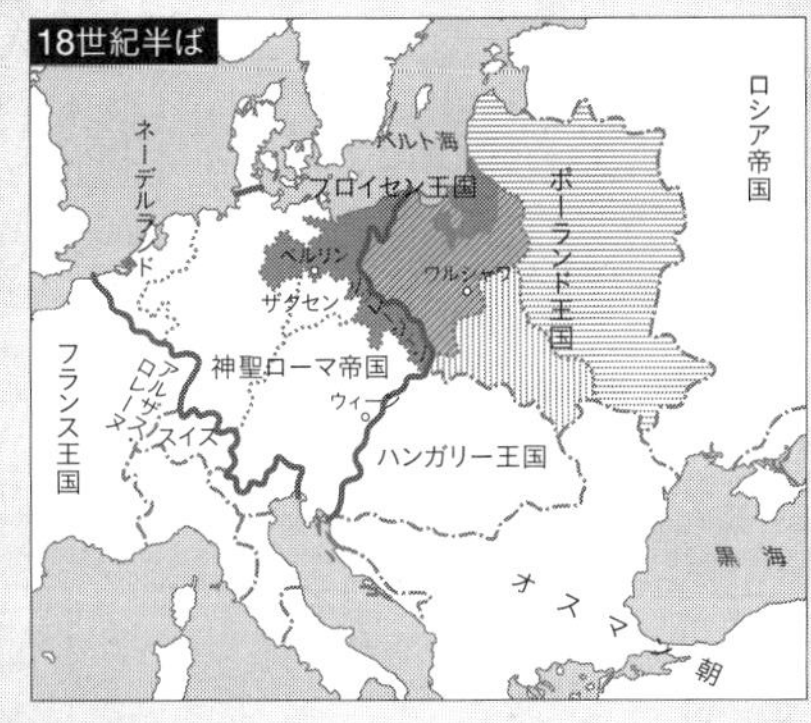
18世紀半ば
ネーデルランド
バルト海
プロイセン王国
ロシア帝国
ポーランド王国
ベルリン
ワルシャワ
ザクセン
神聖ローマ帝国
フランス王国
アルザス・ロレーヌ
スイス
ウィーン
ハンガリー王国
黒海
オスマン朝

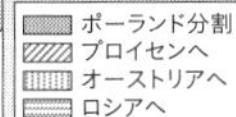
ポーランド分割
プロイセンへ
オーストリアへ
ロシアへ

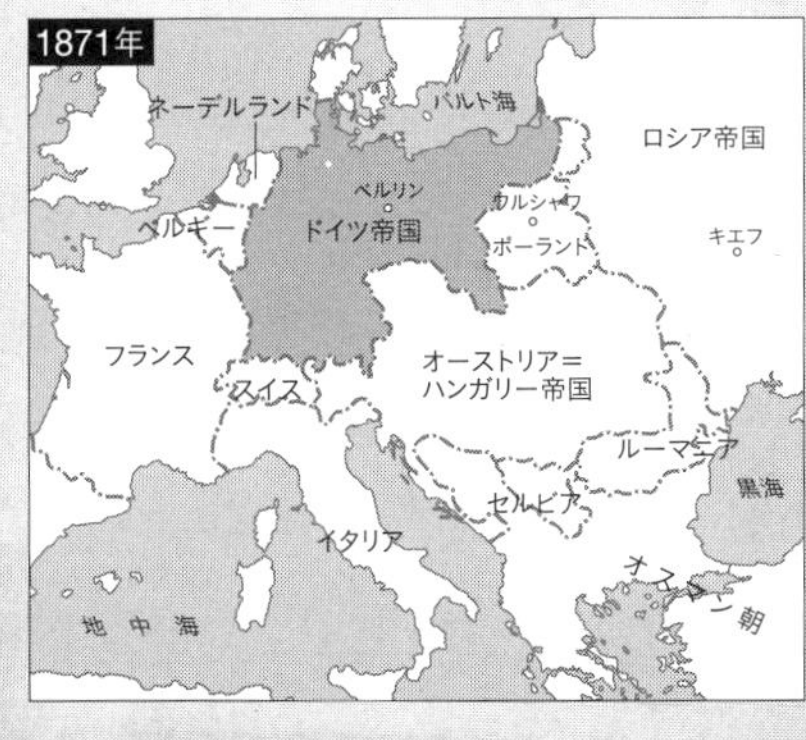
1871年
ネーデルランド
バルト海
ロシア帝国
ベルリン
ワルシャワ
ベルギー
ドイツ帝国
ポーランド
キエフ
フランス
スイス
オーストリア＝
ハンガリー帝国
ルーマニア
黒海
セルビア
イタリア
オスマン朝
地中海

告ぐ」。すなわちフィヒテは、プロイセンであるとかザクセンであるとか、地域別に考えるのではなく、ドイツ全体としてまとまらないと、いつまた第二のナポレオンがやってくるかもしれないと熱く訴えたのです。

この演説はプロイセンの人々に、自分たちが中心となってドイツを統一させねばと、強く意識させるものでした。

ナポレオンは、ヨーロッパを支配下においたとき、プロイセンやオーストリアを同盟国として服従させました。またエルベ川左岸から南西部のドイツ諸侯の国々はライン同盟と呼ばれる国家連合体となり、ナポレオン自身が実質的な盟主となりました。そのため、それまでプロイセンやオーストリアをも含めたドイツの諸侯を、ゆるやかな宗主権でまとめていた「ドイツ国民の神聖ローマ帝国」は、解体されました。そしてナポレオンが敗退した後のヨーロッパの体制を定めたウィーン会議でも、神聖ローマ帝国の復活は認められず、オーストリアのハプスブルク家は、神聖ローマ皇帝の代わりにオーストリア皇帝を名乗るようになりました。そしてドイツは、35の主権国家と独立性の強いハンブルクやフランクフルトなど4つの自由都市が、散在する形となりました。

プロイセンはこのようなドイツの状況を見て、せめてドイツを経済的に統一しようと考えました。ドイツ領邦内での関税を撤廃させ、商品の流通を自由にしようとしたのです。そして1834年に、オーストリアを除く全ドイツを結ぶ関税同盟を結成しました。

ドイツ統一をめぐる大ドイツ主義と小ドイツ主義の対立

1848年、ウィーン会議から約30年後、フランスではオルレアン家のルイ・フィリップが王位に就いていましたが、二月革命が起こり、フランス最後の王政が倒されて第二共和政府が樹立されました。二月革命はヨーロッパ各地に飛び火し三月革命が各地に起こります（諸国民の春。1848年ヨーロッパ革命）。ベルリンでは3月に市民階級が自由主義的な政府を樹立しました。これに対して、時のプロイセン国王フリードリヒ・ヴィルヘルム四世は、憲法の制定を約束して自由主義政府を解散させました。

また、自由都市フランクフルトでは、全ドイツから集まってきた代議員による「統一と自由を求める国民議会」が開かれました。この会議では、ホーエンツォレルン家のプロイセン国王を統一国家の君主とする小ドイツ主義と、ハプスブルク家のオーストリア皇帝を統一国家の君主とする大ドイツ主義が激しく争いましたが、結局、小ドイツ主義が採択されました。

しかし１８４９年に国民議会から、ドイツ皇帝の称号を贈られたフリードリヒ・ヴィルヘルム四世は、帝位は民衆ではなく諸侯の協議によって得られるものであると考え、戴冠を拒否しました。１８４８年革命によるドイツ統一の夢はここに頓挫したのです。

ところで小ドイツ主義と大ドイツ主義の対立はなぜ起こったのか。もともとドイツ国王であり神聖ローマ皇帝であったのは、オーストリアのハプスブルク家です。したがって大ドイツ主義で統一されるほうが、歴史的には自然に思えます。小ドイツ主義が台頭してきたのは、マリア・テレジアの外交革命に原因がありました。

女性のマリア・テレジアを軽視したシュレージエンの強奪は、あきらかにプロイセンの暴挙でした。しかしそれに怒ったマリア・テレジアが、それまでドイツと敵対関係にあったフランスと同盟を結んだことは、短慮に過ぎたと思います。もちろん一時的には、マリア・テレジアの力は強まりましたが、長期的にはオーストリアの国益に反しました。フランスは、ローマ教会派の国でありながら、三十年戦争のときにプロテスタント勢力を利用して、ドイツを弱体化させようとした国です。そのフランスと同盟したハプスブルク家は、全ドイツの人々に釈然としない感情を抱かせてしまった。だから外交革命が成ったあと、ナポレオンに影響され民族意識を高揚させたプロイセンがドイツ統一の中心になっていくのは自然の勢いで、ドイツ関税同盟が結成されたあたりからその流れが顕著になります。ナポレオンが登場して、ドイツの民族意識が高揚するまでは、ドイツの盟主はハプスブルク家であると誰もが疑わなかったのです。

プロイセン王国がドイツ帝国となるまで

1 ヴィルヘルム一世とビスマルクの政治

プロイセン王国の第七代、ヴィルヘルム一世（在位1861〜88）は、首相にビスマルクを登用しました。

ビスマルクはユンカー（大地主貴族）の出身で、保守派の政治家です。彼は誠にしたたかな人物でした。この人ほど国益を冷静に見据え、柔軟に思考し、前言を覆（くつがえ）すことをためらわなかった政治家も少ないでしょう。ビスマルクにとっては、結果よければすべて良しで、そのためにはイデオロギーも方法論もすべて単なる手段に過ぎませんでした。

ビスマルクを首相にとヴィルヘルム一世に推薦したのは、ローンという陸軍大臣でした。彼もフランス革命やナポレオンの影響を受けていますから、一応議会を尊重しています。しかしその議会がローンの考えている富国強兵策に対して、ああだこうだと議論するばかりで結論を出してくれない。そこで決断力のあるビスマルクの採用を提案したのです。

もうひとりモルトケという参謀総長がいて、彼は鉄道の力を熟知していました。時間が正確で高速で走行する鉄道網をドイツ全土に敷けば、軍隊の早期大量移動が簡単になる。そうすれば強いドイツが実現すると考えていました。

ビスマルクとローンとモルトケ、この3人は決して親友ではありませんでしたが、ローンが強い国をつくる剣を研ぎ、モルトケがその剣をふるって進み、ビスマルクが政治力でまとめていく。そうしてプロイセンを強大にしていった、と言われています。そしてこのうるさい3人を、ヴィルヘルム一世が、うまく統率して使いこなしました。ただビスマルクはたいへんな自信家で、ヴィルヘルム一世が訳のわからないことを言うと、「引退します」と言って田舎に引っ込んでしまう。そして「機嫌を直して出てくるように」とヴィルヘルム一世が懇願するまで出てこない。

「ビスマルクのもとで皇帝であることは困難である」

ヴィルヘルム一世は、いつもそうこぼしていたそうです。王妃は進歩的な人で、大のビスマルク嫌い。しかし、そういうビスマルクを30年間、権力の座に置いて辛抱しながら使っていたヴィルヘルム一世は、器の大きい人だったのでしょう。理想的ともいえるボスと部下の関係であったと思います。

2 ビスマルクの権謀術数

大ドイツ主義と小ドイツ主義の話をしましたが、ビスマルクは初めからオーストリアなど問題にしていなかった。ドイツから除外しようと考えていたようです。

彼は1864年にシュレースヴィヒ公国とホルシュタイン公国の帰属をめぐって、デンマーク戦争を起こします。この戦争でプロイセンはオーストリアと同盟しました。その理由はオーストリアの軍事力を見極めることにありました。一緒に戦えば、オーストリアの作戦能力や戦闘能力がよくわかるからです。オーストリアに援軍を求めることが真意ではありませんでした。

そして1866年、プロイセンはオーストリアに戦争（普墺(ふおう)戦争）を仕掛けます。手の内を全部知られてしまっていた、オーストリア軍の完敗でした。勝利したビスマルクは、ドイツ統一の主導権をオーストリアから奪取します。このときに大ドイツ主義は消え、ハプスブルク家はドイツの盟主の座を完全に失いました。

さらにビスマルクの謀略は続きます。

その頃、スペインのブルボン朝では後継者問題がこじれていました。このとき、後継者の候補として、ホーエンツォレルン家のある人物が浮上してきました。これに激しく反対したのがフランスです。もし実現したら、プロイセンとスペインでフランスを挟む形になるからです。ハプスブルク家がドイツとスペインを支配していた時代と、まったく同様の悪夢です。時のフランス皇帝ナポレオン三世は強硬に反対し、その意思をヴィルヘルム一世に伝えました。ヴィルヘルム一世も矛を収めました。

こうして後継者問題は解決したのですが、話は意外な展開をみせます。ドイツのエムスという保養地に滞在していたヴィルヘルム一世にフランスは大使を送り、将来にわたってスペイン王位を要求しないとの約束を取りつけようとしたのです。ヴィルヘルム一世は、もう済んだ話だからと会見を拒否し、ことの顚末をベルリンのビスマルクに電報で送りました。ビスマルクはこの電文の一部を意図的に省略して公表しました。国王の大使への拒絶が故意に強調され、フランスの世論は戦争へと沸き立ちました（エムス電報事件）。

こうして、１８７０年、ナポレオン三世はビスマルクの挑発に乗せられて、普仏戦争を始めます。すべてビスマルクの計算通りです。彼は対フランス戦への準備を整えておいて、電文の改編を行なっています。対してナポレオン三世は、怒りにまかせて戦争に踏み切った。勝敗の帰趨(きすう)は目に見えていました。ナポレオン三世は北フランスのセダンで包囲され捕虜になってしまいます。

フランスは大敗しました。そして賠償金50億フランを払い、さらに鉱物資源と農産物の豊かな産地であるアルザス・ロレーヌ地方をプロイセンに割譲せざるを得ませんでした。この3度の戦争を通じて、ドイツは統一されることになったのです。

3 ヴェルサイユ宮殿で行なったドイツ皇帝ヴィルヘルム一世の戴冠式

1871年、ビスマルクはついにヴィルヘルム一世をヴェルサイユ宮殿でドイツ帝国の皇帝として、戴冠させることに成功しました。ヴィルヘルム一世はドイツ皇帝になりたくなかったそうです。朴訥(ぼくとつ)な人柄だったのでしょう。しかし、ビスマルクが嫌がる国王を説得したり叱(しか)ったりして、ようやく皇帝にした、というエピソードが残されています。

ビスマルクは、オーストリアを除くドイツの統一を実現し、ライバルのフランスを叩いてドイツ帝国をつくりました。彼はやりたいことを、すべて達成しました。しかし彼のすごいところは、フランス人の怨念(おんねん)を明瞭に意識していたことです。挑発して戦争に持ち込んで勝利した、アルザス・ロレーヌを奪い取ってしまった。あまつさえ、ヴェルサイユ宮殿でドイツ帝国皇帝の戴冠式をやった。いかにフランス人が怒っているか、挑発した本人が一番よくわかっていたのです。

そして彼はドイツの安全を守るために、フランスを孤立させて、いくら怒っても手も足も出ないような、みごとな外交戦を展開します。

余談になりますが、日本の明治維新は１８６８年でした。そしてプロイセンがドイツ帝国を樹立した１８７１年、明治政府は欧米の文化や文明を視察するために、岩倉具視や大久保利通らを派遣します。彼らは新しく建国されたドイツ帝国を視察しました。

大英帝国やフランスは、統一国家になって何百年を経ています。それと比較すると、日本と同時代に国を大きくしてドイツを統一したプロイセンに、日本の使節団員たちは、深い親近感を抱きました。その結果、明治憲法のお手本は同じ欽定憲法であったプロイセンの憲法になったのでしょう。

ビスマルク外交によってフランスは封じ込められたが

ビスマルクのフランス封じ込め外交は、ビスマルク体制と呼ばれ、普仏戦争後の20年間

ヴェルサイユ宮殿で行なわれた統一ドイツ帝国の建国宣言
1871年1月18日、ヴェルサイユ宮殿鏡回廊での統一ドイツ帝国の建国宣言。ヴィルヘルム一世の初代ドイツ帝国皇帝戴冠式もここで行なわれた。ヴィルヘルム一世と、雄叫びを上げる将校たち

ほどはまさにビスマルクの思う通りの時代でした。

まずフランスと直接国境を接していて、何度かフランスに痛い目にあわされたオーストリアとイタリアを誘って、三国同盟を結成しました（1882）。オーストリアを叩いたのはビスマルクで、オーストリアとイタリアは北部イタリアをめぐっていつも争っていたにもかかわらず、です。さらに東の強国ロシアとも再保障条約を結びました（1887）。この条約は、ドイツとロシアの友好関係の維持と、ロシアとフランスの接近を警戒して結んだものです。こ

の条約締結当時、バルカン半島においてロシアとオーストリアは対立していました。ビスマルクは、この再保障条約と三国同盟によって、ロシアとオーストリアの双方と友好関係を保とうとしたのです。

またビスマルクは「栄光ある孤立」を守る大英帝国とも巧みに親善関係を維持して、英仏の接近を防ぎました。

一方でビスマルクは、当時なにかと紛争の種となっていたバルカン半島問題や、植民地獲得競争でトラブルの起きがちなアフリカ問題に対して巧みに介入し、ドイツの国益を図りつつ国際問題を調整しました。こうしてこの時代はドイツ帝国の首相と外相を兼ねていたビスマルクによってリードされ、フランスはずっと封じ込められたままでした。しかし1888年、ヴィルヘルム一世が死去したとき、状況は暗転します。

ドイツ帝国第三代皇帝ヴィルヘルム二世の政治

1 「これからは私がドイツという船を操縦する」

ビスマルクを重用し、ドイツ帝国を成立させたヴィルヘルム一世の死後、長男で英邁(えいまい)の誉(ほま)れの高かったフリードリヒ三世が皇位を継承しました。しかし彼は癌(がん)に冒されていて、三カ月で病死しました。続いて孫のヴィルヘルム二世が第三代皇帝になりました。ヴィルヘルム二世は難産の後遺症で体が不自由でした。そのため彼には、やや気負ったところがあったようです。自分こそドイツをもっと大きくするのだと思い、2年後に気むずかしい宰相ビスマルクを罷免(ひめん)してしまいました(1890)。彼は新聞記者に次のように話したそうです。

「年をとった水先案内人には船を下りてもらって、これからは私がドイツという船を操縦して新航路を目指す」

元気の良い発言ですが、彼にはビスマルクが祖国プロイセンを大ドイツ帝国とするために、また宿敵フランスを孤立させるべく周到に準備してきた高度な外交戦略は、ほとんど理解できませんでした。

ドイツが三国同盟を結んでいるオーストリアは、ロシアとバルカン半島でもめている。そのロシアとドイツは、再保障条約を結んでいる。これは、ロシアに対してもオーストリアに対してもビスマルクがいい顔をして、「まあまあ、私が中立な第三者です。みんな平和にやりましょう」と言って、国際間の均衡を保つためでした。ひいてはそのことで、フランスがロシアやオーストリアと同盟関係に入ることを止めていたのでした。

しかしそういう外交上の駆け引きが、ヴィルヘルム二世には理解できない。喧嘩（けんか）をやっている2人の両方と仲良くするなんて、整合性に欠けていると、単純な理屈で考えてしまったのです。

ビスマルクを罷免した１８９０年は、ロシアとの再保障条約更新の年でした。しかしヴィルヘルム二世は、不更新をロシアに通告しました。三国同盟の理念と反する、という理屈だったのでしょう。ヴィルヘルム二世の母は大英帝国のヴィクトリア女王の長女でした。そして時のロシア皇帝ニコライ二世の妻の母は、ヴィクトリア女王の次女でした。双方は親戚関係にあったのです。ですから両者の間には手紙のやりとりもあり友好な関係を保っていました。しかし、保守的なヴィルヘルム二世は自由主義的な母、ヴィクトリアを嫌っていました。ヴィルヘルム二世が硬直した発想に縛られて、再保障条約を更新しなかったのはドイツにとって不幸なことでした。孤立して不安となったロシアは、４年後にはフランスと露仏同盟を結んでしまいます。今度はドイツがロシアとフランスにサンドウィッチのように挟まれてしまったのです。早くもビスマルクの外交網が破綻しました。

2 ヴィルヘルム二世のアジア・アフリカ政策

ビスマルクの複雑な外交戦から脱したヴィルヘルム二世は、自分なりに新しいドイツの道を歩き始めます。アジアでは、1894年の日清戦争に介入します。朝鮮半島の支配をめぐって、新興国日本と斜陽の大国清が争った戦争に日本が勝利して遼東半島を獲得しました（1895）。これに対して、極東への南進を意図していたロシアは強く反対し、中国の植民地争奪戦で大英帝国に遅れを取っていたドイツとフランスを誘って、日本に圧力をかけました。いわゆる三国干渉です。

三国干渉に参加したことで、ドイツは清に恩を売りました。そして宣教師殺害事件を口実に、山東省の利権（膠州湾租借地）を獲得しました。

またアフリカの植民地争奪戦では、ビスマルクが活躍していた頃は、先行していた英仏に対し巧妙に立ち廻りましたが、優位には立てませんでした。アフリカに植民地を拡大しようとすれば、必要になるのは海軍です。その典型がポルトガルでありネーデルランドであり大英帝国でした。それに対してプロイセンは、モルトケの時代から大陸軍国で、海軍は非力でした。

そこでヴィルヘルム二世は、鉄道輸送を基軸とした世界戦略を構想します。ベルリンからビュザンティオン（コンスタンティノープル）そしてバグダードまで、鉄道を敷設するプランで、世に3B政策といわれています。

一方、北アフリカでは、ドイツの海外進出を警戒する英仏が英仏協商を結び（1904）、大英帝国がエジプトを、フランスがモロッコを、それぞれ支配下に置く約束をしていました。それに不満を持ったヴィルヘルム二世は、第一次モロッコ事件（1905）、第二次モロッコ事件（1911）を起こして介入しようとします。しかしいずれも不首尾に終わりました。このあたりから、ビスマルク退陣後、フランス孤立化政策が効果をなくしたこととあいまって、ドイツ外交の劣化が目立ち始めます。

3 動き始めた大英帝国の対外戦略

極東において新疆（しんきょう）や満洲を基点に南進政策を遂行するロシアに対して、大英帝国は警戒心を強めていました。もともと、大英帝国はインドを守るため南下政策を採るロシアとユーラシアを舞台にグレートゲームを戦ってきた経緯がありました。大英帝国は、ロシアの矛先（ほこさき）が老大国清に向かうことを恐れます。アヘン戦争（1840～42）以来、大英帝国にとって中国は、インドに次ぐ金のなる木であったからです。ロシアの行動は気になる。しかしながら直接兵力を差し向けるには極東は遠すぎる、しかも、前述したように、ボーア人との戦いで50万人もの大兵力が南アフリカに釘付けになっていました。その矢先、アジアの小国日本が清に完勝しました。

大英帝国は、自分に代わって極東の地でロシアと戦ってくれる存在を探していた。良き傭兵はいないかと。日本がそこに登場したわけです。ついに大英帝国は19世紀後半の非同盟政策「栄光ある孤立」を捨てて、「日英同盟」を結びました（1902）。

こうして極東の安定に対して先手を打った大英帝国は、次に急膨張してヨーロッパのやっかいな存在になりつつあるドイツ対策を打ち始めます。その目的のために結んだ条約が、前項でお話しした英仏協商です（1904）。さらに1907年、英露協商を結びます。これは日露戦争（1904~05）の後、ロシアの極東戦略の後退という情勢の変化を受けて結ばれたもので、グレートゲームの舞台となったペルシャやアフガニスタン、さらにはバルカン半島における両国の利害調整について取り決めたものです。

■三国同盟と三国協商の対立が先鋭化。その原因はドイツの躍進にあった

ビスマルクは1882年に、フランスを封じ込めるためにドイツ・オーストリア・イタリア間で三国同盟を結びました。この期限5年の軍事的相互援助条約は、以後バルカン半島やアフリカに関する条項が追加されて更新を重ねました。一方で大英帝国は英仏協商、英露協商を結んでおり、ドイツに孤立化を強いられたフランスは、ドイツから再保障条約の更新を拒否されたロシアと1894年に露仏同盟を結んでいました。

こうして20世紀の初めになると、ドイツ・オーストリア・イタリアの三国同盟と、大英帝国・フランス・ロシアの三国協商が、対立して存在する形になりました。この対立軸の中心は片方がドイツ、片方が大英帝国であることは、すぐにわかります。

20世紀初頭の鉄鋼や石炭の生産力を、三国同盟と三国協商で比較した図表（図9―4）があります。これを見ると、この当時、ドイツは鉄鋼など工業生産力において大英帝国を凌駕（りょうが）していました。ドイツの産業革命は少し遅れてスタートし、ヴィルヘルム二世の治世下において生産力が急上昇し始めました。常識的に考えると、英・仏・露とドイツ・オ

〈図9−4〉
第一次世界大戦前夜の三国同盟と三国協商の国力比較

●各国の石炭及び褐炭の産出量の変遷

	フランス	ロシア／ソ連	連合王国	アメリカ	ドイツ	オーストリア＝ハンガリー	日本
1871年	13.3	0.7	—	42.5	37.9	—	—
1880年	19.4	3.2	149.0	64.8	59.1	—	—
1890年	26.1	6.0	184.5	143.1	89.3	27.5	2.6
1900年	33.4	16.2	228.8	244.6	149.8	38.9	7.5
1910年	38.4	24.9	268.7	455.0	222.3	47.9	15.7
1913年	40.8	33.8	292.0	517.0	277.3	54.2	21.3
1920年	34.7	7.6	233.2	597.2	243.3	—	29.2

（単位：100万トン）

●1913年段階における主要参戦国の工業生産力

	フランス	ロシア	連合王国	アメリカ	ドイツ	オーストリア＝ハンガリー
鉄鋼生産量（100万トン）	4.6	4.8	7.7	48.9	17.6	2.6
原動機の馬力（100万PS）	3.6	0.9	10.8	23.3	8.3	2.1
世界における工業生産高の割合（%）	6.1	8.2	13.6	32.0	14.8	4.4

（『現代の起点　第一次世界大戦』全4巻シリーズ第2巻『総力戦』、岩波書店、2014より）

ーストリア・イタリアを比較したら、前者のほうが圧倒的に高い生産力を保持していると考えがちです。しかし実はそうではなかったのです。

大英帝国は、後進国ドイツの生産力が急上昇し、英仏を中心とする先進国の植民地争奪戦にドイツがクチバシを入れてくることを、強く警戒していました。

ドイツの生産力がここまで急上昇してきた原因は、ビスマルク時代の政策にありました。ひたすらドイツの強大化を考えていたビスマルクは、鉄血宰相とも呼ばれましたが、軍備と戦争のことばかりを考えていた人ではありませんでした。

ビスマルクは保守派で社会主義は大嫌いでした。しかし産業革命が進み、ブルーカラーたちが工場で長時間労働を続けて病気になったり怪我をすると捨てられるように解雇される状況を見たビスマルクは「これはいかん」と考えます。ドイツのために必死に働いてきて廃人になったのだから、国家が面倒を見るべきだと考えました。そして世界で初めて、近代的な社会保険制度を確立したのです。

ビスマルクは社会保険の父でもあったのです。彼の政策は、ドイツの勤労意欲を高めたのではないでしょうか。ビスマルクは、「ドイツのためなら」右とも左とも平然と手を結べるリアリズムの持ち主でした。

〈図9−5〉
第一次世界大戦までの国際関係

●英仏露VSドイツ

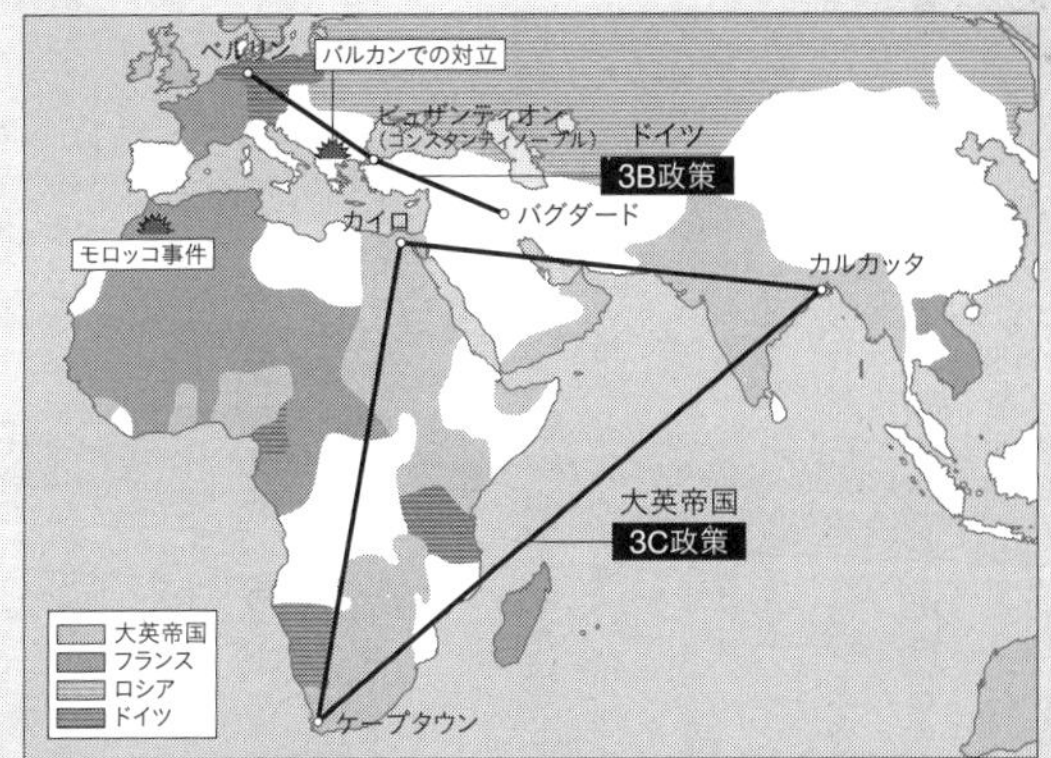

●三国協商VS三国同盟

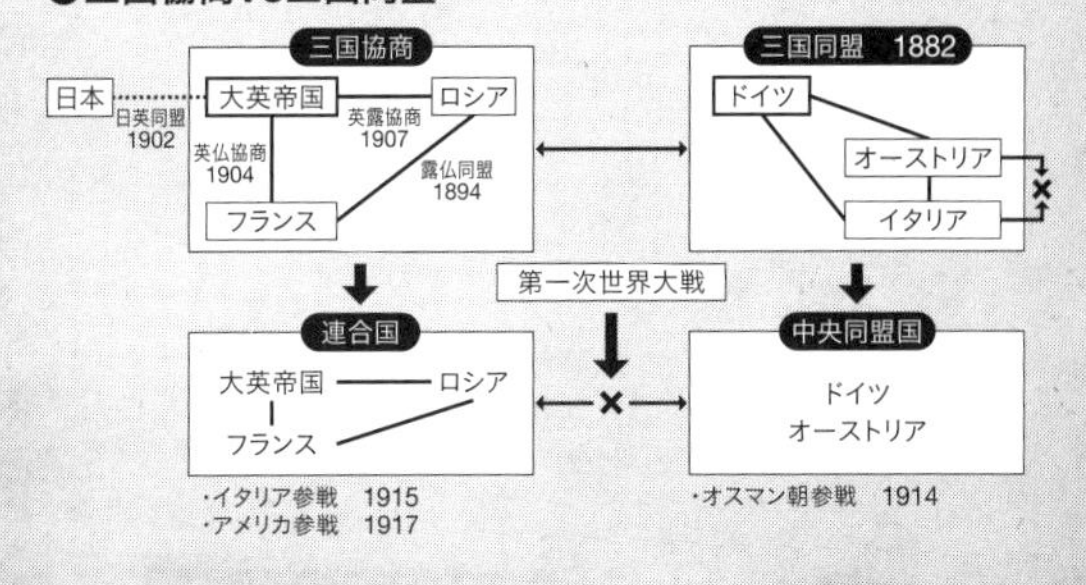

しかし、ヴィルヘルム二世治下のドイツは、高い生産力と強力な軍隊を持ちアグレッシブな君主を持ちながら植民地拡大はなかなかうまくいかない、という状況にあったのです。

■シュリーフェン・プランというドイツの仮想作戦

1905年、ドイツ陸軍の参謀総長、シュリーフェンは、シュリーフェン・プランという作戦を立案しました。

それは露仏同盟によって、ドイツが挟み撃ちになったことを受けた作戦でした。その作戦の生命線となるのは、鉄道による軍隊の高速輸送にあります。露仏と同時に開戦したら、まず軍隊を大量に西方に運んで、フランスを叩くのです。この戦術はナポレオン三世と戦ったときに経験しています。しかるのちに、軍勢を東方に向けて、アクションの遅いロシアと戦っても充分間に合うだろう。このようにまず西で全力で戦い、次に東で全力で戦う、つまり兵力を二分する両面作戦を避けることを想定した。これがシュリーフェン・プランの骨子です。一見理想的な作戦のように見えますが、現在では大前提において政治的軍事的な欠陥を内包しており実行は不可能であったと評されているようです。

このような作戦を想定しつつ、ドイツはロシアやフランスと協商関係にある大英帝国が最大の敵であることを、熟知していました。それは大英帝国も同様であったでしょう。20世紀初頭のヨーロッパは、大英帝国とドイツのバランス・オブ・パワーが崩れることで一気に戦争になりかねない状況にありました。

しかし第一次世界大戦は、予想外にもバルカン半島から始まったのです。

第一次世界大戦の始まりからドイツの敗戦まで

1 サラエヴォ事件の裏側にあったオーストリア皇室の事情

1914年6月28日、オーストリアの皇位継承者夫妻が、ボスニアの州都サラエヴォで民族独立を目指すセルビアの青年に暗殺されました。

「オーストリア」と言いましたが、正確にはオーストリア＝ハンガリー帝国です。統一ドイツの盟主の座をプロイセンと争って敗れたハプスブルク家は、1867年のアウスグライヒ（和協）により、オーストリア＝ハンガリー帝国皇帝の座にあり、バルカン半島の広範な地域をも領有化していました。従ってこの暗殺事件は、祖国独立をめざす青年の単独行動だったのですが、しかしなぜ継承者夫妻は、そのような危険な地域に出かけたのでしょうか。

この当時のオーストリア皇帝（ハンガリー国王）は、フランツ・ヨーゼフ一世でした。彼は、ハプスブルク家の封建的家風も関係していたと思いますが、保守的で融通のきかない人物であったようです。彼の妻エリーザベトは、ハプスブルク家と並ぶ名門バイエルンのヴィッテルスバッハ家の出身で、シシィと呼ばれ、自由奔放に育ちました。頑迷な夫と気が合わず、いつも放浪の旅に出ていました。長男ルドルフ皇太子は若い恋人と森で自殺しました（マイヤーリンク事件）。シシィは強いショックを受け、一生喪服を脱ぐことのないまま旅を続け、ジュネーヴで暴漢に襲われて、殺されてしまいます。

ルドルフの代わりに皇位継承者となったのが、甥のフランツ・フェルディナント大公でした。では、なぜ彼は妻と一緒にバルカン半島まで行ったのでしょうか。

彼の妻となったゾフィー・ホテクは大貴族の娘ではなくボヘミアの伯爵家の出身でした。当時のオーストリア皇室には、貴賤結婚についての約束ごとがありました。高い身分の男性が低い身分の女性と結婚した場合、彼女の序列は男性と同等になることが許されないのです。つまり、公式の場で継承者の席はNo.2ですから皇帝の隣になります。しかし妻は遠く離れた末席に座るのです。しかも、子どもも皇位を継げません。

これは愛し合って身分を超えて一緒になった2人には、残酷な仕打ちです。皇帝がものわかりの良い人なら、特例を認めたでしょう。しかし頑迷なフランツ・ヨーゼフ一世は貴賤結婚のルールを重視しました。夫妻は、ウィーンの宮廷生活にはうんざりしました。そして旅に出て、地方に出かけることが多くなりました。旅先では貴賤結婚などとうるさくいう人はいません。むしろ身分を超えて一緒になった2人を、温かく迎えてくれます。その矢先に、サラエヴォの暗殺事件が起きた。これが事件の真相であったようです。

2 そして第一次世界大戦が始まった

サラエヴォで、皇位継承者夫妻が一緒にオープンカーに乗っているところを狙撃され暗殺された。もとはと言えばハプスブルク家の愚(おろ)かな伝統が生んだ悲劇であったかもしれません。しかし、オーストリアは、皇位継承者暗殺を理由にセルビアに宣戦布告しました(1914・7・28)。

するとロシアはセルビアに住むスラブ人の保護者、という立場から軍隊に総動員令を出しました(7・31)。

ドイツのヴィルヘルム二世は、ロシアの総動員令を咎(とが)め、三国同盟によってロシアに宣戦布告しました（8・1）。さらに露仏同盟を盾にとって、フランスにも宣戦を布告しました（8・3）。このあたりドイツはシュリーフェン・プランに現実を合わせて、行動したかのように思えます。事実、プラン通りに中立国ベルギーに侵入し、ベルギーからフランスへ、電光石火の勢いで進出して行きました（8・4）。ここに至って大英帝国も黙っていません。ついにドイツに宣戦します（8・4）。こうして第一次世界大戦が始まりました。

冷静に考えてみると、オーストリアの皇位継承者がサラエヴォで暗殺されたことで、別にドイツが英仏と戦争をしなければならない必然性はなかったと思います。

セルビアの挑発にオーストリアが乗せられて、融通がきかず好戦的なヴィルヘルム二世が国力と軍事力を頼りに、シュリーフェン・プランの実現をめざしてしまったのでしょう。こうして三国同盟と三国協商の、バランス・オブ・パワーは崩壊しました。なお、これ以降の記述では三国協商側の国々を連合国と呼びます。またイタリアが参戦しなかったので、三国同盟側は中央同盟国と呼ばれるようになりました。

3 オスマン朝の参戦

1914年11月11日、黒海やクリミア半島をめぐってロシアとの長い争いが絶えなかったオスマン朝が、中央同盟国側に立って参戦しました。一方中央同盟国内部では、オーストリアとイタリアの関係がうまくいきませんでした。もともとこの二国は、イタリア北部の領土問題やヴェネツィアをオーストリアが支配した時代があったことなどにより、いろいろ利害が対立していました。しかし、ビスマルクの天才的な外交の冴えにより、対フランスということで手を結んでいたのです。しかしビスマルク亡きあとは、領土問題がぶり返してしまいます。その結果、第一次世界大戦が始まってもイタリアは中央同盟国側で参戦せず、後に連合国側で参戦します。

ところでオスマン朝の参戦に神経を尖らせたのは大英帝国でした。大英帝国にとってエジプトは、インドと並ぶ世界支配の戦略的拠点です（3C政策）。ところがオスマン朝が敵に回ったら、エジプトが脅かされます。

そこで大英帝国は、オスマン朝をまず叩いておこうと考えました。そして英仏中心の連合軍をダーダネルス海峡を望むオスマン朝の、ガリポリ半島に上陸させました。しかし陸海空三軍の総力を結集した恐らく世界初の大上陸作戦は、失敗してしまいます。オスマン朝側に、後にトルコ共和国建国の父と呼ばれたムスタファ・ケマル（アタテュルク＝父なるトルコ人）という優秀な司令官がいたのです（ガリポリの戦い）。

あわてた大英帝国は、アラブ人を味方にしようと考えました。そして、大英帝国は〝三枚舌〟を使ってしまい、今日のパレスチナ問題の火種となったことは、第2章「イスラム世界が歩んできた道」でお話ししたとおりです。

4 シュリーフェン・プランが挫折し、アメリカが参戦

ドイツの想定では、シュリーフェン・プランでスピーディにフランスを打ち負かし、返す刀でロシアを叩くはずでした。

ところが西部戦線のフランスを軸とする連合国側の抵抗は激しく、戦線は膠着状態に入ってしまいました。戦場では毒ガスや初期の飛行機、キャタピラー（無限軌道）を利用して悪路でも平気で走れる戦車など、近代兵器が次々と投入されました。そして両軍は塹壕を掘って戦う持久戦に突入したのです。いたずらに兵士が倒れていく消耗戦です。

逆に東部戦線のロシアの動きがドイツの想定以上に早く、東プロセインに侵入されます。しかし1914年8月、タンネンベルクの戦いでドイツ軍は大勝します。タンネンベ

ルクの戦いといえば、奇しくも1410年、ドイツ騎士団がポーランドとリトアニアの連合軍に大敗した因縁の場所の近くででした。ロシア軍が敗れた理由は国内で革命勢力が増大しており、軍隊が動揺していたこともあったのでしょう。結局ロシアでは1917年11月、革命政府が樹立されました。革命政府はベラルーシのブレスト・リトフスクで1918年3月、中央同盟国と講和を結びます。その結果、フィンランドやバルト三国、ポーランドが独立しました（ブレスト・リトフスク条約）。

ドイツはロシア革命によって東方問題が先に解決したので、西に全力を注入しようとしました。シュリーフェン・プランと逆の展開になったわけです。そして膠着した西部戦線の状況を打破するために、その背後にいる大英帝国に狙いをつけました。Uボートと呼ばれた潜水艦が大英帝国の客船「ルシタニア号」を撃沈し、大勢乗っていたアメリカ人が犠牲になりましたが、ドイツはさらにUボートによる無差別撃沈作戦（無制限潜水艦作戦）を宣言します。こうしたことなどから、ついに1917年4月、アメリカが参戦しました。

先の図表（図9―4）で見たように、アメリカの生産力は、アメリカ一国で連合国側と中央同盟国側それぞれの総量を軽く上回っていました。アメリカが参戦した段階で、大戦の帰趨は定まりました。

5 第一次世界大戦の終幕と行き過ぎたドイツ制裁

アメリカの参戦で大勢が決まった後、1918年10月にオスマン朝、11月にオーストリアが休戦協定を結んで戦線から脱落します。残るドイツも、軍部がもはや勝利の見込みはないと判断していたにもかかわらず海軍の一部が勝算のない出動命令を出そうとしました。それに対してバルト海にあるキール軍港の水兵たちが、即時講和を求めて叛乱を起こしました（11月3日）。この叛乱はロシア革命にも影響を受けたもので、たちまち大きな革命の波となって、全国に拡大しました。

このドイツ革命の大波の中で、ドイツ帝国内に残っていたヴィッテルスバッハ家を始めとする諸王家も倒れ、ヴィルヘルム二世もネーデルランドへ亡命し、後日退位を表明しました。そして1918年11月11日に後を継いだ共和国政府が連合国と休戦協定を結び、戦争は終結しました。

また、ヴィルヘルム二世が亡命・退位したことで、プロイセン国王とドイツ皇帝を世襲してきたホーエンツォレルン家は絶えました。プロイセンの物語は、ここで終わります。

ヴィルヘルム二世が逃亡するとき、貨物列車でホーエンツォレルン家に伝わる財宝を全部運んだというエピソードを残して。

1919年、ドイツには民主的なヴァイマル憲法が生まれました。同年、パリ講和会議がヴェルサイユ宮殿で開催されます。

この会議の三巨頭は、アメリカのウィルソン大統領、フランスのクレマンソー首相、大英帝国のロイド・ジョージ首相です。ウィルソンは理想家肌の人で、大戦中から民族自決を主張し、国際連盟の創設を提案していました。クレマンソーは鋼鉄の意志を持つと評されていましたが、彼の主張するところは、「ドイツが二度と悪さができないように、この際、徹底的に叩く」ことでした。ロイド・ジョージはイングランド人らしく現実主義者で、理想家とは肌が合いません。

そうなると、この3人が取り仕切ったパリ講和会議では、ウィルソンの理想主義は初めから勝負になりません。世の中きれいごとだけじゃ通らないと言われて、それまでです。クレマンソーのドイツ憎しの主張を、リアリストのロイド・ジョージがなんとか丸く収めたのがパリ講和会議の内幕でした。

ドイツにとってパリ講和会議の結論（ヴェルサイユ条約）は、悲惨なものになりました。全植民地が奪われ、アルザス・ロレーヌも返還させられる。軍隊は10万人が上限とされる、潜水艦は持ってはいけない。そして100年かかっても払えないような1320億金マルクという天文学的な数字の賠償金が課せられました。これは現在の日本円に換算すると全国民1人当たり約1000万円という巨額になります。これらの条件は、普仏戦争以来のフランスのドイツに対する意趣返しに他なりませんでした。そもそも講和会議の場所に、ヴェルサイユ宮殿を選んだこと自体が、ドイツ帝国誕生の皇帝戴冠式をヴェルサイユでやったことへの意趣返しそのものでした。

パリ講和会議はどう考えてもやり過ぎでした。

ヒトラーの登場と第二次世界大戦は、第一次世界大戦の終結時から始まっていた

第一次世界大戦後のドイツについて考えるときの大切なポイントは、ドイツ国内に敵兵が一兵も入っていなかったということです。国内の厭戦気分で革命が起こって、ドイツは休戦したのです。ロシアには勝っている。英仏米軍もドイツ国内には入っていません。

それゆえにドイツの市民は、第一次世界大戦で完全に敗北したとは考えなかった。です

からパリ講和会議でも、自分たちの言い分も5対5では通らなくても、3対7とか4対6ぐらいは通るのかなと予想していたことでしょう。しかしクレマンソーの強欲と怨念によって、1対9もしくは0対10ですべてドイツが悪いということになってしまったのです。

このヴェルサイユ条約の過酷さが、ナチスの主張を根拠づける素地となりました。

「ドイツは負けていなかった。国内のユダヤ人や共産主義者が、後からグサリと俺たちを刺したのだ。だからこんな講和条件を呑まされたのだ」

ドイツは賠償金が払えない。するとフランスは、ドイツの心臓地帯であるルール地方を占領してしまいます（1923）。これは無茶な話で、賠償金が払えないのでその代わりにと、日本の京浜葉工業地帯をアメリカ軍が占領するようなものです。この暴挙によって、ドイツ経済はがたがたになり、一兆マルクの紙幣が出されるようなハイパーインフレーションが起こります。そして、11月にはヒトラーが参加したミュンヘン一揆が起こります。

しかし、ドイツ中央銀行総裁のシャハトが新マルク（レンテンマルク）を発行して、デノミネーションを実施し、辛くもインフレーションを沈静化させることに成功しました。また米英はフランスに圧力をかけ、翌1924年にフランス軍をルールから撤退させました。１９２５年には、ドイツの外相シュトレーゼマンの提唱によってロカルノ条約が結ばれ、ドイツは国際連盟に加入、フランス外相ブリアンも同調し、ヨーロッパには平和が戻りました。さらにアメリカが提案したドーズ案（１９２４）によって賠償負担も少しは軽くなり、アメリカからの援助も増加して、ドイツは立ち直るきっかけをつかみました。

ドイツはもともと経済力のある国です。ようやく少し息がつける、平和な時代を迎えたのですが、不幸なことに１９２９年に世界恐慌が起こりました。

経済恐慌が起こったとき、植民地を持っている国はそこにものを売って生きていけます。しかし植民地のない国は深刻な打撃を受けます。特にドイツの場合、全植民地を失った後であり、アメリカの経済援助に大きく依存していたので、商品のはけ口がなくなりました。賠償は１９２９年のヤング案で約73億金マルクまで削減されましたが、人心が不安になる中でヒトラーが登場し、１９３３年に首相になります。

ヒトラーは１９３５年に再軍備を宣言し、１９３９年には、第二次世界大戦を始めました。再軍備後、わずか4年。ヒトラーの軍勢がポーランドに攻め込んだ頃は、まだまだドイツ軍は弱かったはずです。軍隊をつくり始めて4年で、それほど強い軍隊ができるはずはありません。ただ、ヒトラーの鉄の規律に支えられて、先手必勝のスピードだけが頼りでした。ポーランド侵攻の段階で、もし英仏が全力を挙げてドイツに侵攻していたら、どうだったでしょうか。

ともかく、ここから後は第二次世界大戦の話となり、プロイセンから離れます。第9章はここでピリオドを打ちたいと思います。

歴史をゆがみなく総括するということ

プロイセンの故地（こち）は、今ではロシア領とポーランド領になっており、プロイセンという地名もなくなりました。第二次世界大戦当時、ナチスは党の綱領で東方にドイツ人の大生存圏をつくると言っていました。この考えは、ドイツ騎士団と似ています。ドイツ騎士団の場合は、シリア・パレスチナに自分たちの居場所がなくなったことが直接の原因でしたが。しかし東方にドイツ人の生存圏をつくるという発想は同じです。

フランス兵が一番たくさん戦死したのは第一次世界大戦です。また西部戦線で兵士が一番たくさん死んだのも第一次世界大戦です。

第二次世界大戦を描いた映画「パリは燃えているか」の中で、パリを占領したナチスの軍隊が連合軍の巻き返しにあったとき、ヒトラーはパリを燃やせと命じます。それに対して、ドイツ兵は燃やさずに逃げる。みんなパリが好きなのです。兵士がいなくなったドイツ軍本部の部屋で、放り出された電話の受話器から、ヒトラーの「パリは燃えているか！」という声が繰り返し聞こえてくるシーンがありました。

第二次世界大戦におけるフランスの死者は、第一次世界大戦ほどではありませんでした。両国にとって遺恨となるのは、何といっても第一次世界大戦のほうなのです。

最近、仏独両国の歴史学者が共同して第一次世界大戦史を書いています。やはり、第一次世界大戦をきちんと総括しないと、仏独の融和はありえないということが歴史的にもよくわかっているからだと思います。この本は日本語にも翻訳されています（『仏独共同通史　第一次世界大戦』上下巻、ジャン＝ジャック・ベッケール、ゲルト・クルマイヒ著、岩波書店）。また仏独は共通歴史教科書を双方の学校で使っています。

仮に日本と中国とアメリカの歴史学者が一緒になって、東アジアと太平洋を中心とした第二次世界大戦史を書くことができたら、ようやく日本や東アジアも現在のヨーロッパの歴史認識のレベルに追いつくことができるのではないか……そんなことを考えることがよくあります。歴史をゆがみのない形で総括することは、とても大事なことであると考えます。

〈第9章の関連年表〉

プロイセン(ドイツ)関連史(10世紀〜20世紀)

西暦(年)	
962	東フランク王国ザクセン朝二代オットー一世、ローマ皇帝を戴冠
1096	第一回十字軍(〜99)
1157	ブランデンブルク辺境伯領成立
98	ドイツ騎士団創設
1226	ローマ皇帝フリードリヒ二世がリミニ金印勅書発布
1200後半	プロイセンがドイツ騎士団領に
1386	ポーランド・リトアニア王国誕生(ヤギェウォ朝)
1410	タンネンベルクの戦い(プロイセン公国がポーランドに臣従)
15	ローマ皇帝ジギスムント、フスを処刑。 ジギスムントがブランデンブルク辺境伯領をホーエンツォレルン家に下賜
1618	三十年戦争始まる。ブランデンブルク=プロイセン同君連合に
60	プロイセン公国、ポーランドから独立
1701	スペイン継承戦争(〜13)。プロイセン王国成立
40	プロイセン王フリードリヒ二世即位。オーストリア継承戦争(〜48)
56	マリア・テレジアの外交革命。七年戦争(〜63)
72	フリードリヒ二世、第一次ポーランド分割
89	フランス革命始まる
1806	ライン同盟成立。ドイツ国民の神聖ローマ帝国解体。ハプスブルク家はオーストリア皇帝に
10	ベルリン大学創立
34	ドイツ関税同盟発足
48	フランス二月革命後、ヨーロッパ各地に三月革命(1848年ヨーロッパ革命)
61	プロイセン国王ヴィルヘルム一世即位(〜88)
62	プロイセンにて、ビスマルクの執政始まる(〜90)
66	プロイセン・オーストリア(普墺)戦争
67	アウスグライヒ(和協)でハプスブルク家がオーストリア=ハンガリー帝国皇帝に
70	プロイセン・フランス(普仏)戦争
71	ドイツ帝国成立
82	独墺伊三国同盟締結
87	ドイツ、ロシアとの再保障条約締結
1904	日露戦争(〜05)。英仏協商締結
05	シュリーフェン、シュリーフェン・プラン立案
07	英露協商締結
14	サラエヴォ事件。第一次世界大戦が始まる(〜18)
15	大英帝国の三枚舌外交(15 フサイン=マクマホン協定、16 サイクス・ピコ協定、17 バルフォア宣言)
17	ドイツ、無制限潜水艦作戦を宣言。米国が第一次世界大戦参戦。ロシアで革命政府樹立
18	中央同盟国とソ連が講和し、ブレスト・リトフスク条約締結。オスマン朝、オーストリア、連合軍と休戦協定締結。ドイツ皇帝ヴィルヘルム二世、ネーデルランドへ亡命・退位。ホーエンツォレルン家断絶。第一次世界大戦終結
19	ドイツにヴァイマル憲法。パリ講和会議。ヴェルサイユ条約締結。
21	ドイツの賠償金が1320億金マルクに決まる
23	フランス、ドイツのルール地方占領。ミュンヘン一揆。レンテンマルク発行
24	米英の圧力により、フランス軍がルール地方から撤退。ドーズ案成立
25	ロカルノ条約調印。翌年ドイツが国際連盟に加入
29	世界恐慌。ヤング案に調印
33	ヒトラーが首相に就任
35	ヒトラー、再軍備宣言
39	第二次世界大戦始まる(〜45)

COLUMN ハーメルンの笛吹き男の伝説が生まれた理由

ねずみの大群に困っていたハーメルンの町にやってきた笛吹き男は、ねずみ退治を引き受けます。もちろん退治した場合のお礼の約束もしました。首尾（しゅび）よく笛吹き男は、不思議な笛の音でねずみを誘い出して、1匹残らず町から追い出してしまいました。

ところが町の人たちは約束を守らず、笛吹き男にお礼のお金を払いませんでした。男は怒りましたが、そのまま町を去りました。それからしばらくして、とある日曜日。町の大人たちが教会にお祈りに行っている昼さがり、町を訪れた笛吹き男の笛の音に誘われて、町の子どもたちはひとり残らず、町はずれの洞窟（どうくつ）に入って行き、そのままひとりも帰ってきませんでした。

この伝説で有名なハーメルンの町は、現実にドイツの北部に存在しています。いまでもこの町では、町で笛を吹くことは良いことではないと言われているそうです。

ところでこの伝説の由来は、ドイツ騎士団がプロイセンを征服した13世紀にさかのぼるそうです。プルーセン人を滅ぼしたドイツ騎士団は、その土地を自分たちの領地としましたが、ドイツ騎士団は、それほどの大軍団ではありませんでした。十字軍で鍛えていましたから強い武力を持ち、プルーセン人を滅ぼしましたが、その後の領地の管理が大変でした。すなわち騎士団だけではプロイセン開拓には人手不足です。そこで、ドイツ西方ライン川沿岸の人口が多い町や村で、人集めの大キャンペーンをやりました。

「東方にすばらしい未知の土地がありますよ。あなたを豊かにしますよ」

そう呼びかけて、たくさんの若者をプロイセンに勧誘したのでした。いわゆるドイツの東方移民が、こうして始まったのですが、なかには強引な勧誘もあったのでしょう。そういう因縁から、ハーメルンの笛吹き男の伝説が生まれたのだとも言われています。ドイツ人の東方への植民という意識は根強く、ヒトラーも東方の地をドイツの生存圏として考えていました。

第10章

21世紀の世界はどこへ向かうのか

——超大国アメリカと世界の国々

■20世紀をもう一度振り返ってみると

最終章になりました。ここではこれからの21世紀の世界がどうなっていくのだろう、ということを考えてみたいと思います。

まず20世紀を大まかに振り返ってみると、戦争の世紀という表現がピッタリする感じがします。第一次、第二次の両世界大戦、それから冷戦というかたちの戦争がありました。ナポレオンと直接に戦い、その戦略を学んで名著『戦争論』を著わしたプロイセンの軍人クラウゼヴィッツが言っているように、対立する国家間の血を流す政治が戦争であり、血を流さない政治が外交であるわけで、主として米ソの外交戦によって戦われた冷戦もまた、明らかに戦争でした。また両国は直接には戦いませんでしたが、数多くの代理戦争が戦われました。

第一次世界大戦と第二次世界大戦はどちらもヨーロッパから始まりました。そして冷戦という言葉の始まりも、連合王国（ＵＫ）の大政治家チャーチルが、１９４６年にアメリカで行なった「鉄のカーテン」演説が発端だと考えられています。

「バルト海のシュチェチンからアドリア海のトリエステまで、ソ連によってヨーロッパを横切る閉鎖的な鉄のカーテンが降ろされた」と。

冷戦を含めた3つの世界大戦がいずれもヨーロッパを中心として始まっていることは、歴史的に見れば次のような意味を持っていると思います。

アジアの主要国、中国とインドは二次にわたるアヘン戦争以来、史上かつてないほどの停滞局面に落ち込みました。そしてアヘン戦争に勝利した西ヨーロッパが急激に勃興してきた。すなわち20世紀の第一次、第二次世界大戦は、世界の主役となった西ヨーロッパの覇権をめぐる争いだったのではないかと思うのです。それまで圧倒的に大きい存在であったアジアを蹴落(けお)として、世界の主人公にのし上がった西ヨーロッパの中で、どこが覇権を握るのか。ドイツか連合王国(当時は大英帝国)か。ところが、ヨーロッパの弟分というか、ヨーロッパから派生したアメリカが第一次、第二次世界大戦を通じて、結局は覇権を握った。

また冷戦についても、ソ連はアジアの国かヨーロッパの国か区分が難しいのですが、冷戦もやはり東ヨーロッパと西ヨーロッパの争いから始まりました。つまり、第二次世界大戦でナチスドイツを破ったソ連とアメリカという、ヨーロッパの外部で生き残った二大国が争った戦いが、冷戦であったということだと思います。そしてここでもアメリカが勝ち残りました。

20世紀に戦われた3つの戦争では、中国や日本もかなり大きな役割を果たしました。しかしどちらかといえば、アジアはメインプレーヤーではなかった。19世紀にアジアを押し退けてのし上がった西ヨーロッパの、覇権をめぐる3回の争いがあった。それをすべて勝ち上がったのがアメリカである。20世紀はこのように総括できるのではないかと思います。そうすると21世紀を展望する第一のカギは、このアメリカという超大国がどうなるか、ということだと思います。そこでアメリカの実力について、見ていきます。

◆アメリカの軍事力に対抗できる国は、現在のところ存在しない

軍事力というと、通常は核兵器を含めた陸海空三軍のトータルな戦闘能力で見がちですが、海軍力（海兵隊を含む）だけで見る方法もあります。つまり、世界のどこにでも展開可能な機動力を重視するのです。

近代以降の西ヨーロッパの覇権国家は、ポルトガル、スペイン、ネーデルランド、大英帝国と推移してアメリカにバトンタッチしました。ポルトガルはまずインド洋を制し、スペインの覇権はフィリピンや中南米を支配することで、ネーデルランドはインドネシアや

モルッカ諸島、大英帝国はインドや南アフリカを獲得することで覇権を確立しました。このプロセスの中で有効な軍事力は、陸軍よりも海軍でした。この4国は、世界の交易ルートに展開できる強い海軍力を持っていたのです。交易は人類史上、その大半が海の道を経由していたので、交易ルートを押さえることがすなわち世界の覇権を握ることに直結していたのです。

現代における軍事力の考え方ですが、事実上使えない核兵器を除いて考えると、それは侵略を目的とする兵力よりも、むしろ警察力のイメージです。世界のどこかに無法集団が現われたら、すぐに出向いて行って物理的にポカッと殴らなければいけない。核兵器は使えません。陸軍はすぐには移動できません。高速で紛争地へ移動できる兵力こそが肝要なのです。それは何かと端的にいえば、航空母艦と海兵隊です。空母から飛行機を飛ばして爆弾を落とし、海兵隊を上陸させて相手を殴る能力が必要です。空母と海兵隊はワンセットで海から陸へ移動できる、警察力のすぐれものなのです。

今日の世界で、空母と海兵隊は、ほとんどアメリカの独占物です。連合王国なども持っていますが、極めて小規模です。アメリカは10隻の原子力空母を持っていますから、議会の承認が得られ、予算の制限さえなければ、世界のどの方向にでも空母と海兵隊、さらには大型の航空機や無人飛行機、原子力潜水艦などを送ることができます。要するに世界中にいつでも強力な警察力を展開できる能力を、アメリカは持っているのです。市場の独占状態を示すハーフィンダール・ハーシュマン・インデックスを使った試算によると、現在のアメリカ海軍は、過去の4覇権国よりも集中度が高い（史上最強）という結果が出されているほどです。

中国がアメリカの軍事力に挑戦するとしても、中国にはまだ現実に稼働している空母は1隻もありません。空母は、そう簡単にはつくれませんし、艦載機の練度や護衛艦隊の編成などを含めて機動的に運用することはもっと難しい。そう考えると少なくとも21世紀の前半は、まだまだアメリカの軍事力は揺るがないと思います。ただアメリカという国の注意を要すべき弱点は、アメリカの市民が海外の紛争で犠牲になったら、議会などで大問題になることです。だからなかなか、この突出した軍事力が現実には使えないのです。

けれどもブッシュ（子）大統領のような性格の人が登場すれば、アフガニスタン戦争やイラク戦争のように、何がなんでも戦争を仕掛けるのだと言って、その通りに遂行してしまう力はあるのです。ただ彼の場合、叩いて両国の政権を壊しただけで戦後の面倒を見ることをほとんど考えていなかったのは、大変迷惑な話でしたが。

しかし結論としては、軍事力の面でアメリカの覇権は当面揺るがない。まだしばらくは一極集中が続くと思います。

中国が抱える問題

経済力で21世紀を考えると、中国がアメリカといい勝負をすると思います。現に2016年の時点で、購買力平価基準のGDPを見ると、すでに中国が世界一となりアメリカとほぼ拮抗（きっこう）しています。しかしそれほど簡単にアメリカは揺らぎません。なぜかといえば、アメリカは人口が増えるからです（アメリカの2050年の人口予測は3億8800万人〔2022年7月国際連合調べ〕）。ヒスパニックなどの出生率が高いからです。またアメリカの大学は国際競争力がとても強くて、常時80万人を超える留学生を抱えています。

人口が増え、シェールオイルもあり（世界一の産油国です）、国土は広い。ベンチャーは主として大学から生まれますから、世界中から優秀で多様な人材が集まっていることは、将来への多くの可能性につながっていきます。すなわち、現在の世界経済を引っ張っているアメリカは、これからもそれほど弱くはならないでしょう。GAFAという言葉がありあます。インターネット空間を支配する新興の巨大アメリカ企業群（グーグル、アップル、フェイスブック、アマゾン）を指すのですが、この4社の時価総額だけで優に日本の予算を超えます。GAFAの予備群をその希少性からユニコーン（非上場で時価総額10億USドル以上がひとつのメルクマール〔目印〕）と呼んでいますが、アメリカの企業が十数社、中国と欧州が5社前後と、ここでもアメリカが圧倒しています。

つまり、アメリカは経済面でもまだまだ強力だと思います。このような強力な国に挑戦するには、正面からは戦えません。ゲリラ戦しかありません。その典型がたぶん9・11同時多発テロ事件だったと思います。

それでは中国はどうか。国情が見えにくい国ですが、人口が多いのでいろいろな制約がなくなれば、アヘン戦争以前の水準（世界一の経済大国）には戻ると思います。もともと人口が圧倒的に多く、お金儲けについては非常に勤勉なお国柄です。経済にとっては、あまり余計なこと（平和や環境問題など）を考えたりせずに、ひたすら働いてお金儲けのことだけを考える、そういう人が多い国のほうが早く成長するのです。

現在の中国では公害が大問題になっています（インドも同じでニューデリーは北京の2～3倍大気汚染が進んでいます）。しかしそれは高度成長期の日本の公害と、さほど変わらぬレベルです。そして公害は発展途上段階では必ず生じることです。昔の「霧のロンドン」もそうでした。中国経済はそこそこに強くなるでしょう。名目GDPでもアメリカに匹敵するようになるかもしれない。ただ、人口がアメリカの4倍ありますから、1人当たりのGDPで考えればまだまだ貧しい国だと思います。

中国の問題は何かといえば、ひとつには一人っ子政策の影響もありますが、人口が伸びずに早く高齢化社会に移行すると見られていることと、もうひとつはアメリカに比較したら、まだまだ世界中から優秀な人が集まる構造にはなっていないことが挙げられると思います。

アメリカになぜ人が集まるかといえば、世界一豊かな国であるというだけではなくて、頑張れば成り上がれるという夢があるからです。能力があればチャンスは誰にでも与えられている、と。これは現実にはナローパス（狭い道）かもしれませんが、自由と民主主義と富という、新興国の人をわくわくさせるアメリカンドリームがまだ生きているのです。これに対して中国は、経済は自由だけれど政治は共産党の一党支配ですから、チャイニーズドリームがなかなかつくれない。これではやはり魅力的な社会にはなりません。

いまの時点でアメリカと中国を比較すると、軍事面で追いつくには結構時間がかかるが、経済のほうでは案外早く追いついて追い越すかもしれない。でも1人当たりでみるとまだ貧しいし、人口はそれほど増えないで、むしろ高齢化のほうが早く進む。それから世界中から留学生が来るかといえば、アフリカにはものすごく肩入れしていますから、アフリカからは来るかもしれませんが、でもアメリカの吸引力に比べたらまだまだ弱い。そう考えると、中国がアメリカに簡単に取って代わるとは考えられない。そのような状況にあると思います。

21世紀の世界は、20世紀の最終的な勝者であるアメリカを中心にして、少なくとも前半の50年ぐらいは回る。そのことを疑う余地はあまりないでしょう。アメリカに反対する人々は、ゲリラ戦で抵抗するしかない。中国は経済的には大きくなるだろうが、全体としてアメリカを凌駕（りょうが）する存在になれるだろうか。そのあたりが、21世紀前半の世界の基本的な構造だと思います。

中国とアメリカは決して仲が悪くはない。歴史的に見れば、アメリカと中国のきずなはとても強い。アメリカには北京や上海、広州という名の町が何十とあるのです。また中国から23万人を超える留学生がアメリカに行っているわけですから（日本は2万人を割りました）、両国の草の根の交流には根強いものがあります。したがって米中が簡単に衝突すると見ることは早計です。両国はお互いに牽制（けんせい）し合いながら新しい秩序をつくっていくのではないか。21世紀の前半は、そのような見取り図で考えていいと思います。

なお現在の世界秩序は、第二次世界大戦の五大戦勝国がそのまま国際連合（連合国と英語では同じUnited Nationsという表記です）の常任理事国となって世界をコントロールするというルーズヴェルトのグランドデザインに準拠したものです。五大国の中では、経済力が物を言いますから、中国にとって決して居心地の悪いものではありません。2016年10月からIMF（国際通貨基金）のSDR（IMFによって創出・配分された準備資産、特別引出権）にドル、ユーロ、円、ポンドと並んで人民元が入ったことはその典型だと思います。つまり、中国が新しい世界秩序を模索する必然性は乏しいのではないでしょうか。冷戦によって国際連合がグランドデザイン通りに機能しなくなり、1975年には先進国首脳会議（後のG7）がフランスのランブイエで開かれましたが、新興国の経済力が増す中、G7のGDPシェアが50%を割り込んだので、2008年からは中国、インドなど新興の経済大国を加えたG20首脳会合が開かれるようになりました。そして、2009年にアメリカで開催されたG20は「G20を国際経済協力の第一の協議体」とすることで合意しました。G7ではなくG20が現在の世界を牽引しているのです。

■「ＩＳ」のような集団が形成されるのを防ぐには、何をすればいいいか

「ＩＳ」については第2章でお話ししましたが、ＩＳは義和団のような一種の尊王攘夷の運動ではないかと考えます。

あのような排外主義的で過激な運動は、どうすれば撲滅できるのでしょうか。義和団の場合は近代国家の軍事力によって潰されました。ＩＳの場合も、アメリカを中核とする有志連合が、空と陸から徹底的な攻撃を加えれば潰せるのだろうと思います。

しかし義和団のような争乱が、なぜ中国からなくなったかといえば、鄧小平の改革があり、長い時間をかけて中国が豊かになり民衆が誇りを取り戻したからです。50年、100年という長いスパンで考えれば、シリアやイラクに安定した政権ができて、民心が安定すれば、もともとは石油などがあって豊かな国なのですから、狂信的な運動は少なくなるはずです。

言い方を換えれば、シリアやイラクのようなイスラム圏では、みんながある程度のご飯が食べられて、安心して眠れて、いつでも子どもが産める安定した社会をつくらない限

り、欧米の言いなりになっているではないかという主張が勝って、過激な運動が必ず起こります。

すなわち、ＩＳを軍事力で潰すことはできても、その根を絶つためには、それぞれの国が安定した政権をつくり経済をきちんと運営しなければ、また元に戻るのではないかと思います。

歴史を見ていくと、どのような政権でも長期に安定するためには、中間層を育てることが一番大切なことでした。ローマ帝国の時代から、市民が二極化すると社会が不安定になることを為政者はよく知っていました。ですから、社会の安定を維持するため、中間層すなわち普通の人々を増やして、頑張ったら上にのし上がれるという夢を、たとえ幻想であっても、特に若者に与えることが何よりも大切だったのです。それがないと社会の安定はあり得ません。

二極化とは、お金持ちは塀の中に住んでいて、貧しい人はスラムに住んでいるような社会の形態を指します。たとえば一部の国では、大富豪は城壁のような塀に囲まれた高級住宅街に住んでいます。塀の中にはプールもあり、塀の前には銃を持った人が番をしている。塀の中の住民は、護衛付きの自動車で買い物に行く。これが二極化社会の典型です。

スラムの住民は人生を早くから諦めてしまって頑張る気持ちも失せてしまいます。そして、スラムの若者には仕事もなく、その結果、人生に絶望してテロに走るのです。

それゆえシリアやイラクでも、社会が安定し健全な中間層が育っていけば、ＩＳの存在は不要になる。長い目で見ればそのような政策が求められます。

中国の成功は、鄧小平以来、ある程度の中間層をつくったことだと思います。農村戸籍と都市戸籍という差別がありながらも、比較的自由に農村から出てきて、都市で活躍することが可能となりました。伝統的な賄賂も多いのですが、みんなで頑張った結果、中間層の人々もそれなりに豊かな生活ができるようになっています。日本を訪れる買い物客を見ていればそれがよくわかります。

長い視野で見るとき、ＩＳ根絶の決め手は、中間層すなわち普通の生活者の育成にあり、もっと端的に言えば、ユースバルジ（若年層の膨らみ）の問題、すなわち若年層の失業者を世界的規模でなくすことが何よりも重要なのです。世界的な規模でこの問題に取り組まなければ、先進国で、言わば勝手にＩＳに連帯してテロを引き起こしている若者たちの閉塞感が、消えることはありません。彼らは（仮にＩＳが消滅したとしても）ＩＳに代わる新たな旗印を掲げて、また問題を引き起こしていくでしょう。

21世紀の日本は何に左右されるのだろうか

21世紀の日本について、一番気になるのは人口問題です。人口が健全に増加していくことは、昔から発展、安定、安全の同義語であったのですが、人口が減ると本当のところ社会はどうなるのか、このことを意識せざるを得ない現実にわが国は直面しています。少子高齢化がこれだけ定着してしまったことは、軽視できません。しかも日本では人口が減ったからといって、移民を外部から受け入れることには、社会慣習的に高いハードルがあるのでなおさらです。

人口問題といえば、必ずマルサスの人口論が話題に上(のぼ)ってきます。地球は有限だから人口を何とかコントロールしなければならない、という考え方です。18世紀末からある議論ですが、これまでのところはオオカミ少年で終わっています。このような地球有限説に立脚する理論（悲観論）は、これまではすべて誤っていたといえます。僕が子どもの頃は、地球の石油資源はあと20~30年といわれていました。それが今日になって世界の経済規模は格段に大きくなっているにもかかわらず、石油資源はあと40~50年はもつといわれています。

つまり、まだ人間には地球の大きさというものが十分理解できていなくて、資源がどれぐらいあるのか、まだよくわかっていないのです。なにしろ大陸の大きさは寄せ鍋の灰汁(あく)のようなものです。あの広大な海でさえ体積で測れば地球のわずか700分の1。人間には、地球の資源の総量などわかりようがないのです。地球の資源はこれくらいだから、人口を増やしたらいけないという考え方が正しいかどうか、まだ答えは出ていないと思います。科学的な手法を総動員して現時点でわかる範囲の中で、地球の人口支持力がおよそ120億人ぐらいだと推計されているにすぎません。

人間は地球の活用や資源の再生方法について、コントロールできるほどまだ賢(かしこ)くはない。気候変動などのメカニズムも十分にはわかっていません。地球は複雑です。二酸化炭素をどんどん出し続けていって、気温が2、3度上がったら本当にどんなことが起こるのか、誰もわかっていない。まだそれぐらいの賢さしかないのが、人類なのだという気がします。そうであれば、人類にできることは、できるだけ現状を維持するように努めることしかありません。気候変動対策についての国際合意COP21のパリ協定(2015)は、その意味で英断であったと考えます。2016年9月、G20の第11回首脳会合を前に、アメリカと中国の温暖化ガス二大排出国は、パリ協定同時批准を表明しました。これによりパリ協定の発効はかなり明るい見通しとなりました。

以上のような前提に立てば、つまり、まだよくわからないことがたくさんあるのですから、「日本は人口を増やしてはいけない、これぐらいの人口がちょうどいい」という考え方は、個人的にはたいへん問題があると思います。


生まれ故郷の三重県美杉(みすぎ)村(現在の津(つ)市)に帰って、小学校で講演してきました。つい最近のことです。村の人々の家族構成を見て啞然(あぜん)とし、日本の将来は大変だと改めて思いました。世帯主71歳以上がほぼ半数なのです。さらに僕が生まれた多気(たげ)地区では50歳未満の世帯主は4分の1を割り込んでいました。

もっとびっくりしたのが小学生の数です。もともと美杉村には5、6校小学校があったのですが、いまは全体で美杉小学校ひとつになっています。多気小学校が廃校になったのは、1999年、その頃、美杉村の全小学生の数は約450名でした。それが2015年には、53名に激減していました。そしてこのうち6年生が18名、1年生が4名です。ということは、もしこれから6年間新入生がずっと4名だとしたら、6年後の美杉小学校の生徒数は24名ということになります。

少子高齢化は、ただごとではないのです。日本の限界集落に行ったら、日本の未来が見えるような気がします。都市部はなんとかもつかもしれません。しかし、これで国土全体をマネジメントできるのか、という問題が残ります。中国やアメリカ、ヨーロッパに比べても、日本の本質的な問題は中長期的に見て人口問題になるという予感がします。フランスのシラク3原則（①子どもを持つことによって新たな経済的負担が生じないようにする ②無料の保育所を完備する ③3年後に女性が職場復帰するときは、その3年間、ずっと勤務していたものと見なし、企業は受け入れなくてはいけない）のような本格的な対策を打ち、子育て予算を増やして出生率を少しでも上げ（政府の目標である人口1億人を維持するためには、現在の出生率1・46を1・8にまで上げる必要があります）、定年制を廃止して年齢フリーで働ける社会をつくっていくことが喫緊の課題です。

21世紀の世界で注目したい国々とEUの明日

イランという国があります。旧称はペルシャ。歴史的に見ると、エジプトからイラン、インドまでは地政学的には一帯です。もともとペルシャ人は優秀で、大帝国を何度もつくり優秀な官僚を輩出してきた民族です。インドのムガール朝を取り仕切っていたのもペルシャ人の官僚でした。インドから中央アジアに至るまで、すべてペルシャの伝統が残っています。キューバとアメリカの国交回復が実現したように、1979年のイスラム革命以降冷え込んでいたアメリカとの関係も、2015年7月に歴史的合意に達しました（但し、トランプ大統領が破壊）。

ただイランは現在、シーア派十二イマーム派のハメネイ師が最高指導者の地位に就いています。この政治形態がどこまで続くか予断は許しません。現にスンナ派のリーダーを自任するサウディアラビアとの間で緊張が高まっています（2016年初頭に国交断絶）。

しかし少し長いスパンで見ていけば、政体が替わる可能性もあります。やはり中央ユーラシアでは、イランの動向がいちばん注目に値（あたい）します。若い人口がたいへん多く、元来が優秀な人々です。その次は地政学的にも要（かなめ）の位置にあるトルコの安定が重要です。トルコ人もペルシャ人と同様に、主に軍人（マムルーク）として中央ユーラシアを中心に大帝国をいくつもつくってきた人々です。

それから人口の増加や資源という面から見ると、南アメリカ大陸があります。20世紀の初めに、アルゼンチンが世界のGDPのトップファイブに入っていたことがあります。現在の経済情勢は深刻ですが、長いスパンで見れば国土面積・人口・資源などから考えて、ブラジルも注目すべき国です。メキシコも同様です。

またアジアでいえば、やはりインドです。この国は21世紀中葉には人口で中国を追い抜くと見られています。それからインドネシアもすでに人口が2億5000万人を超えています。注目したい国です。

人口が多く資源の豊富さという点で考えてみると、当然のことですが、ロシアも挙げられます。同じ視点でアフリカ大陸を見れば、アフリカで一番政情が安定している南アフリカに加えて、1億8千万人の人口を擁し石油が出るナイジェリアも注目すべき国です（ナイジェリアは現時点では、ボコ・ハラムのテロに苦しんでいますが）。以上の国々においても要は、マネジメント、つまり政治が安定して政府がうまく運営されることが大前提ですが、その意味ではロシアも同じだと思います。

結局、古い見方かもしれませんが、将来を見据える最大の要素はやはり人口のような気がします。人口には両面があって、独裁国家で赤ちゃんだけが増えたら苦しくなりますが、子どもを上手に教育して中間層を育てれば、国はあっという間に大きくなれることを、歴史が証明しています。

EUについて考えてみると、核となるのはフランスとドイツです。この2国がしっかりと手を組んでいれば、大きく崩れることはないでしょう。しかし、歴史も伝統も異なる多くの国をまとめていくことは大変なことです。フランスにしろドイツにしろ老練で外交力もありますし、EU全体の経済力はアメリカ・中国なみに大きいのです。しかし28カ国の総合体です。公用語でさえ24もあります。どこまでひとつの力になれるのか、懸念が残るところです。加えて、ロシアとの関係がウクライナ問題に見られるようにかなり複雑です。

2016年6月、連合王国ではEU離脱（Brexit）を問う国民投票が行なわれ、48％vs52％で離脱派が勝利を収めました。世界に激震が走り、金融市場は一時大暴落しましたが程なくして元の水準に戻りました。Brexitについては、EUの終わりの始まりだとする悲観論も見られます。しかし大陸を離れて連合王国の発展はあり得ないこと、45歳以下の若い世代では残留派が多数を占めていること、大陸と付いたり離れたりするのは連合王国のお家芸であることなどを考えると、この問題は上手く収まる可能性のほうが高いのではないでしょうか。ひょっとすると、仮に一時離脱するにしても、10年後は連合王国は何食わぬ顔をしてEUの一員に戻っているかもしれません。株価が元に戻ったことは、市場が楽観派に与しているることを物語っていると思います。

■いつの世も人は逃げ出せる自由が欲しい、いつの世もそっくりな時代は存在しない

20世紀には、世界連邦政府をつくろうという考え方がありました。国際連盟や国際連合という発想、エスペラント運動という国際共通語づくりなどがその一例です。そして世界連邦政府をつくることが、戦争をなくし、世界をユートピアに変える一番いい方法だと考えられていました。しかしいまでは、それはむしろユートピアの逆で、デストピアをつくることだという考え方が主流になってきているように思います。

それはなぜか。仮にどれだけすばらしい世界連邦政府ができたとしても、その統治形態や社会形態になじめない人は存在する。そういった人たちが亡命できる余地がなくなるじゃないか、という考え方が根底にあります。人間の自由の中で、逃げ出せる自由という権利は決して小さくはありません。歴史的に見れば、人はみな嫌な政府、悪い政府から逃げ出してきたのです。いまだったら、自分の生活している国が嫌なら住む場所を変えればいい。たとえば日本人でもシンガポールや香港に逃げ出す人が現に存在します（その動機が税金逃れだけというのでは、ちょっと寂しい気がしますが）。でも世界連邦政府が成立し

て、世界がひとつになってしまったら、人間のできることは植物のように置かれた場所で、自分を咲かせるしか他に方法がなくなります。すなわち世界連邦政府をつくったら戦争がなくなるからそれでいい、という素朴なユートピア思想は、自国が嫌いになったり政治亡命を余儀なくされた人にとってはデストピア思想に過ぎないのではないか。戦争の世紀であった20世紀を経験して、そのような考え方が強くなったのではないか。僕はそう思います。世界の多様性のほうがはるかに大切なのです。

人間、土壇場に来たら尻をまくってどこかへ逃げ出せばいい、そういう逃げ出せる自由がないと、なかなかしんどいのですね。世界を画一化されたひとつの国にするのではなく、正しい意味での諸国の自立が求められているのだと考えます。

また、20世紀から21世紀へと続く時代の流れは、過去のどの時代に似ているのでしょうか、という質問を受けることがあります。一言で答えてしまえば、僕たちは歴史からさまざまな教訓を導き出すことはできるけれど、そっくりな時代というのは歴史上どこにも存在しない、そう断言してもいいと思います。

強いて似ている時代を探して、次のような見方をする学者もいます。

彼らは、アメリカの一極集中から多極化へ向かう時代、アメリカの覇権が衰える時代という視点から、ローマの衰亡後や、モンゴルや唐が滅んだ後の時代とのつながりを、圧倒的な覇権国家とその崩壊プロセスという観点から指摘するのです。たとえばローマ帝国を例に引く学者がいます。ローマ帝国が少しずつ壊れていく過程は、アメリカが弱体化していく過程と似ている。したがって次にくるのは中世である。すなわち21世紀は中世が復活する時代だ、という考え方です。しかし、中世の始まりはローマ帝国の道路網（＝情報網）がズタズタにされたことが主因でした。世界の情報がローマ帝国の中枢に集まらなくなったのです。これに対して、アメリカを中心としたインターネットなどの結びつきはむしろ強化されているのではないか。アメリカにはより情報が集中していくのではないか、という見方も有力です。

加えてアメリカが、そう注文通りに衰退していくのか。まだまだアメリカの時代が続くかもしれません。ローマ帝国においても、そのたがが緩んだのはいつだと考えるのか、なかなか難しい問題です。アウグストゥスの時代に帝政が確立・安定したものの、ネロの時代にはたがが緩み、五賢帝のときに復活してさらに強大化している。あるいは蛮族の移動によりローマの屋台骨が揺らぐのは、いつか。すなわちローマの衰亡というメルクマール

(目印)をどこに置くのかは、とても難しい問題です。

またアメリカが衰退するのではなく、アメリカと中国ががっちり手を組んで、米中の平和(G2)という展開になるかもしれない。あるいはアメリカはなかなか崩壊せず、中国も簡単にその代わりになれないかもしれません。

21世紀をどう見るか、と言いましたが、なかなかひとつの方向性を決めるのには困難が伴います。

ただ希望的観測としては、次のようなことが言えるかもしれません。

警官が強いときは、ワルいお兄さんもあまり悪さはしません。警官が弱くなるとワルいお兄さんがのさばり始めます。それゆえ、アメリカが好きとか嫌いとかの問題ではなく、やはり21世紀の世界に相応しい安定した秩序や枠組みができるまでは、アメリカにあまり弱くなってはほしくない、国内問題で世界の警察官としての役割を放棄してほしくはない。そのような感情が、いま世界の通奏低音として流れているのではないでしょうか。現実問題として、アメリカ以外に世界の警察官の役割が果たせる国は他にはないのですから。

オバマのアメリカはここまでは絶対に来ない、少しぐらい関係が悪化してもクリミアを取ってしまえ。そのほうが得だ。それがプーチンのクリミア争奪作戦だったと思います。アメリカが「秩序を乱す奴は殴るぞ」と言って実際の行動に出てくれないと、クリミアのようなトラブルは頻発するでしょう。ＩＳも、アメリカがシリアには直接介入しないし、イラクからも兵を退(ひ)くと言ったことで、アメリカの足元を見て動いているのですから。

僕自身、21世紀をどう見るか、まだまだ整理しきれてはいません。ただ世界の覇権を左右する大きなファクターとしては、やはり人口問題が一番で、次がインターネットやＡＩ（人工知能）に代表される技術革新だと思います。そしてＧ７の中で、一番人口が増え、また技術革新が一番起こりやすいと見られているのは依然としてアメリカなのです。もちろん、共和党のトランプが大統領候補になったことでアメリカの将来を憂(うれ)えている人も大勢います。トランプ現象とは何か。単なるポピュリズムの高まりでしょうか。ＧＡＦＡやユニコーンの話をしましたが、アメリカ経済はとてもダイナミックで世界中からやって来た若者がチャレンジを重ねています。その一方で当然敗残者が生まれる。その人々がトランプを支持しているのだとすれば、トランプ現象はアメリカ経済のダイナミズムの影であって、日本の政情が安定しているのはわが国の経済が停滞していることの裏返しであるのかもしれません。グローバル化・国家主権・民主主義のトリレンマ（パラドクス）と言った人もいました。

ともあれ、歴史は決して一直線に進むものではありません。振り子のように左右に揺れながらジグザグで進むもの。短視眼的に世界を見て、一喜一憂することは避けたいものです。

■世界は良くなっている

21世紀はテロと難民の時代になるという人がいます。確かにテロによる犠牲者数は、2005年の1万4482人から2014年の3万2727人へと2倍強増加しています。その内の約80%は、イラク、ナイジェリア、アフガニスタン、パキスタン、シリアの上位5カ国に集中しています（アメリカ国務省HP）。また難民等の数は、2004年の2170万人から2014年には6040万人へとほぼ3倍増の勢いです（外務省HP）。難民の発生国は内戦の続くシリアとアフガニスタンが群を抜き、続いてソマリア、スーダン、南スーダンの順となっています。

しかし、その一方で明るいニュースも実はたくさんあるのです。2015年9月の国連サミットでは、2030アジェンダ（持続可能な開発目標：SDGs. Sustainable Development Goals）が採択されましたが、これは２００1年に国連で策定されたミレニアム開発目標（MDGs. Millennium Development Goals）の後継で、ＭＤＧｓからＳＤＧｓに至るプロセスによって世界は着実に良い方向に向かっているのです。いくつか例示してみましょう。

（1）1日1・25ドル未満で生活する極度の貧困層は、１９９０年の19・26億人から（世界の人口が90年の53億人から２０１５年の73億人へと増えているにもかかわらず）２０１５年には8・36億人へと半分以下に減少しました（割合で述べれば36％から11％への減少となります）。アジェンダでは、マイクロファイナンスなどの提供を通じて２０３０年には0人という目標を掲げています。貧困こそが社会の不安定の根本原因であることを考慮すると、この4半世紀で最貧困層を半減させたことは偉大な成果と言っていいでしょう。

（2）5歳未満児の死亡率は出生１０００人当たり90人（１９９０年）だったものが、２０１５年には43人へと、これも半減しました。アジェンダではワクチン接種の普及や改良などで、２０３０年には25人以下を目指しています。

（3）若者（15～24歳）の識字率は１９９０年の83％から２０１５年には91％まで上昇し

ましたが、アジェンダではスマホ等の活用によるSMS教育を普及させることにより、2030年には100%を達成したいとしています。

(4)安全な飲料水を得られない人は1990年の12億人が、2015年には6億人へと、これも半減しました(割合は23%から8%へと低下)。これをアジェンダでは汚れた水をきれいな水に変える濾過ボトルの活用等により、2030年には0人にしたいと目論んでいます。

(5)栄養不良人口は、1990〜92年の10・11億人が、2014〜16年には7・95億人へと減少する見込みです(割合は19%から11%へと低下)。アジェンダでは難民への効率的な食糧支給等により、これも0人を目標としています。

(6)女性に平等なリーダーシップの機会を与えるべく、アジェンダでは各国の下院の女性議員の割合を2030年には男女イコールにしたいとしています。1995年には11・3%だった女性議員の割合は2015年には22・1%まで上昇していますが(ただし日本は11・6%で大きく遅れをとっています)、この目標を達成するためにはクォータ制(議員などの一定枠を両ジェンダーに割り当てる制度)など思い切った施策を行なう必要があるでしょう。

（7）電力を利用できない人は1990年には20億人を数えましたが、2015年には11億人以上と、これもほぼ半分近くまで減少しました（割合は38％から15％へと低下）。アジェンダではすべての人に現代的エネルギーへのアクセスをということで、これも0人という目標を置いています。小水力発電や太陽光発電を貧困地域に普及させることがカギとなるでしょう。

2016年5月27日、アメリカ大統領として初めて広島を訪れたオバマは、核兵器なき世界を主導する責任に触れた歴史的なスピーチを行ないました。そしてその中で広島で平和に生きる子どもたちについて述べ、全世界の子どもたちが平和に生きることができる未来を選択しなければならないと続けました。オバマ大統領は、まちがいなく歴史に学び、世界が良くなることを信じて次の世代（子どもたち）に夢を託したのだと思います。

参考文献　歴史好きな皆さんにぜひおすすめしたい本の紹介

子どもの頃から本を読むのが大好きでした。とりわけ熱中したのが歴史関係の書物でした。世界の歴史について、目を開かせてくれた本、今日の自分の血となり肉となる知識を与えてくれた本は、数えきれないほどあります。

ここでは参考文献という形で、それらの本の中から、これはと思う本を何冊かご紹介します。5つのカテゴリーに分類して選びました。

「世界史に興味はあるけれど、何から読んでいいか迷っている」

そのような人が、嬉しくなる本にめぐり会えればいいなと思っています。

まず第1群。ここには歴史に親しむために最初に手に取る本を中心に並べてみました。本書を面白かったと思った人には、拙著『「全世界史」講義Ⅰ、Ⅱ』がおすすめです。人類5000年の歴史が2冊で一気読みできます（巻末にはかなり詳細な参考文献表を載せました）。同様に、個人が自分の視点で描いた通史的なものとしては、インドの首相だったネルーが書いた『父が子に語る世界歴史』があります。小さい頃に読んで感動した本でした。また、わかりやすく書いてあり、よく売れているものとしてはマクニールの『世界史』があります。

以上3点は通史ですが、歴史に親しむためには、何よりもまず歴史は面白いと思っていただく必要があります。その意味で、『ユリシーズ』を邦訳した永川玲二（ながかわれいじ）の『アンダルシーア風土記』は絶品だと思います。面白い本、というと僕の脳裏に直ちに浮かんでくる一冊です。それから若桑（わかくわ）みどりの『クアトロ・ラガッツィ』、これもたいへん面白くて興味深い本で、グローバリゼーションとはどういうものかを、日本の実例を挙げて描き切っています。次に、佐藤雅美（さとうまさよし）の『大君（たいくん）の通貨（つうか）』があります。これも小説ですが、経済というものの大切さが切実にわかります。

最後にアントニー・ビーヴァーの『第二次世界大戦1939-45』。現在の世界秩序は第二次世界大戦中にアメリカのルーズヴェルト大統領が構想したグランドデザインがベースになっています。現在の世界を理解するための必読の一冊と言っていいでしょう。大著ですが、とても面白くあっという間に読めます。

次に第2群。歴史が好きになった人向けの体系書です。

中央公論社の『世界の歴史』（旧版）は、かなり古い考え方も混じっていますが、とても読みやすい名著です。たいていの図書館にはあると思います。新版（全30巻）もありますが、旧版は面白さの出来が一味違います。それから、それぞれの時代や局面を研究した論文集『岩波講座　世界歴史』があります。この2つを通読すると、歴史の縦糸が見えてきます。

次に歴史の横糸を読もうとするときには、山川出版社の『新版　世界各国史』がいいと思います（海外に赴任する人にもすすめています）。さらに中国については、講談社の『中国の歴史』をおすすめします。巻によって出来、不出来の差はありますが、この全集で中国については十分カバーできると思います。

以上が第2群の書籍です。これらは本当に歴史が好きな人が、たとえば退職してから、じっくりと2、3年ぐらい時間をかけて世界史を勉強しようと思ったときに、おすすめしたい書物です。これらの体系書を全巻きちんと読み込めば、世界がよく見えてくると思います。

続いて第3群。歴史小説などを読んでいてわからないことが出てきたり、事実関係をチェックしたり調べたりするのに便利なグループです。

山川出版社の『詳説世界史B』という教科書と、それとセットになった『詳説世界史図録』という絵入りの本、さらに高校生の教科書を大人向けに書き直した『詳説世界史研究』です。有名な三部作で、それぞれ400~500ページ。歴史小説を読むときの辞書代わりに最適です。

ついでに山川出版社についていえば、『ヒストリア』と『世界史リブレット』という、世界史のさまざまなテーマを取り上げたシリーズがあります。すでに『ヒストリア』はシリーズが終了していますが、全28巻、それぞれが200ページほどでとても読みやすい。『世界史リブレット』は発刊中で(現時点で120巻)、全128巻、それぞれ100ページほどです。先に挙げた辞書代わりの3冊を読んで、もう少し深く知りたくなったとき、このシリーズの中から同一テーマを探すといいと思います。

山川出版社の歴史ものは、それなりの定評があります。第3群は忙しいビジネスパーソンが、世界史の特定のテーマなどを知っておきたいときにもきっと役立つと思います。

第4群として、歴史の見方をきちんと知りたいなと思うとき、まず基本となる3冊をおすすめします。少し内容が西洋に片寄りますが、大きい歴史の見方のベースとなる教科書的な存在です。ブローデルの『地中海』、ウォーラーステインの『近代世界システム』、アンダーソンの『想像の共同体』です。

この第4群は、オーソドックスな歴史学の勉強という視点から挙げたものですが、この視点を徹底させ、古典に足を延ばしてみましょう。ブルクハルトの『イタリア・ルネサンスの文化』、ホイジンガの『中世の秋』、さらには古典中の古典としてのヘロドトスの『歴史』と司馬遷（しばせん）の『史記』、加えて、イブン＝ハルドゥーンの『歴史序説』。ここまでを読んでもらえれば、ブローデル、ウォーラーステイン、アンダーソンたちが出る前の典型的な歴史のものの見方や考え方がよくわかります。逆にヘロドトスやホイジンガなどを読破したうえで、ブローデルたちに挑戦するのも面白いと思います。

最後の第5群では、第4群が西洋を中心として発達してきた歴史の考え方で書かれているのに対して、必ずしもそうではないユニークな歴史の見方で書かれた本のグループを取り上げます。

たとえば通俗作家が書いたものですが、ジャレド・ダイアモンドの『銃・病原菌・鉄』があります。病原菌の恐さがきちんと書いてあります。同様にチャールズ・C・マンの『1493』はコロン交換の凄まじさを描き切っていて勉強になります。またブライアン・フェイガンの『歴史を変えた気候大変動』を読むと、気候が歴史の展開のうえで実に大きなウエイトを持っていることが、よくわかります。それから大著になりますが、ニーダムの『中国の科学と文明』も欠かせないでしょう。ヨーロッパ人が書いた中国史ですから、そこには西洋的なものの見方のバイアスがかかっていますが、アジアの豊かさと大きさというものが、きちんと示されています。

また遊牧民については、ユーラシア史の学者である杉山正明(すぎやままさあき)の諸著作が一番わかりやすいと思います。杉山正明の遊牧民についての著作と、『銃・病原菌・鉄』、『1493』、『歴史を変えた気候大変動』、『中国の科学と文明』などを読み合わせると、中央ユーラシアの遊牧民が中心になって動かしてきた歴史の太い流れがよくわかります。

それからかなりショッキングな本としては、マーティン・バナールの『黒いアテナ』がおすすめです。古代ギリシャは白人文明ではないというユニークなものの見方をしています。

以上第5群にはオーソドックスなものだけではない、多様な歴史の見方を学ぶうえで参考になる著作を集めました。最後に、三国志が大好きな皆さんへ『三國志逍遥』をおすすめします。ものの見方が変わること請け合いです。また21世紀の世界を見通すうえでは、ヨルゲン・ランダースの『２０５２』がひとつの参考になると思います。

以上、33アイテム。世界史をもっと知りたい、勉強したいなと思っている人への道しるべになれば幸いです。

参考文献一覧

第1群　歴史に親しむために最初に手に取る本

・『「全世界史」講義　Ⅰ、Ⅱ』出口治明／新潮社／全2巻
・『父が子に語る世界歴史』ジャワーハルラール・ネルー／みすず書房／全8巻
・『世界史』ウィリアム・H・マクニール／中公文庫／全2巻
・『アンダルシーア風土記』永川玲二／岩波オンデマンドブックス
・『クアトロ・ラガッツィ』若桑みどり／集英社文庫／全2巻
・『大君の通貨』佐藤雅美／文春文庫
・『第二次世界大戦1939-45』アントニー・ビーヴァー／白水社／全3巻

第2群　基本となる体系書（全集）

・『世界の歴史』（旧版）中央公論社／中公文庫／全16巻＋別巻
・『岩波講座 世界歴史』（新版）岩波書店／全28巻＋別巻

・『新版 世界各国史』山川出版社／全28巻
・『中国の歴史』（新版）講談社／全12巻

第3群　要約・歴史小説を読むときの辞書代わり

・『詳説世界史B』山川出版社（教科書として販売中）
・『詳説世界史図録』山川出版社
・『詳説世界史研究』山川出版社
・『ヒストリア』山川出版社／全28巻
・『世界史リブレット』山川出版社／全128巻（刊行中）

第4群　オーソドックスな歴史の見方を知る

・『地中海』フェルナン・ブローデル／藤原書店／全5巻
・『近代世界システム』イマニュエル・ウォーラーステイン／名古屋大学出版会／全4巻
・『定本　想像の共同体』ベネディクト・アンダーソン／書籍工房早山
・『イタリア・ルネサンスの文化』ヤーコプ・ブルクハルト／中公クラシックス／全2巻

・『中世の秋』 ホイジンガ／中公クラシックス／全2巻
・『歴史』 ヘロドトス／岩波文庫／全3巻
・『史記列伝』 司馬遷／岩波文庫／全5巻
・『歴史序説』 イブン＝ハルドゥーン／岩波文庫／全4巻

第5群　新しいユニークな歴史の見方を知る

・『銃・病原菌・鉄』 ジャレド・ダイアモンド／草思社文庫／全2巻
・『1493』 チャールズ・C・マン／紀伊國屋書店
・『歴史を変えた気候大変動』 ブライアン・フェイガン／河出文庫
・『中国の科学と文明』 ジョゼフ・ニーダム／思索社／全8巻
・『遊牧民から見た世界史』 杉山正明／日経ビジネス人文庫
・『モンゴル帝国の興亡』 杉山正明／講談社現代新書／全2巻
・『黒いアテナ』 マーティン・バナール／藤原書店／全2巻
・『三國志逍遥』 中村愿、安野光雅画／山川出版社
・『2052』 ヨルゲン・ランダース／日経BP社

おわりに

前著『仕事に効く 教養としての「世界史」』は、読者の皆さまに支えられておかげさまで14刷まで増刷されました。素人の書いたものがどこまで読んでいただけるのか、正直、不安がありましたが、ある程度の結果を残せたことをとてもうれしく思っています。

パートⅡに当たる本書も、２０１４年後半から取材をしていただき、前著同様、祥伝社の栗原和子さんと、コピーライターの小野田隆雄さんに上手にまとめていただきました。また史実については、矢彦孝彦さんに校閲していただきました。この場をお借りして、栗原さん、小野田さん、矢彦さんには厚く御礼を申し上げたいと思います。本当にありがとうございました。

2016年8月4日に、医療経済研究機構（IHEP）が「OECD基準による日本の保健医療支出について」を公表しました。これによれば、日本の保健医療支出の対GDP比は、新基準ベースで11・4%、アメリカ、スイスに次いで世界第3位となりました。この発表は世間を少なからず驚かせました。なぜなら旧基準では日本は先進国の中では連合王国やイタリアと並ぶ医療費の少ないグループに属しており、少ない医療費で世界一の長寿国を実現した日本の医療制度は世界に冠たるもの、と説明されてきたからです。

このように、数字やファクトは更新されるのです。歴史も同じで、日々新しくなっています。たとえば、始皇帝の名前は、『史記』を信じて長い間「政」であると考えられてきました。しかし、最近発掘された諸資料等を勘案して、『人間・始皇帝』（鶴間和幸著、岩波新書）では始皇帝の名前を「正」と表記しています。歴史は総合科学であって、人類の知見を総動員して過去をできるだけ正確に再現しようというひとつの知的な試みなのです。つまり、歴史はひとつなのです。

本書を読まれた皆さんが、なるほど歴史は面白いなと思ってくだされば、著者としてこれに過ぐる喜びはありません。皆さんの忌憚のないご意見やご感想をお待ちしています。

（宛先）hal.deguchi.d@gmail.com

２０２３年９月

立命館アジア太平洋大学（ＡＰＵ）学長　出口治明

「骨太の知性」について

小野田隆雄（おのだたかお）

前著『仕事に効く 教養としての「世界史」』の「おわりに」で、出口さんは「仕事に効くという言葉の意味合いについて、次のように記述していました。それは仕事をしていくうえでの具体的なノウハウが得られる、ということではなく、世界史に登場してくるさまざまな国の滅亡や個人の失敗や憤死する事件を知ることによって、「負け戦（いくさ）をニヤリと受け止められるような、骨太の知性を身につけてほしい」という思いがあったと。

前著が発売されてから2年と7カ月あまりが経過して、本書（『仕事に効く 教養としての「世界史」Ⅱ』）が発売となりました。しかしこの2年と7カ月あまりの間に、驚くほど多くの事件が世界中で起きました。市民が巻き込まれるテロが頻発し、その現実はいまも続いています。また国家がエゴを押し通すことで起きるトラブルも目立ってきました。本書を作成するために、出口さんの話を聴き、その主旨を明確に伝えるべく悪戦苦闘・奮励努力の日々は、暗転を続ける世界の現実と向き合っている日々でもありました。いまの世界で、生きるのが楽しいと思っている人が、果して存在するのかなと考えたりする毎日でした。

ただ、出口さんの話を噛み締めているうちに気づきました。脳裏に広がってくるヨーロッパやユーラシアの政治や社会の、理不尽であったり非人道的な状況も、必ず変化する時節が到来することに。「明けない夜はない」とはよく言ったものだと思うようになってきたのです。

出口さんの言うとおり、人間はさほど賢くはありません。けれど殴られた痛みは忘れません。世界中の人々が、つまずいたり転んだりしながら必死に歩いてきた姿を俯瞰しながら見つめていくと、人間への愛情が湧いてくる感じになります。やがて「負け戦をニヤリと受け止められるような、骨太の知性」が、少しずつ心に培われてくるかと思われました。それは、人間に対する信頼と言い換えられるかもしれません。現代の僕たちは、やはり人生の知恵は歴史の中から粘り強く学ぶしかないことを、痛切に思わざるを得ない時代の真ん中にいるように思います。

『仕事に効く 教養としての「世界史」Ⅱ』が、文庫本となることを知りました。いまもなお世界の各所で不幸な現実が、人々を苦しめています。一方で仕事や留学そして観光など、私たちが世界を訪れる機会は増加しています。その旅行鞄の片隅に、本書の文庫版が入っていてくれたら嬉しいと思いました。旅する人自身が、骨太に生きる手助けになればと。

【わ】

【や～よ】

【ら～ろ】

【ふ】

【へ】

【ほ】

【ま～も】

【な～の】

【は】

【ひ】

【た】

【ち】

【て】

【と】

【す】

【せ】

【そ】

【さ】

【し】

【き】

【く】

【け】

【こ】

[索引]主要事項(50音順)

【わ】

【へ】

【ほ】

【ま】

【み】

【む】

【こ】

【さ】

【し】

【す】

[索引]主要人名(50音順)

（この作品『仕事に効く 教養としての「世界史」Ⅱ』は平成二十八年十月、小社より四六判で刊行されたものです）

一〇〇字書評

切り取り線

購買動機（新聞、雑誌名を記入するか、あるいは○をつけてください）

□（　　　　　　　　　）の広告を見て	
□（　　　　　　　　　）の書評を見て	
□ 知人のすすめで	□ タイトルに惹かれて
□ カバーが良かったから	□ 内容が面白そうだから
□ 好きな作家だから	□ 好きな分野の本だから

・最近、最も感銘を受けた作品名をお書き下さい

・あなたのお好きな作家名をお書き下さい

・その他、ご要望がありましたらお書き下さい

住所	〒				
氏名		職業		年齢	
Eメール	※携帯には配信できません			新刊情報等のメール配信を 希望する・しない	

この本の感想を、編集部までお寄せいただけたらありがたく存じます。今後の企画の参考にさせていただきます。Eメールでも結構です。

いただいた「一〇〇字書評」は、新聞・雑誌等に紹介させていただくことがあります。その場合はお礼として特製図書カードを差し上げます。

前ページの原稿用紙に書評をお書きの上、切り取り、左記までお送り下さい。宛先の住所は不要です。

なお、ご記入いただいたお名前、ご住所等は、書評紹介の事前了解、謝礼のお届けのためだけに利用し、そのほかの目的のために利用することはありません。

〒一〇一－八七〇一
祥伝社文庫編集長　清水寿明
電話　〇三（三二六五）二〇八〇

祥伝社ホームページの「ブックレビュー」からも、書き込めます。

www.shodensha.co.jp/bookreview

祥伝社文庫

仕事に効く 教養としての「世界史」II

令和 5 年11月20日　初版第 1 刷発行

著　者　出口治明
発行者　辻　浩明
発行所　祥伝社
東京都千代田区神田神保町 3-3
〒 101-8701
電話　03（3265）2081（販売部）
電話　03（3265）2080（編集部）
電話　03（3265）3622（業務部）
www.shodensha.co.jp

印刷所　堀内印刷
製本所　積信堂

Printed in Japan ©2023, Haruaki Deguchi　ISBN978-4-396-31845-1 C0120